Peter Nütz
FRISCHLIN

Der Schlüssel zum Leben
ist Geduld und
ein harter Panzer.

Peter Nützi

PETER NÜTZI

FRISCHLING

Roman

Herstellung und Verlag: BoD – Books on Demand, Norderstedt

Umschlaggestaltung: Peter Nützi

Umschlagbild: Peter Nützi

Satz und Layout: Peter Nützi

ISBN 978-3-7519-2031-5

Bibliografische Information der Deutschen Nationalbibliothek

Liebe Leserin, lieber Leser

In diesem Roman stossen Sie auf ein paar wenige fremdsprachige Ausdrücke und Sätze. Die deutschen Übersetzungen dazu finden Sie am Ende des Buches.

Viel Spass!
Peter Nützi

1

»Wir müssen noch Kleider kaufen«, sagt die Mutter mit einem verlegenen Lächeln an diesem sonnigen Montagnachmittag im April 1966 zu ihrem Sohn Peer. Dieser verlässt gerade das Schulgebäude beim Baseltor in Solothurn und ist im Begriff, die wenigen Stufen der Eingangstreppe zum Vorplatz hinunterzusteigen. Heute ist sein erster Schultag in der dritten Klasse der Bezirksschule. Krampfhaft versucht die Mutter zu verbergen, dass ihr dieser überfallartige Empfang recht peinlich ist.

»Was, ›wir müssen noch Kleider kaufen‹?«, fragt Peer konsterniert und streicht sich mit seinen feingliedrigen Fingern durch das leicht krause, dunkle Haar.

»Ja, du brauchst noch neue Kleider. Am Samstag kannst du nach Schwyz ins Kollegi. Vater hat dich dort platzieren können.«

»Wagt der es doch tatsächlich, mich einfach in ein Internat zu stecken«, Peer schluckt leer und ringt nach Luft, »ohne mit mir vorher darüber zu reden!«

Fassungslos muss sich Peer zuerst mal setzen. Damit beginnt für ihn ein neues Leben, wie er sich das nie gewünscht hat, und das ihn oft an den Rand der Verzweiflung bringen wird.

Doch der Reihe nach. Peer Nickels ist fünfzehn Jahre alt. Ein aufgestellter Bursche, für den das Leben eben erst beginnt. Er ist weder gross, noch auf den ersten Blick besonders kräftig gebaut. Seinem Alter entsprechender, guter Durchschnitt halt. Obwohl, wenn man ihn in seinem modischen, weissen Leibchen ohne Ärmel, aber mit breiten Trägern, so betrachtet, könnte man schon zum Schluss kommen, dass mit ihm in gewissen Situationen wohl nicht gut Kirschen essen ist. Seine doch recht muskulösen Oberarme und Schultern lassen darauf schliessen, dass er sich mit Krafttraining fit hält. Dunkle Augen und feine Gesichtszüge unterstreichen seine angenehme Erscheinung. Einzig die Ohren stehen links und rechts leicht ab, was er aber mit seiner vollen Haarpracht gut kaschieren kann. Wenn es nach seinem Willen ginge, hätte er vor ein paar Tagen seine Grafiker-Lehre begonnen.

Aber sein Vater, der nächsten Monat seinen achtunddreissigsten Geburtstag feiert, ein unbeherrschter Choleriker mit teils rüpelhaften, diktatorischen Gefühlsausbrüchen, wenn es nicht nach seinem Kopf geht, sieht das anders. Dieser kleine, übergewichtige Mann mit den mit Brylcrème nach hinten gebändigten, naturgewellten, schwarzen Haaren, wollte selber in seinen jungen Jahren studieren, konnte aber nicht, da in seiner Familie das Geld knapp war. So beschloss er kurzerhand, dass sein Sohn Peer studieren und Ingenieur werden soll. Ohne diesen zu fragen, hat er ihn eigenmächtig an zwei aufeinanderfolgenden Jahren zur Aufnahmeprüfung für die Kantonsschule angemeldet.

Peer wollte aber nicht mehr weiter zur Schule gehen, sondern einen Beruf erlernen. Und so ist er bewusst durch beide Aufnahmeprüfungen gerasselt in der Hoffnung, jetzt endlich seine Lehre absolvieren zu dürfen.

Doch der junge, noch recht naive Peer hat die Rechnung ohne seinen Vater gemacht. Und er müsste es eigentlich besser wissen. Warum sollte sein Vater, der immer alles besser weiss, der keine andere Meinung gelten lässt, der ganz allein bestimmt, was seine Familie zu tun und zu lassen hat, ausgerechnet jetzt Rücksicht nehmen?

Schon als kleiner Bub hatte ihm Peer jeweils samstags als Handlanger zur Verfügung zu stehen. Und schon damals konnte er ihm nichts recht machen. Immer wieder musste er seine Schimpftiraden über sich ergehen lassen. Nicht nur einmal hat sich der kleine Peer in die Hose gemacht, weil er für seinen Vater etwas holen sollte, das aber nicht schnell genug fand, und sein Vater stampfenden Schrittes und laut polternd »Muss man denn alles selber machen« hinter ihm herstürmte, ihn zur Seite schubste und sich des gewünschten Werkzeugs hinten in der dritten Schublade des rechten Schubladenstockes selber behändigte. Peer wusste noch nicht einmal, wie dieses Werkzeug hiess. Geschweige denn wie es aussah, oder gar wo es aufbewahrt wurde. Diesbezügliche Einwände aber wurden vom Vater jeweils barsch und lieblos mit »Dich kann man zu nichts gebrauchen« weggewischt.

Ein folgenschwerer Satz. Peer bekommt ihn, seit er denken kann, immer wieder an den Kopf geworfen. Der heranwachsende Junge wird von seinem Vater jeder Möglichkeit, Selbstvertrauen aufzubauen, beraubt. Das Verliererimage wurde ihm bereits als kleiner Bub vor Jahren unauslöschlich in die Seele gebrannt. Wie ein roter Faden wird sich der Satz

»Dich kann man zu nichts gebrauchen« durch Peers Leben ziehen und ihn immer wieder scheitern lassen. Er wird schmerzhaft zu lernen und zu akzeptieren haben, von seinem Vater nie ein »Das hast du gut gemacht« zu hören.

So erstaunt es auch nicht, dass Peer auf Geheiss des Vaters nun noch die dritte Klasse der Bezirksschule absolvieren muss. Doch nach einem Jahr, ist er sich sicher, kann er dann seine Lehre …

»Du brauchst eine Jacke und Hosen«, wird Peer aus seinen Gedanken gerissen, »und dann muss ich unbedingt noch die Stickbuchstaben P und N kaufen, um deine Wäsche kennzeichnen zu können. Das ist obligatorisch im Kollegi. Komm, mach ein bisschen vorwärts«, und die Mutter zieht ihren Sohn liebevoll, aber bestimmt, Richtung Innenstadt.

Peers Mutter ist eine schlanke, ruhige Frau, im gleichen Alter, wie sein Vater. Ihre halblangen, dunkelblonden Haare hält sie zurückgekämmt mit einem Haarreif zusammen. Doch immer wieder fällt ihr eine widerspenstige Strähne ins Gesicht, die sie dann rasch mit dem Zeigefinger hinter das Ohr klemmt. So lieb und fürsorglich sie auch ist, gegen Peers aufbrausenden Vater kann sie sich nicht durchsetzen. Es sei denn, sie zieht ihre Konsequenzen und verschwindet einfach für ein paar Stunden. Manchmal bis spät in die Nacht. Niemand weiss dann, wo sie ist. Solche Aktionen lösen bei Peer jeweils traumatische Zustände aus. Nicht nur Vaters Anschuldigungen, es sei seine – Peers – Schuld, sondern vor allem der Gedanke, seine Mutter könnte sich etwas antun, reizen Peers Magennerven jeweils bis zum Erbrechen. Und mit jedem Mal stürzt bei ihm ein weiteres Stückchen der bereits sehr kleinen, heilen Welt in sich zusammen.

»Aber Kollegi? Was Kollegi? Ihr habt mir nie etwas von einem Kollegi gesagt. Ich will doch jetzt nicht plötzlich in ein Internat«, braust Peer auf.

Mit einem Mal spürt er die warme Brise, die mit seinem Haar spielt, nicht mehr. Das fröhliche Vogelgezwitscher aus dem gegenüberliegenden Stadtpark ist in weite Ferne gerückt. Eine eiserne Hand scheint sein Herz zu umspannen, und düstere Wolken legen sich schwer wie Blei auf seine Gedanken.

»Nein, in ein Internat gehe ich auf keinen Fall!«

»Schau doch mal Junge, wir meinen es doch nur gut mit dir.«

»Eher bringe ich mich um.«

»Was sagst du denn da! Du wirst neue Freunde finden, und es wird dir gefallen.«

»Das sagst gerade du. Du warst doch selber in Freiburg in einem Internat und es hat dir überhaupt nicht gefallen.«

Doch die Mutter, mit ihren Gedanken bereits beim Einkaufen, meint nur: »Vater hat schon alles geregelt. Das Schulgeld für das erste Jahr ist auch schon bezahlt. Und dass du's grad weisst – billig ist das nicht! Und sowieso, das ist das Beste für deine Zukunft. Du könntest ruhig etwas dankbar sein!«

»Ja, und meine Kollegen? Und meine Freundin? Dann sehe ich die ja nicht mehr. Nein, ich will nicht in dieses Internat«, erwidert Peer trotzig.

Und dann kommt der obligate Satz, der ihn blitzartig mundtot macht, und den er immer dann zu hören bekommt, wenn er sich, seiner keimenden Persönlichkeit bewusst werdend, gegen die Bevormundungen seiner Mutter zaghaft zu wehren versucht: »Wenn du jetzt nicht aufhörst, sag ich's dem Vater!«

Die Mutter weiss ganz genau um die Angst ihres Sohnes vor seinem Vater. Und mit diesem Satz ist jegliche Diskussion unverzüglich beendet. Was sie aber nicht weiss ist, dass das Herz ihres Jungen bei diesen drohenden Worten jedes Mal zu rasen beginnt, als wolle es aus der Brust springen, dass ihrem Bub der Schreck in die Glieder fährt, und er weiche Knie bekommt. So sehr fürchtet er sich vor den Wutausbrüchen seines Vaters.

Zu diesem Zeitpunkt ist Peer noch nicht klar, dass ihn diese Angstzustände ein Leben lang begleiten und sich bei jedem noch so kleinen Konflikt unvermittelt und lähmend manifestieren werden. Er ist verzweifelt. Einmal mehr bestimmt sein Vater über ihn, entscheidet über seine Zukunft, sein Leben. Ohne ihn zu fragen. Ohne auf seine Wünsche und Bedürfnisse Rücksicht zu nehmen. Wie damals bei den sturen Anmeldungen zur Kantonsschulprüfung. Und erneut kann er sich nicht wehren, muss die Entscheidung seines Vaters einfach akzeptieren.

Peer hadert mit seinem Schicksal und sucht krampfhaft nach Lösungen, um nicht nach Schwyz ins Internat gehen zu müssen. Ich haue einfach ab, denkt er. Irgendwohin. Nur weg. Diesen Internatsdrill brauche ich nicht. Fünf Jahre eingesperrt. Oder noch länger. Nicht mit mir. Soll er seine verpfuschten Jugendträume anderswie realisieren, aber nicht auf meinem Buckel. Ein Vater sei er?! Ein Egoist ist er!

Äusserlich lässt sich Peer nichts anmerken. Er hat gelernt zu kuschen, den Mund zu halten, um verbale Hiebe seines Vaters nicht unnötig heraufzubeschwören. Innerlich aber kocht er. Nicht wegen des charakterlosen Verhaltens seines Erzeugers, da hat er sich längst dran gewöhnt, sondern weil er sich bewusst ist, dass er selber so etwas, wie einfach abhauen, nie durchziehen könnte, und sein Vater offensichtlich recht hat, in ihm nur den Versager zu sehen.

Zu allem Überfluss hört er dann auch noch die Worte seiner Mutter »Da ermöglicht man dir ein Studium, und jetzt reklamierst du noch. Was ist bloss mit euch Jungen los?!«, die er ab heute immer wieder zu hören bekommen wird, wenn er irgendetwas Negatives zum Internat sagt.

Zutiefst verletzt und völlig überrumpelt schickt sich Peer in das Unabwendbare. Er hat keine andere Wahl. Das mit dem neu begonnen dritten Bezirksschuljahr ist natürlich nach diesem ersten Schultag auch bereits wieder vorbei.

Obwohl Peer alles versucht, um das kommende Unheil »Kollegi« irgendwie noch abzuwenden, kommt der Samstag der Abreise unaufhaltsam näher. Er muss seine Koffer packen und sich entscheiden, was er denn überhaupt mitnehmen will.

Doch auch hier, wie könnte es anders sein, hat Peer nicht all zu grosse Möglichkeiten. Sein Vater weiss genau, was es zum Studium braucht, und was somit eingepackt wird. Sicher mal kein kleines Kofferradio! Das lenkt nur vom Lernen ab …

Am Freitagabend verabschiedet sich Peer von Marianne, seinem Mädchen. Das geht nicht ganz ohne Tränen. Erst kürzlich haben sich die zierliche, blonde Tochter eines Bauunternehmers und Peer ihre aufkeimende Liebe gestanden. Fest aneinander gekuschelt sitzen sie im fahlen Mondschein auf ihrer, gut im Schilf des nahen Dorfbaches versteckten, kleinen Bank. In der Ferne ruft eine Kirchturmglocke mit zehn Schlägen die fortschreitende Nacht in Erinnerung. Sonst ist nur das ab und zu durch einen tiefen Seufzer der beiden unterbrochene, melancholische Plätschern des Baches zu hören. Leiser Nieselregen durchnässt langsam ihre Kleider. Es ist, als weine der Himmel mit ihnen.

Weltuntergangsstimmung!

Die beiden Frischverliebten versprechen sich, einander zu schreiben und aufeinander zu warten. Doch in ihren Herzen wissen wohl beide, dass ihre junge Liebe die bevorstehende, lange Trennung wahrscheinlich nicht überstehen wird.

Und sie sollten damit Recht behalten.

2

Die romantischen Stunden von gestern sind Geschichte. Der Alltag hat Peer wieder eingeholt. Heute ist der unumstössliche Tag der Abreise.

Peer weiss nicht, was auf ihn zukommt. Er hat Positives, aber auch viel Negatives über das Leben in einem Internat gehört. Speziell die katholischen Internate scheinen da bezüglich Nächstenliebe, entgegen der landläufigen Meinung, eher negativ behaftet zu sein. Obwohl, eigentlich müsste ja gerade hier diese Nächstenliebe intensiv gelebt werden. In einem katholischen Internat. Und das Kollegium Maria Hilf *ist* ein katholisches Internat. Doch Peer wird schneller, als ihm lieb ist, am eigenen Leibe erfahren, was es heisst, Nächsten**l**iebe zu predigen und Nächsten**h**iebe zu leben …

»Wir müssen spätestens um fünfzehn Uhr in Schwyz sein. Nun mach schon endlich vorwärts«, drängt der Vater.

»Es ist zehn Uhr morgens, und wie immer verbreitet der wieder Stress pur«, murmelt Peer vor sich hin. »Dabei dauert die Fahrt mit dem Auto nach Schwyz gerade mal höchstens eineinhalb Stunden. Sicher nicht mehr.«

»Hast du deine Koffer eingeladen?«, will der Vater ungeduldig wissen.

Doch der Kofferraum von Vaters Buick ist bereits ziemlich vollgestopft mit Utensilien, die der Vater unbedingt für sein Auto zu benötigen glaubt, so dass Peer Mühe beim Verladen seiner zwei Koffer hat.

»Ich bringe den zweiten Koffer nicht rein«, ruft Peer zurück.

Das hätte er wohl besser sein lassen. Denn, wie von der Tarantel gestochen, kommt sein Vater angestampft.

Und da ist er wieder, dieser Satz: »Dich kann man zu nichts gebrauchen!«

Aber zu Peers heimlicher Freude, bringt auch der Vater den zweiten Koffer nur in den Kofferraum, nachdem er seine Werkzeugkiste daraus entfernt hat. Und wie immer geht so etwas nur mit viel Gepolter.

Dann ist es soweit. Peer macht sich auf dem Rücksitz des weissen Buickcabriolets breit, und die Mutter nimmt auf dem Beifahrersitz Platz. Bevor sich der Vater hinter das Steuer setzt, löst er die beiden Klammern, die das Fahrzeugverdeck mit der Windschutzscheibe verbinden, faltet das Stoffdach nach hinten zusammen und verstaut es unter der Hutablage. Peer ist darüber nicht sonderlich erfreut, zerzaust ihm doch der Fahrtwind seine sorgsam zum Coup Hardy geföhnten Haare. Mist, denkt er. Was halten denn nun wohl die Girls von mir, wenn sie mich beim Vorbeifahren so mit meinen zerzausten Haaren sehen?!

Eitel ist er schon ein wenig, der Peer. Wenigstens das konnte ihm sein Vater bis jetzt nicht nehmen. Aber um gegen das offene Verdeck zu protestieren, dafür fehlt ihm der Mut. Und ändern würde sich sowieso nichts. Zudem kann

Peer ganz gut auf ein »Hast du denn immer etwas zu meckern« verzichten.

So bleibt ihm nichts anderes übrig, als seine Eitelkeit etwas zu zügeln. Das fällt ihm allerdings nicht schwer. Er ist es gewohnt, seine persönlichen Wünsche zurückzustellen.

Über Luzern geht die Reise bei wolkenlosem Himmel nach Küssnacht, wo Peer und seine Eltern im Hotel Seehof ein feines Mittagessen einnehmen wollen. Das Hotel ist bekannt für seine gute Küche. Die drei setzen sich in den Garten direkt am Vierwaldstättersee und geniessen die schattige Kühle des alten Baumbestandes. Eine laue Brise weht vom See her. Das leicht gekräuselte Wasser bricht die Sonnestrahlen und glitzert wie ein Teppich aus tausenden von Diamanten. Ein kleiner, bulliger Kellner mit riesengrossem Schnurrbart, der seine Oberlippe vollständig bedeckt, was aber seinem breiten, sympathischen Lächeln keinen Abbruch tut, nähert sich schnellen Schrittes.

Ein Italiener – oder, wie seine Grossmutter jeweils zu sagen pflegt, »Ituiener« – schiesst es Peer durch den Kopf. Er mag diese freundlichen, offenen Menschen mit ihrem südländischen Charme. Der »Ituiener« gibt Vater, Mutter und Peer je eine Menukarte und dem Vater zusätzlich ein Blatt mit dem Tagesmenu.

Peer und seine Mutter haben die Menukarte noch nicht aufgeschlagen, da hören sie schon Vater sagen: »Oh, Kartoffelstock mit Ragout und Gemüse gibt's heute. Das nehmen wir, gell Mutter.«

»Ja, vielleicht möchte jemand etwas anderes«, wendet die Mutter zaghaft ein.

»Nein, nein, das Menu ist recht und günstig. Das nehmen wir«, entscheidet der Vater barsch, wobei eine aufkommende Verstimmung nicht zu überhören ist. Und mit einem strengen Blick zu Peer meint er: »Wir müssen sparen. Das Studium ist teuer genug.«

Aha, womit der Schuldige mal wieder gefunden wäre, will Peer erwidern. Doch er schluckt es runter, denn eigentlich ist er mehr als zufrieden mit dem Menuentscheid des Vaters. Kartoffelstock mit Ragout ist schliesslich eines seiner Lieblingsgerichte. Wenigstens der liebe Gott meint es gut mit mir, denkt Peer und freut sich auf das feine Essen.

Viel zu schnell vergeht die Zeit am Mittagstisch. Peer wäre gerne länger im Restaurant geblieben, um den bevorstehenden Kollegi-Eintritt noch etwas hinauszuschieben. Denn das freie Leben, das weiss er, wird es für ihn die nächsten vier, fünf Jahre nicht mehr geben. Eingesperrt in einem Internat. Alles nur Jungs. Mädchen höchstens ein, zwei Mal im Monat, wenn an einem Sonntag freier Ausgang ist. Peer kann sich das noch gar nicht vorstellen, und es befällt ihn eine beklemmende Angst vor dem, was da auf ihn zukommt. Wirre Gedanken kreisen in seinem Kopf. Er kann sie nicht einordnen. Sie überfordern ihn total.

In solchen Momenten, und solche wird es im Leben von Peer noch unzählige geben, fehlt ihm ein Vater, der ihn in den Arm nimmt, der ihn versteht und tröstet. Ein Vater, der nicht seine eigenen, verpassten Zukunftspläne unter dem Deckmantel, nur das Beste für seinen Sohn zu wollen, in eben diesem Sohn leben will. Ein Vater eben, der andere Meinungen ernst nimmt und andere Entscheidungen akzeptieren kann. Einen solchen Vater wünscht sich Peer jetzt, in diesen für ihn schweren Stunden.

»Seid ihr fertig? Wir müssen weiter«, hört Peer Vaters harsche Stimme wie aus weiter Ferne an sein Ohr dringen.

Die Mutter legt ihre Hand auf Peers Schulter und fragt in leicht vorwurfsvollem Ton: »Wo bist du denn? Du bist so abwesend. Ist etwas nicht in Ordnung?«

Du bist gut! Etwas nicht in Ordnung?! Was für eine blöde Frage. Aber Typisch! Die beiden denken nicht im Traum daran, mit diesem Kollegi-Gezwänge irgendetwas falsch zu mache, wettert Peer innerlich.

Gut, seiner Mutter könnte er noch verzeihen. Sie macht ja nur das, was Vater schon bestimmt hat. Aber seinem Vater? Auf keinen Fall! Der nimmt mir meine schönste Zeit. Meine Jugend, meine Wurzeln, meine Heimat, sinniert Peer, und eine unbändigende Wut, aber auch eine grosse Mutlosigkeit, steigt in ihm hoch, wenn er an die nächsten Jahre denkt.

Wie in Trance ist Peer ins Auto gestiegen und wird erst durch lautes Hupen und quietschende Reifen aus seinen Gedanken in die Realität zurückgeholt. Der Vater hat beim Einbiegen vom Parkplatz auf die Hauptstrasse einen mit Geröll beladenen Lastwagen übersehen, so dass dieser nur mit einer Vollbremsung eine Kollision verhindern konnte. Laut fluchend legt Vater den Rückwärtsgang ein und setzt seinen Buick auf den Hotelparkplatz zurück. Er reisst die Türe auf und läuft wild gestikulierend auf den Lastwagen zu. Doch der Lastwagenfahrer hat offensichtlich keine Zeit für Diskussionen. Unbeeindruckt von diesem lauten, mit hochrotem Kopf auf ihn zustürmenden Wüterich, zeigt er ihm den Stinkfinger und fährt seelenruhig davon.

Unverrichteter Dinge muss Peers Vater zu seinem Auto zurückkehren, was ihm gewaltig zu stinken scheint. Nur zu gerne hätte er wohl diesem Proleten – so nennt er alle Menschen, die ihm nicht den ihm zustehend zu glaubenden Respekt zollen – mal so richtig die Leviten gelesen. Noch eine halbe Stunde später lamentiert er über diesen, in seinen Augen unfähigen Lastwagenfahrer. Derweil für alle anderen von Anfang an klar war, dass der Fehler allein bei ihm lag.

Weiter führt die Reise bei schönstem Sonnenschein zuerst am tiefblauen Zuger- und dann am nicht minder schönen Lauerzersee entlang nach Seewen. Von hier nach Schwyz sind es nur noch wenige Minuten.

Natürlich sind sie viel zu früh da. Wie das vorauszusehen war.

Also: »Zurück nach Lauerz«, entscheidet der Vater.

Ein Spaziergang am See entlang ist angesagt. Widerwillig trottet Peer seinen Eltern nach und kickt gelangweilt mit den Schuhspitzen kleine Kiesel weg, die auf der Seepromenade liegen.

»Spazieren am See. Was für eine stupide, überflüssige Beschäftigung«, schimpft er leise vor sich hin.

»Hast du was gesagt?«, fragt ihn seine Mutter unverhofft.

»Ja, äh …«, natürlich kann Peer nicht laut wiederholen, was er eben vor sich hin gemurmelt hat. Darum erwidert er etwas verlegen: »Warum setzen wir uns nicht in eine Gartenwirtschaft am See und geniessen die Ruhe und das schöne Wetter bei einem Coup Romanoff oder einem Bananensplit?«

Mit dieser Dessert-Idee hat er seinen Kopf elegant aus der Schlinge gezogen wohl wissend, dass sein Vorschlag ganz auf der Wellenlänge seiner Mutter liegt. Und tatsächlich! Mutter kann Vater von Peers Vorschlag überzeugen, und sie überbrücken die Wartezeit mit einem feinen Glace-Dessert.

Aber auch diese Idylle ist irgendwann vorbei. Peer bleibt nichts anderes übrig als wieder ins Auto zu steigen. Unwiderruflich nehmen sie schliesslich die letzten wenigen Kilometer bis Schwyz unter die Räder.

Das Studentenheim, Haus Claret genannt, ein umgebautes, altehrwürdiges Patrizierhaus mit dicken Sandsteinmauern, einem kleinen Ecktürmchen mit Glocke und markanten, dunkelbraunen Fensterläden, liegt gleich Eingangs Schwyz. Es ist von Seewen her kommend links der Hauptstrasse nicht zu übersehen. Hier wird Peer die ersten paar Monate wohnen, bis im Kollegium Maria Hilf, wo er den Unterricht besuchen wird, intern ein Platz für ihn frei wird.

Peer und seine Eltern werden von Pater Josef, einem grossen, hageren Mann mittleren Alters, gekleidet in eine schwarzen Soutane, mit einem sympathischen Lächeln empfangen und als Erstes auf Peers neues Zimmer geführt. Dieses rund vier mal fünf Meter grosse Zimmer wird er zukünftig mit zwei Jungs teilen. Peer und seine Mutter packen rasch die Koffer aus und räumen die Kleider in Peers Schrank ein.

Der Vater kann es nicht lassen, und in seinem schulmeisterlichen Ton meint er zur Mutter: »Kann der das denn nicht selber machen? Der ist doch alt genug! Du musst ihm nicht immer alles abnehmen. Aber damit ist jetzt fertig. Hier muss er selber, ob er will, oder nicht.«

»Falls du es vergessen hast, *der* heisst Peer und ist dein Sohn«, erwidert die Mutter leicht überspitzt, geht dann aber nicht weiter darauf ein und fährt fürsorglich mit dem Kleidereinräumen fort.

Peer denkt sich nur kopfschüttelnd: Mein lieber Mann, was du nur immer für Probleme hast …

Plötzlich steht Pater Josef leicht gebeugt, wie der Heilige Vater in Rom – Peer hat sich schon oft gefragt, ob der Papst infolge der Sünden der Welt, die er tragen muss, so gebeugt geht – wieder im Zimmer. Die durch die grossen Fenster einfallenden Sonnenstrahlen lassen seine von einem grauen Haarkranz umspannte Glatze glänzen. Der Ordensmann führt Peer und seine Eltern durch das Haus. Er zeigt ihnen die geräumige, gepflegte Küche im Untergeschoss, die jedem Viersterne-Hotel Konkurrenz machen würde.

»Die Küche und die ganze Hauswirtschaft für unsere achtundvierzig Studenten und uns vier Patres wird von Nonnen aus dem nahen Kloster Ingenbohl bei Brunnen geführt«, erklärt Pater Josef stolz. »Die Schwestern werden von drei Volontärinnen aus dem Welschland unterstützt. Wir sind sehr glücklich über diese Lösung. Unser Haus wäre sonst fast nicht mehr finanzierbar.«

Im angegliederten Speisesaal fallen sofort die zwei langen Tischreihen ins Auge. An einem Ende der Tischreihen befindet sich das Office mit der im Moment mit Rollladen geschlossenen Theke für die Essensausgabe. Am anderen Ende stehen quer zu den langen Tischreihen zwei weitere Tische, die nur auf der Seite mit Sicht zu den Tischreihen bestuhlt sind.

Pater Josef erklärt Peer und seinen Eltern, wer wo sitzt, wie die Essensausgabe funktioniert, und was es mit dem kleinen, gelben Glöckchen auf einem der beiden quer stehenden Tischen auf sich hat.

»Dieses Glöckchen«, führt Pater Josef aus, »regelt den Essensablauf. Der tagesverantwortliche Pater läutet damit jeweils vor und nach dem Essen zum Tischgebet und dann, wenn er etwas zu verkünden hat.«

Ist ja hoch interessant, denkt Peer belustigt und versucht die Tür zur Theke zu öffnen, um einen Blick ins Office zu werfen.

»Diese Tür ist abgeschlossen und kann nur von den Schwestern geöffnet werden«, meint Pater Josef fast entschuldigend, und etwas verlegen fügt er an: »Wir möchten damit verhindern, dass sich unsere Studenten und die Volontärinnen zu nahe kommen.«

»Sehr gut«, mischt sich sofort Peers Vater ein. »Schliesslich sollen die Mädchen die Burschen in Ruhe lassen und nicht vom Studium ablenken.«

Peinlich berührt schaut Peer seine Mutter an, und Pater Josef räuspert sich verlegen.

»Ja, dann wollen wir mal weiter«, entgegnet der Pater und führt seine Hausbesichtigung fort.

Im Erdgeschoss ist ein Teil der Arbeitsräume der Studenten untergebracht. Der grosse, in warmen Farbtönen gehaltene Studienraum zeigt sich sehr einladend. Gleich daneben erstreckt sich die umfangreiche Bibliothek, die jederzeit zur freien Benützung offen steht.

Ebenfalls hier im Erdgeschoss befindet sich die hauseigene Kapelle, die Peer und seine Eltern ungestört besichtigen dürfen. Diese Kapelle wird Peer allerdings, wie er erst später feststellen wird, keine allzu grosse Freude bereiten. Finden doch nicht nur die abendlichen Nachtgebete darin statt, sondern jeweils um sechs Uhr früh auch die täglichen Frühmessen. Und diese müssen ausnahmslos von allen Studenten besucht werden.

Pater Josef geleitet Peer und seine Eltern zurück in den ersten Stock, vorbei an den Schlafzimmern für die Studenten, zu den Musikzimmern. Einer der vier Übungsräume ist mit einem Klavier ausgestattet. In diesen sehr gut akustisch isolierten Räumlichkeiten können Studenten, die ein Instrument spielen, ungestört üben.

Eine weitere Treppe führt hinauf zum zweiten Stock, wo sich die Räumlichkeiten der vier Patres befinden, die das Haus Claret zusammen leiten. Ein kleines Schild mit der Aufschrift »Privat« weisst darauf hin, dass hier die Besichtigung zu Ende ist. Pater Josef entschuldigt sich mit einer kleinen Verbeugung und begibt sich wieder nach unten, um weiter Studenten in Empfang zu nehmen.

Peers Eltern sind voll des Lobes über die vielseitige und moderne Ausgestaltung des Studentenheims. Nur bei Peer kann nicht so recht Freude aufkommen, obwohl ihm das Ganze recht gut gefallen hat. Er wäre eben doch lieber zu Hause, in seiner gewohnten Umgebung, bei seiner Freundin und seinen Kollegen.

»Und?! Was habe ich dir gesagt?«, fragt ihn triumphierend sein Vater. »Ich wäre meinen Eltern ewig dankbar gewesen, wenn sie mir so etwas geboten hätten. Aber dir kann man ja nichts Recht machen.«

»Ich habe ja gar nichts gesagt«, wehrt sich Peer verwundert.

»Aber gedacht. Ich sehe es dir an«, stichelt der Vater weiter.

Ja, und was ich denke, kannst du mir nicht verbieten, will Peer zurückgeben.

Doch seine Mutter kommt ihm zuvor und meint leicht genervt zum Vater: »Jetzt lass ihn in Ruhe. Siehst du nicht, dass es ihm nicht gut geht?«

»Der wird dann schon noch sehen, dass ich recht habe«, giftelt der Vater zurück.

Die Mutter lässt ihm das letzte Wort, womit wieder Ruhe einkehrt.

Nach und nach treffen die anderen Studenten im Haus Claret ein. Ebenfalls die beiden Jungs, die mit Peer das Zimmer teilen. Sie begrüssen Peer und seine Eltern und stellen sich kurz vor. Beide sind Auslandschweizer. Der eine, Alfredo, kommt aus Peru, der andere, Mike, aus Australien. Sie sprechen nicht nur perfekt Schweizerdeutsch, sondern Alfredo auch Spanisch und Mike Englisch. Und beide sind nicht neu im Haus Claret. Sie waren letztes Jahr schon hier.

Alfredo und Mike sind nicht nur gleich alt wie Peer, sondern Alfredo auch noch etwa gleich gross und ebenso schlank. Er trägt sein Haar kurz geschnitten und links gescheitelt. Sein grosses Mundwerk ist immer für einen Machospruch gut, der meistens mit »Hombre« oder »Amigo« beginnt. Mike dagegen ist eher der ruhige Typ. Er ist nicht der Mann der grossen Worte. Muss er auch nicht! Seine stattliche Erscheinung – gut einen Kopf grösser als seine Zimmergenossen und bedeutend breitschultriger – und seine knappen, aber stets wohlüberlegten, treffenden Worte erübrigen jeweils jegliche Diskussion. Seine Haare hat er so kurz geschnitten, dass die lange Narbe, die wie ein Mittelscheitel vom Haaransatz bei der Stirne bis zum Hinterkopf verläuft, dem Betrachter sofort ins Auge springt.

»Eine Tumoroperation«, erklärt er ungefragt und bereits aus lauter Gewohnheit, wobei ihm aber anzumerken ist, dass er nicht weiter darüber zu reden wünscht, was auch respektiert wird.

Beide Jungs sind sehr sympathisch, und schon nach kurzer Zeit stellen sie und Peer fest, dass die Chemie stimmt, und sie sehr gut zueinander passen. Peer ist froh, gleich zwei neue Freunde gefunden zu haben. Das erleichtert ihm den Start hier ungemein.

»So, gehen wir«, drängt der Vater. »Wir haben noch einen langen Weg nach Hause.«

Alfredo und Mike lassen Peer mit seinen Eltern allein. Sie wissen aus eigener Erfahrung, dass Abschied immer mit Emotionen verbunden ist, und Tränen in ihrem Alter oft peinlich sind.

Mutter nimmt Peer in den Arm und drückt ihn an sich. »Wenn etwas ist, rufst du an, gell. Und schreib' mal!«

Peer fällt der Abschied schwer, und er kann seine Tränen nicht zurückhalten. Er schämt sich dafür, denn sein Vater hat ihm seit er denken kann eingetrichtert »Ein Mann weint nicht!«

Entsprechend fällt natürlich jetzt auch der Kommentar seitens des Vaters aus: »Reiss dich zusammen! Du bist doch keine Memme!« Und mit einem flüchtigen Händedruck, und nicht mit einer Umarmung, wie das unter Familienmitgliedern eigentlich üblich ist, verabschiedet er sich.

Und da ist er wieder, dieser sehnliche Wunsch von Peer. Der Wunsch nach einem Vater, der ihn in den Arm nimmt und ihn tröstet, wenn es ihm schlecht geht. Der seine Gefühle respektiert, seien diese in seinen Augen auch noch so pubertär. Doch dieser Wunsch wird sich für Peer sein ganzes Leben lang nicht erfüllen.

An der Tür zum Haus Claret werden die Eltern von allen vier Patres, die ausnahmslos ihre schwarze Soutane tragen und den Kopf demütig leicht gebeugt halten, verabschiedet. Diese demütige Kopfhaltung wird jedoch, wie Peer später noch feststellen wird, viele der Patres in seinem Umfeld nicht davon abhalten, jedes noch so kleine Vergehen der Studenten drastisch zu bestrafen.

Peer begleitet seine Eltern noch bis zum grossen Tor in der übermannshohen Mauer, die das Studentenheim umgibt. Er wartet, bis sie ins Auto gestiegen und Richtung Seewen hinter der Hecke beim nahen Dorfbach entschwunden sind. Dann kehrt er traurig und tief in seiner Seele verletzt schleppenden Schrittes ins Haus zurück.

3

Gedankenverloren und mit gesenktem Kopf sitzt Peer auf der Bettkante und führt Selbstgespräche: »Was soll ich denn hier?! Wäre ich doch bloss einfach verschwunden. Das ist nichts für mich. Bin ich denn zurück im Mittelalter, wo freie Meinungsäusserung und persönliche Entscheidungen mit Kerker bestraft wurden?«

Er kann es immer noch nicht fassen, dass er gegen seinen Willen nun trotzdem in einem Internat gelandet ist, und alles um ihn herum kommt ihm wie ein Gefängnis vor. Wut steigt in ihm hoch. Er fühlt sich hintergangen und von seinen Eltern, vor allem aber von seinem Vater, verraten und abgeschoben. Am liebsten würde er seine Koffer gleich wieder packen und abhauen. Aber wohin? Nach Hause könnte er nicht. Die Angst vor seinem Vater ist zu gross. Sollte er zu seinen Grosseltern gehen? Nein, das geht auch nicht. Er möchte diese nicht in Schwierigkeiten bringen, denn sie waren bis jetzt immer sein letzter Halt, wenn zu Hause etwas schief lief. Und das sollte so bleiben. Wohin also?

»He, Hombre«, kommt Alfredo mit seinem südländischen Temperament ins Zimmer gestürmt. »Wir haben noch eine Stunde Zeit und gehen ins Dorf. Kommst du mit?«

Wie von Geisterhand sind Peers schwere Gedanken mit einem Mal weggewischt.

»Na klar doch! Wie hast du gesagt – Hombre?«

»Ja, Hombre. ¡Vamos!«

Auch Mike, der zweite Zimmergenosse von Peer, und drei weitere Studenten sind mit von der Partie.

Beim Verlassen des Studentenheims treffen die sechs Jungs auf Pater Josef. Dieser ermahnt sie, auf die Zeit zu achten, und nicht zu spät zurückzukommen.

»Machen wir«, erwidern die Jungs im Chor. Und schon sind sie weg.

Die ersten paar Meter bis zur Hauptstrasse führen der Mauer des Studentenheims entlang über ein schmales Natursträsschen. Wobei Strässchen eigentlich schon etwas übertrieben ist, denn es handelt sich mehr um einen Pfad, auf dem knapp zwei Personen nebeneinander gehen können. In der Mitte der Mauer befindet sich eine kleine, etwa fünfzig Zentimeter grosse Einbuchtung, in der eine Heiligenfigur aus Stein aufgestellt ist. Solche Heiligenfiguren findet man hier in Schwyz auf Schritt und Tritt. Sie zeugen von der tiefen Religiosität dieser Menschen.

Bei der Hauptstrasse angekommen, geht das schmale Strässchen in ein breites Trottoir über, und vorbei am Bundesbriefarchiv und an alten Patrizierhäusern in grossen Parks mit uraltem Baumbestand gelangen die Jungs ins Dorfzentrum von Schwyz.

Das Rathaus, mit seiner, die Schlacht am Moorgarten darstellenden, übergrossen Wandmalerei, ist nicht zu übersehen. Beim Anblick dieses Durcheinanders aus Schwerter schwingend auf ihren sich aufbäumenden Pferden sitzenden Habsburgern in Rüstungen, mit Hellebarden um sich schlagenden Innerschweizern, von den Hängen herunterstürzenden Baumstämmen und Steinen, fühlt man sich ins Jahr 1315 zurückversetzt und wähnt sich selber mitten in der Schlacht. Peer scheint förmlich das klirren der Waffen und das Schreien der Verwundeten zu hören.

Den Jungs steht der Kopf aber eigentlich weniger nach Geschichtskunde, als vielmehr nach Mädchen, was im Hinblick auf ihr Alter auch nicht erstaunt.

»He«, flüstert Alfredo Peer leise zu und rammt ihm seinen Ellenbogen sanft in die Seite. »Schau mal die dort«, und er zeigt mit einem unauffälligen Kopfnicken auf ein Mädchen auf der anderen Seite des Rathausplatzes mit in der Mitte gescheitelten, bis auf die Schultern reichenden Haaren.

Schnellen Schrittes, den Blick krampfhaft auf den Boden geheftet, kommt die zierliche junge Dame direkt auf Peer zu. Dieser macht einen Schritt zur Seite, um einen Zusammenstoss zu verhindern. Eigentlich wollte er stehen bleiben, getraute sich aber nicht. Verlegen räuspert er sich, worauf die blonde Schöne den Kopf hebt. Ihre Blicke treffen sich, und Peer verliert sich sofort rettungslos im tiefen Blau ihrer wunderschönen, dezent geschminkten Augen, die ihm wie kleine, jungfräuliche Bergseen entgegenstrahlen. In diesem Moment fühlt Peer erschrocken, wie Amors Pfeil schmerzhaft sein Herz durchbohrt. Ein Gefühl, das er bis jetzt noch nicht kennen gelernt hat. Ist das Liebe? Und warum schmerzt das so?

Peers Gesicht beginnt zu glühen. Verdammt, schiesst es ihm durch den Kopf, ich sehe sicher aus wie eine überreife

Tomate. Er will noch etwas zu seiner Entschuldigung sagen, aber die engelhafte Erscheinung huscht an ihm vorbei, und ehe er sich versieht, ist sie hinter dem Blumenladen, bei dem er und seine Freunde eben vorbeigekommen sind, verschwunden. Peers Herz klopft wie verrückt. Soll er ihr nachgehen? Doch seine Beine sind wie gelähmt.

»Was war den das?«, fragt er mit grossen Augen ungläubig in die Runde.

Doch die übrigen Jungs sind von einer Gruppe Touristinnen in ihrem Alter, die ausgiebig die Schlacht am Moorgarten diskutieren, so eingenommen, dass sie von Peers Verwirrung nichts mitbekommen.

Lediglich Mike meint so nebenbei in seiner ihm eigenen, ruhigen Art zu Peer: »Hast du Stress, oder Bluthochdruck?«

Peer stellt zu seiner Erleichterung fest, dass dem Ganzen, genauer gesagt seinem offensichtlich hochroten Kopf, keine weitere Beachtung geschenkt wird. Doch das Mädchen, mit dem es eben beinahe zur Kollision gekommen wäre, geht ihm nicht mehr aus dem Kopf, und ihr Bild brennt sich tief in sein Herz ein.

Gedankenverloren betritt Peer mit seinen neuen Kollegen den Kiosk neben dem Blumenladen, wo eben gerade sein Engel verschwunden ist. Die Jungs wollen sich noch mit etwas Lesestoff eindecken. Ziemlich uninteressiert und abwesend blättert Peer in den verschiedenen Auto-, Camping- und Musikzeitschriften, bis plötzlich Alfredo auf ihn zukommt.

»He, Hombre, schau mal hier«, und Alfredo hält ihm lustvoll die doppelseitige Bikini-Schönheit der Modezeitschrift »Vogue« unter die Nase. »Qué chica«, ist Alfredo entzückt.

Erstaunlicherweise löschen solche Bilder offensichtlich den Kurzzeitspeicher pubertierender Jungs blitzartig.

Wie sonst ist es zu erklären, dass Peer die Begegnung von eben scheinbar bereits vergessen hat und euphorisch meint: »Und gewaltig, diese ›Augen‹!«

Damit meint er natürlich nicht die Augen des Bikini-Models, sondern das, was pubertierende Jungs wirklich darunter verstehen, nämlich die gewaltigen, nur dürftig durch das Bikini-Oberteil bedeckten Brüste des Modepüppchens.

»Ohne ›Brille‹ wären diese ›Augen‹ noch um einiges besser, wenn du weisst, was ich meine«, witzelt Alfredo und hechelt mit heraushängender Zunge, wie ein nach Wasser lechzender Hund.

»So scharf! Muss ich sofort haben«, schwärmt Peer. Und er stellt sich vor, wie wohl die blonde Schönheit von vorhin im Bikini aussehen würde, was bei ihm prompt eine aufkommende Erektion zur Folge hat. Schnell bedeckt er die kritische Stelle mit seiner Jacke und versucht fieberhaft auf andere Gedanken zu kommen. Doch bei Jungs in seinem Alter ist das gar nicht so einfach.

»Hombre, du hast ja ganz rote Ohren«, feixt Alfredo, »da ist wohl was buchstäblich in die Hosen gegangen«, fährt er augenzwinkernd fort.

»Nicht so laut«, flüstert Peer verlegen.

Doch die junge Frau an der Kasse scheint wohl etwas mitbekommen zu haben und wohlwissend, was pubertierende Jungs beim Zeitschriften-Schnuppern so suchen, kann sie sich eines Blicks auf Peers Lendengegend nicht erwehren.

Inzwischen hat Peer die Kasse erreicht und die junge Kassiererin fragt ihn schelmisch und betont langsam, einen Ellenbogen auf der Theke aufgestützt, die andere Hand in die Hüften gestemmt und mit den Hüften leicht wippend: »Na …? Etwas Passendes gefunden …?«

Die wäre auch nicht schlecht, denkt Peer beim Blick in ihren tiefen Ausschnitt. Etwas alt vielleicht. Und zur Kassiererin meint er: »Ja, hier, das ›Paris Match‹, muss mich noch etwas in Französisch weiterbilden«, und übertrieben lässig meint er: »Und die ›Vogue‹ und das ›Bravo‹ für meine Freundin«, und streckt der Kassiererin eine Zwanzigernote hin.

»In Französisch weiterbilden?«, fragt die Kassiererin provokativ und beugt sich noch etwas weiter vor, denn ihr ist Peers verstohlener Blick in ihren Ausschnitt nicht entgangen.

Ihre Brüste wirken wie Magnete auf Peers Augen. Er möchte da nicht hinsehen. Doch es gelingt ihm nicht.

Die Kassiererin geniesst offensichtlich ihre Wirkung auf Peer, und nach einer Kunstpause meint sie betont aufreizend: »Ja, mit gut Französisch kommt man besser durchs Leben«, und händigt Peer das Rückgeld aus.

Peer steckt die Münzen ein und verlässt, die Zeitschriften unter den Arm geklemmt und noch etwas verwirrt, den Kiosk. Die schwüle Hitze, die ihm beim Verlassen des doch recht kühlen Raumes entgegenschlägt, bringt ihn rasch wieder in die Realität zurück. Während er auf die anderen wartet, blättert er gedankenverloren im »Bravo«, dieser Zeitschrift, die zu Hause immer verboten war. Im Geiste hebt er triumphierend die Faust, denn das »Bravo« ist in den Augen seines Vaters nur ein schmuddeliges »Schundheftli«. Und er, der nichtsnutzige Peer, hat es jetzt gekauft! Einfach so! Er fühlt sich, als hätte er gerade eine Schlacht gegen seinen Vater gewonnen. Dass sein Vater nichts davon weiss, tut seinem Triumph keinen Abbruch. Er fühlt sich als grosser Sieger. Ihm ist, als habe er eben das Zerspringen eines der tausend um seine Brust gespannten, eisernen Ketten gehört. Nun sind es nur noch neunhundertneunundneunzig … Was für ein erlösendes Gefühl!

Endlich verlassen auch die übrigen fünf den Kiosk und zeigen Peer ihren Einkauf. Für die Jungs hier sind »Paris Match«, »Rocky« und wie sie alle heissen, genau das, was sie im Kollegi-Alltag brauchen: Zeitschriften mit unverfänglichen Namen und neutraler Titelseite. Nur so meistern diese jeweils die Sichtkontrollen der Patres. Das »Bravo« allerdings ist für die Hüter der Moral im Kollegi und im Studentenheim »ein Werk des Teufels«, und wird ein Junge damit erwischt, setzt es drastische Strafen und eine Verwarnung mit Kopie an die Eltern ab. Peer wird von seinen Freunden, die bereits ein Jahr im Internat sind, aufgefordert, das »Bravo« am Körper unter dem Hemd zu verstecken und so an den Sittenwächtern vorbeizuschmuggeln.

All diese Zeitschriften sind für die Internatsschüler von beinahe existentieller Wichtigkeit! Denn in jeder Ausgabe hat es auch immer wieder Bilder junger, heisser Girls, welche bestens geeignet sind, die nächtlichen Aktivitäten der jungen Burschen unter der Bettdecke schnell zum Erfolg zu führen. Was sollten sie denn sonst anderes tun, in einem reinen Knabeninternat, in welchem sogar die Volontärinnen weggesperrt werden, und diese ihre Putz- und sonstigen Hausarbeiten im Kollegi nur während der Schulstunden der Jungs verrichten dürfen, damit sie ja nicht etwa zufällig einem Studenten auf einem der vielen unübersichtlichen Gängen begegnen. Die Schwestern und Patres benehmen sich ja gerade so, als würden die Mädchen bereits beim Anblick eines Jungen unweigerlich schwanger.

Natürlich wissen auch Alfredo, Mike und die anderen Jungs, wie sie ihre entsprechenden Notstände am besten befriedigen können. So kauft sich dann auch jeder seine eigene Lieblingslektüre, die später immer wieder untereinander ausgetauscht wird. Klar ist da auch das eine oder andere »Sex-Heftli« dabei, das nur zwischen den Seiten eines biederen Schulbuchs aufbewahrt werden kann. Für die Jungs eine besondere Herausforderung, eine Art Mutprobe gar. Denn wer mit »Literatur mit unzüchtigem Inhalt«, wie es so schön in der Hausordnung heisst, erwischt wird, fliegt gnadenlos sofort von der Schule.

Aufgrund des vielseitigen Angebots an Zeitschriften, die dieses angenehme Kribbeln in der Lendengegend auslösen, vergessen die Jungs alles um sich herum.

Es ist Mike, der mit: »Well, wir kommen wohl zu spät«, das Blut der Jungs wieder schlagartig ins Hirn zurückfliessen lässt.

Blitzartig können sie wieder klar denken und machen sich überstürzt auf den Weg zurück ins Studentenheim. Beim losstürmen kollidieren sie beinahe mit einer älteren Frau, die unverhofft aus einem Seitengässchen direkt vor ihre Füsse tritt. Nur knapp können die Jungs einen Zusammenstoss vermeiden.

»Verdammte Studentenbande«, keift ihnen die Alte hinterher und schwingt bedrohlich ihren Gehstock.

Doch die Jungs hören das nicht mehr und rennen wie von einem Schwarm Wespen verfolgt Richtung Haus Claret.

Hier steht bereits Pater Josef mit verschränkten Armen beim grossen Tor in der Mauer. Finster schaut er die Jungs an und deutet mit dem Kinn auf die Uhr an seinem Handgelenk.

»Wann solltet ihr hier sein?«, fragt er vorwurfsvoll.

»Entschuldigen sie die Verspätung, Pater Josef«, hebt Alfredo zögernd an, »wir haben Peer noch den kürzesten Weg zum Kollegi gezeigt, damit er notfalls auch alleine dorthin findet.«

Diese Notlüge verfehlt ihre Wirkung nicht und heitert Pater Josefs Miene etwas auf.

»Also, ist gut. Lassen wir es diesmal dabei bewenden«, und zu Peer meint er: »Heute ist dein erster Tag hier bei uns, und so will ich etwas nachsichtig sein. Aber, dass ein für alle Mal klar ist: Zeiten werden bei uns strikte eingehalten! Hast du das verstanden? Ein erneutes Verletzen der Hausordnung wird Konsequenzen haben.«

Schweigend nickt Peer und denkt sich dabei ernüchternd: Das ist ja noch schlimmer als zu Hause. Wir sind noch nicht mal drei Minuten zu spät, und schon so ein Theater. Wo führt denn das wohl hin!?

Doch Peer wird sich in den kommenden Jahren noch oft wundern, wie leicht es den Patres im Kollegi fällt, zu strafen. Und er wird sich mehr als einmal fragen, wo denn da die christliche Nächstenliebe geblieben ist.

Peer, Alfredo und Mike ziehen sich auf ihr Zimmer zurück. Sie müssen noch rasch das eine oder andere »Heftli« in einem Schulbuch verstecken, damit es nicht etwa bei einer der sporadischen Kontrollen der Patres entdeckt wird.

»Kommt, wir müssen nach unten. Zeit zum Nachtessen«, fordert Mike mit stoischer Ruhe seine Zimmergenossen auf, und so schlendern alle drei ins Untergeschoss, in den Speisesaal.

Es bleibt ihnen noch etwas Zeit, die sie nutzen, um einen Tisch mit noch drei freien Plätzen beieinander, möglichst weit weg von den beiden Tischen der Patres, zu suchen. Das allerdings gestaltet sich schwieriger, als zuerst angenommen, sind doch die meisten dieser bevorzugten Plätze bereits besetzt. Es gibt zwar noch den einen oder anderen einzelnen freien Platz. Aber drei beieinander? Fehlanzeige!

Doch Alfredo regelt das mit seinem unwiderstehlichen Charme. Es dauert keine zwei Minuten, und die entsprechenden Plätze stehen zur Verfügung. Und was für Plätze! Wie gut diese sind, sollte sich erst zeigen, wenn die Rollläden der Theke zur Essensausgabe hochgezogen werden.

Mittlerweile haben auch die übrigen Studenten ihre Plätze an den beiden langen Tischreihen bezogen. Damit hat jeder seinen Platz, der ihm ab sofort für das gesamte Schuljahr fest zugeteilt ist.

Von den beiden Tischen der Patres ertönt das kleine, gelbe Glöckchen. Schlagartig tritt im Speisesaal Ruhe ein. Alle erheben sich, um mit gefalteten Händen, aufrecht hinter ihren Stühlen stehend, mit Pater Josef das Tischgebet zu sprechen. Geduldig warten die Anwesenden nach dem »Amen«, bis Pater Josef seine Informationen zum morgigen Tag verkündet hat und mit »Guten Appetit« das Nachtessen frei gibt.

Das ist das Stichwort für die Schwestern im Office. Ratternd werden die Rollläden hochgezogen, und die Köpfe der

Studenten drehen sich wie auf Kommando Richtung Theke. Nun zeigt sich, warum die Plätze von Peer, Alfredo, Mike und noch ein paar anderen so ungemein gut gelegen sind, ist doch von hier aus genau der Bereich einsehbar, in dem sich die Volontärinnen meistens aufhalten.

»He, schau Amigo. Neue Chicas«, raunt Alfredo Peer zu. »Die Letzten waren zwar auch nicht schlecht. Aber diese Neuen sind besser.«

Und es sind nicht nur die Jungs, die Freude am anderen Geschlecht haben. Genauso ist es umgekehrt. Auch die Mädchen im Office und in der Küche verrichten ihre Arbeit bevorzugt dort, wo sie die Jungs im Auge haben. Da werden dann auch entsprechend unverhohlene Blicke, fordernde Augenaufschläge und freche Zwinkereien hin und her geschickt.

Dieses Balzgehabe bleibt natürlich den Schwestern nicht verborgen und so kommt, was kommen muss: Schwester Erika, die Leiterin der Küchenbrigade, tritt mit zusammengekniffenen Augen aus der Officetür, und es ist unschwer zu erkennen, dass sie sehr aufgebracht ist. Schnellen Schrittes und mit rauschendem Gewand eilt sie zu den Tischen der Patres und beschwert sich lautstark über die »frechen Knaben, die ihre Mädchen mit unsittlichen Blicken belästigen«.

Der nachfolgenden Reaktion zufolge, scheint das nicht der erste Auftritt dieser Art von Schwester Erika zu sein, erschallt doch der ganze Speisesaal in lautem Gelächter. Das wiederum macht Schwester Erika noch wütender, und mit einer abweisenden Handbewegung und in den Nacken geworfenem Kopf stampft sie zurück ins Office.

»Ist schon eine scharfe Katze, wenn sie so wütend ist«, meint Thomas, der gegenüber von Mike sitzt, leicht aufgekratzt.

Thomas, ein schlanker, sympathischer Junge, gleich gross und gleich alt wie Peer, fällt vor allem durch sein breites Berndeutsch auf. Ein weiteres Markenzeichen von ihm ist sein gewöhnungsbedürftiges Lachen. Es ist kurz und spitz, und man hat immer das Gefühl, als wolle es, kaum begonnen, gleich wieder im Hals ersticken. Ein kleines Lispeln lässt ihn oft ein wenig hilflos erscheinen, vor allem dann, wenn er nervös wird oder sich aufregt. Seine dicken Brillengläser lassen seine Augen glubschig erscheinen und verleihen ihm etwas Trotteliges.

»Super schönes Gesicht und super schöne Figur«, schwärmt Thomas weiter, und dieses Mal ist sein Lispeln unüberhörbar.

Doch Sprachfehler hin oder her, die Jungs am Tisch haben nur Augen für Schwester Erika und stimmen Thomas völlig weggetreten, kopfnickend und wortlos zu. Alfredo fasst sich als Erster wieder.

»Welch grosse Fehlentscheidung der Evolution«, sinniert er philosophisch, »eine solch schöne Blume im Kloster verwelken zu lassen.«

Und wieder zustimmendes Kopfnicken um ihn herum. Schwester Erika ist in der Tat eine wunderschöne, junge Frau von ungefähr fünfundzwanzig Jahren. Mit ihrem weissen, bodenlangen Kleid und den blonden Haare, die zwar fast vollständig von jener grossen Haube bedeckt werden, wie sie Nonnen zu tragen pflegen, erscheint sie Peer wie ein Wesen aus einer anderen Welt. Peer fragt sich, warum sie wohl ins Kloster gegangen ist. War es wirklich Berufung?

Oder hatte sie vielleicht auch einen Vater, der ihre Zukunft bestimmte als sie noch jung war?

Solche und ähnliche Fragen bezüglich Verhalten und Verantwortungsbewusstsein von Vätern – vor allem seines Vaters – sind bezeichnend für Peer. Sie beschäftigen ihn immer wieder. Es sind Situationen wie diese, die ihn überfordern, ihn ratlos stehen lassen, da ihm sein Vater weder die Möglichkeit gegeben hat, noch je geben wird, Akzeptanz aus selbständiger Entscheidungsfindung heraus zu erfahren. Eine schwere Hypothek, die ihn zeitweise an den Abgrund seines Lebens führen wird.

Das helle Klingen des kleinen, gelben Glöckchens von Pater Josef reisst Peer aus seinen Gedanken. Urplötzlich wird es still im Speisesaal.

»Ich muss es wieder mal sagen«, verkündet Pater Josef mit etwas verärgerter Stimme, »es ist nach wie vor unter Strafe verboten, mit den Volontärinnen in der Küche und im Office Augen- oder sonst wie Kontakt aufzunehmen.«

Sein nervöses Fingerspiel mit dem Kreuz auf seiner Brust lässt darauf schliessen, dass ihm selber nicht ganz wohl bei seiner eben gemachten Aussage ist. Er wird wohl die sogleich folgende Reaktion der Studenten bereits bestens kennen.

Prompt rufen diese dann auch im Chor: »Wir lieben Schwester Erika! Wir lieben Schwester Erika!«

Und wieder ertönt das kleine, gelbe Glöckchen, dieses Mal aber entschieden resoluter als eben noch.

»Ruhe!«, ruft Pater Josef, nun sichtlich verärgert. Und vorübergebeugt hinter dem Tisch stehend, sich auf seinen zu Fäusten geballten Händen aufstützend, fährt er polternd fort: »Ich kann auch anders, wenn ihr unbedingt wollt! Zur Strafe gibt es morgen Sonntag keinen Ausgang!«

»Keinen Ausgang! Keinen Ausgang«, skandieren die Studenten weiter.

»Und am Sonntag drauf auch nicht!«, fährt Pater Josef mit drohender Stimme fort.

Das wirkt. Die Studenten verstummen. Sie wissen, was das heisst: Studium den ganzen Tag. An beiden Sonntagen.

»Da gibt es nur eins«, stellt Alfredo fest, »Musik üben. Nur damit kann man das Studium, wenn auch nicht ganz, aber wenigstens für zwei Stunden, umgehen.« Und zu Peer gewandt fährt er fort: »Ich spiele Gitarre. Du auch?«

»Nein, leider nicht«, entgegnet Peer. »Aber ich muss das sofort lernen. Kannst du mir nicht Unterricht geben?«

»Klar. Mach ich doch«, erwidert Alfredo. Und dann fragt er Mike: »Peer kann doch sicher deine Gitarre benützen, bis er eine eigene hat. Oder wie siehst du das?«

»Sicher doch. Kein Problem. Und wenn er's kann, gründen wir eine Band«, gibt sich Mike erstaunlich euphorisch, was man von ihm eigentlich nicht gewohnt ist.

Die erste Freude schlägt bei Peer jedoch rasch in Skepsis um.

»Da gibt's nur ein Problem, Alfredo. Mein Vater wird mir nie eine Gitarre kaufen. Das stört das Studium, wird er sagen.«

»Was hast du denn bloss für einen Vater?«, entgegnet Alfredo leicht ungehalten. »Bei uns in Peru tun die Väter alles für ihre Kinder.«

»Bei uns eigentlich auch. Aber es gibt halt Väter und Väter.«

»Verstehe ich nicht.«

»Aber weisst du was«, sprudelt es plötzlich voller Freude aus Peer heraus, »meine Grosseltern! Die Eltern meiner Mutter! Ja, sie frage ich! Die geben mir sicher das Geld für eine Gitarre. Ich schreibe ihnen heute Abend gleich einen Brief.«

Gesagt, getan. Nach dem Nachtessen dürfen sich die Jungs noch etwas im Garten des Studentenheims die Beine vertreten. Peer jedoch geht auf sein Zimmer und nutzt die Zeit bis zum Nachtgebet in der hauseigenen Kappelle mit dem Schreiben des besagten Briefes an seine Grosseltern:

Liebes Grosi, lieber Grosspapi

Wie Ihr sicher schon wisst, bin ich nun in dieses Internat hier in Schwyz gesteckt worden. Ich habe nichts davon gewusst, und ich habe das nie gewollt. Ich habe mich so gefreut, nach dem dritten Bezirksschuljahr endlich eine Lehre als Grafiker beginnen zu können. Doch das interessiert bei uns zu Hause niemanden. Vater hat einfach wieder mal auf stur geschaltet und seinen eigenen Kopf durchgesetzt, wie immer. Er befiehlt, und dann muss es so gehen, wie er will. Er nimmt keine Rücksicht auf die anderen. Ich weiss noch nicht, wie ich das hier alles durchstehe. Aber bis zu meinem zwanzigsten Geburtstag kann ich nichts machen. Doch wenn ich dann volljährig bin, dann wird er schon sehen. Dann kann ich selber entscheiden und niemand kann mir mehr etwas vorschreiben.

Ich habe aber am ersten Tag schon gute Freunde gefunden. Sie heissen Alfredo, Mike und Thomas. Alfredo und Mike sind mit mir zusammen im gleichen Zimmer. Mit Alfredo kann ich gleich ein bisschen

Spanisch lernen. Er kommt nämlich aus Peru, ist aber Schweizer. Und Mike ist auch Schweizer und kommt aus Australien. Er spricht natürlich perfekt Englisch, und das ist gut für die Schule. Thomas kommt aus Bern und ist nicht in unserem Zimmer. Wir sind nur drei, weil wir das kleinste Zimmer haben. Aber uns gefällt das. So haben wir viel mehr Ruhe als die anderen.

Alfredo spielt Gitarre und ich würde das auch gerne lernen. Er hat mir schon drei Griffe gezeigt: »E«, »A« und »D«. Das sagt Euch natürlich nicht viel, aber mit diesen drei Griffen kann man schon einige Lieder spielen. Wie etwa »La bamba«, ein südamerikanisches Volkslied, das sehr bekannt ist. Ihr habt das sicher auch schon einmal im Radio gehört. Damit ich aber mit Alfredo zusammen üben kann, sollte ich eine eigene Gitarre haben. Alfredo hat mir gesagt, dass man für etwa hundertfünfzig, hundertsechzig Franken schon eine gute Gitarre bekommt. Seine hat zum Beispiel hundertachtzig Franken gekostet und ist sehr gut.

Nun wollte ich Euch fragen, ob Ihr mir vielleicht das Geld für eine Gitarre geben könnt. Vater braucht das nicht zu wissen. Ich brauche ihn auch gar nicht erst zu fragen. Ich weiss schon jetzt, was er sagen würde, nämlich, dass ich das nicht brauche, um Ingenieur zu werden. Aber wenn es für Euch nicht geht, verstehe ich das auch. Ich weiss, dass Ihr das Geld auch nicht gerade im Überfluss habt.

Ich hoffe, dass Ihr mir bald zurückschreibt und wünsche Euch alles Gute. Und bleibt gesund!

Viele liebe Grüsse
Euer Peer

Gleich morgen früh werde ich diesen Brief zur Post bringen, denkt Peer. Er ist sich sicher, dass ihm seine Grosseltern das Geld schicken werden und freut sich schon jetzt auf seine neue Gitarre.

Über die hausinterne Lautsprecheranlage ertönt die Glocke, die zum Nachtgebet in die Kapelle ruft. Peer begibt sich nach unten und trifft dort auf Alfredo und Mike, die soeben von draussen herein kommen.

»Ich habe meinen Grosseltern geschrieben. Sie werden mir das Geld für eine Gitarre geben. Da bin ich mir sicher«, sagt Peer voller Überzeugung zu den beiden. »Kennt einer von euch ein Musikgeschäft hier in der Gegend, das auch Gitarren verkauft?«

»Ja, ich!«, tönt es wie aus der Pistole geschossen von Mike und Alfredo unisono. Und mit einem lauten Lacher über ihre gleichzeitige Antwort und einem eleganten Hofknicks überlässt Mike Alfredo die weitern Ausführungen.

Dieser fährt fort: »Da gibt es ein Musikgeschäft gleich hier in Schwyz. Die stellen zwar Schwyzerörgeli her, verkaufen aber auch Verstärker und Gitarren. Da findest du sicher etwas Gutes und Günstiges. Schauen wir doch gleich am Montag rasch vorbei.«

»Genau. Machen wir«, erwidert Peer höchst erfreut über diese gute Nachricht.

Das Nachtgebet in der Kapelle dauert rund eine halbe Stunde.

»Geht das immer so lang?«, fragt Peer im Flüsterton den neben ihm knienden Mike.

»Du wirst dich dran gewöhnen«, gibt dieser leise zur Antwort, und augenzwinkernd fügt er an: »Und weisst du, wir haben gelernt, hier schon mal eine halbe Stunde vorzuschlafen – mit offenen Augen.«

Peer kann den bei einem unterdrückten Lacher in der Kehle entstehenden, typischen Kratzlaut nicht ganz verhindern, und so bleibt ihm nichts anderes übrig, als ein kurzes Husten vorzutäuschen. Das wiederum löst dieselben Symptome bei seinen Banknachbarn aus, was schliesslich zu einem kleineren Hustenanfall in der Bankreihe von Peer führt. Irritiert hebt Pater Josef den Kopf und dreht ihn, monoton weiterbetend, Richtung Übeltäter. Offensichtlich ist er sich aber nicht ganz im Klaren darüber, was sich hier abspielt. Und er lässt es bei einem missbilligenden Kopfschütteln bewenden.

Endlich, nach rund einer halben Stunde und überstandenem Nachtgebet, werden die Jungs in ihre Zimmer entlassen. Für die Abendtoilette bleibt ihnen eine weitere halbe Stunde. Um neun Uhr ist Lichterlöschen. Peer, Mike und Alfredo wünschen sich eine gute Nacht, und jeder versinkt in seiner eigenen Welt.

Peer lässt den Tag nochmals Revue passieren und bleibt bei der blonden Schönheit, der er auf dem Schwyzer Rathausplatz begegnet ist, hängen. Sie gefällt ihm ungemein.

Wer mag sie wohl sein? Was macht sie hier in Schwyz? Wohnt sie hier, oder ist sie vielleicht nur auf der Durchreise? Sie hat sicher schon einen Freund, bei diesem Aussehen, Gedanken, die ihm immer wieder durch den Kopf gehen.

Und diese tiefblauen Augen! Peer fühlt wieder dieses seltsame Kribbeln in der Magengegend, das ihn so sehr verwirrt.

Nicht nur die Tatsache, dass sich das Ganze bei ihm nicht primär auf sexueller Basis, also nicht rein auf seine Lendengegend fokussiert, abspielt, gibt ihm zu denken, sondern vielmehr dieses neu aufkommende Gefühl von »Himmelhoch jauchzend – zu Tode betrübt«, das er bis zu dieser schicksalhaften Begegnung auf dem Rathausplatz bei einer Mädchenbekanntschaft noch nie hatte. Ihm ist klar: Er muss sie unbedingt wieder sehen! Und mit diesem ultimativen Gedanken schläft Peer schliesslich ein.

Der erste Sonntag verläuft, abgesehen davon, dass der Ausgang aufgrund der Speisesaal-Geschichte vom Samstag gestrichen ist, ohne nennenswerte Vorkommnisse. Einzig die rund zweistündige Messe in der grossen Kirche des Kollegiums hat Peers Durchhaltevermögen auf eine harte Probe gestellt. Daran wird er sich jedoch gewöhnen müssen, denn das wird nun jeden Sonntag so sein.

4

»Ding, dang, dong«, erklingt die Glocke über die hausinterne Lautsprecheranlage. »Tagwacht! Wir treffen uns in einer halben Stunde in der Kapelle zur Frühmesse«, tönt es weiter aus dem Lautsprecher über der Tür.

Eine neue Woche beginnt.

Schlaftrunken reibt sich Peer die Augen und schaut auf die Uhr an seinem Handgelenk.

»He, es ist ja erst sechs Uhr! Was soll denn das?«, macht Peer seinem Ärger lauthals Luft.

»Buenos días, hombres«, meldet sich Alfredo wohl gelaunt und bereits bis auf die Hosen angezogen. Und zu Peer meint er lachend: »Auf, auf! Das ist hier kein Ferienlager.«

Auch Mike ist bereits fast vollständig angezogen. Und auch er kann sich einer kleinen Stichelei Richtung Peer nicht erwehren: »Ja, mach vorwärts! Sonst bist du schon am ersten Tag zu spät! Und dann wirst du morgen eine halbe Stunde früher geweckt, als wir.«

Während sich Mike und Alfredo im Waschraum bereits um ihre Morgentoilette kümmern, stürzt sich Peer in seine Kleider, klemmt sein Necessaire unter den Arm und macht sich raschen Schrittes auf zu den Toiletten am Ende des Ganges. Er erfreut sich einer gesunden Verdauung, was zur Folge hat, dass er regelmässig kurz nach dem Aufstehen die Toilette aufsuchen muss, um den aufkommenden Druck in seiner Magengegend loszuwerden. Das ist auch heute so. Nur hat er heute das Problem, dass er sich dafür nicht wie gewohnt eine halbe Stunde Zeit nehmen kann, sondern sein Geschäft innerhalb ein paar Minuten erledigen sollte. Was natürlich – ja, genau! – nicht klappt. Also: Hosen rauf, und ab in den Waschraum.

Die andern sind, wie könnte es auch anders sein, schon weg. Also reicht es Peer auch nicht für die Morgentoilette. Mache ich nach der Frühmesse, denkt er sich, deponiert sein Necessaire im Waschraum und rennt nach unten zur Kappelle. Es reicht ihm gerade noch durch die Tür zu schlüpfen, bevor diese hinter ihm ins Schloss fällt.

Nochmals gut gegangen, atmet Peer erleichtert auf und kniet sich in die letzte Bankreihe.

Mike und Alfredo sind wie immer vorne, in der zweiten Reihe. Suchend schauen sie sich um und als sie Peer sehen, zeigen sie ihm erleichtert den hochgestreckten Daumen.

Die Frühmesse dauert rund vierzig Minuten. Anschliessend ist Studium, dann viertel vor acht Frühstück, Zimmer machen, und um neun Uhr beginnt der Unterricht im Kollegium.

Peer wird klar, dass das mit seiner Morgentoilette heute nichts mehr wird, denn für den Weg zum Kollegi müssen sie gut zwanzig Minuten rechnen.

Um acht Uhr dreissig verlassen alle Studenten das Haus Claret und machen sich auf den Weg ins Kollegi. Wie gestern ihr Ausgang ins Dorf, führt auch der Schulweg an den gleichen alten Patrizierhäusern und am Bundesbriefarchiv vorbei. Beim Kapuzinerkloster geht es dann jedoch nicht mehr weiter geradeaus, sondern der Klostermauer entlang links Richtung Mythen. Das letzte Stück des Schulwegs entpuppt sich als schweisstreibender Aufstieg und bringt die Jungs ziemlich ausser Atem.

Das Kollegium Maria Hilf steht bedrohlich, als riesiger, vierstöckiger Gebäudekomplex am Hang unterhalb der Mythen. Die Eintönigkeit der etwas mehr als hundert Meter breiten Frontseite, mit unzähligen, gleichmässig angeordneten Fenstern, wird in der Mitte durch die rund fünfundzwanzig Meter breite Kirche aufgelockert. Zwei Türme markieren die Breite und eine zurückversetzte Kuppel die Länge der Kirche. Das Dach der Kuppel und die beiden Dächer der Türme sind aus Kupfer gefertigt. Sie sind mit Grünspan überzogen und präsentieren sich in einem milchigen, stumpfen Grün. Eine breite Treppe mit sieben Stufen führt zur massigen, mit kunstvollen Schnitzereien verzierten Kirchentür aus dunkel gebeiztem Eichenholz.

Der Weg der Jungs führt rechts am Gebäude vorbei zum Haupteingang des Schultrakts der technischen Abteilungen, welcher in einem tunnelförmigen Rundbogendurchgang zu einem der beiden Innenhöfe des Kollegiums liegt.

»So, jetzt müssen wir noch fünf Stockwerke die Treppe hoch, denn da gibt es keine Lifte im Kollegi«, feixt Alfredo.

»Auch die vier tatsächlichen wären für mich kein Problem. Ich bin konditionell bestens drauf«, hält Peer dagegen, »du weisst ja«, und nach einer Kunstpause fährt er, seine Hüfte rhythmisch nach vorn und zurück bewegend – er will sich ja seine grosse Unsicherheit und die beklemmende

Angst, die ihn langsam befällt, nicht anmerken lassen –, jovial fort, »die Girls!«

»Claro«, erwidert Alfredo verschmitzt und deutet einen Schlag in Peers Genitalien an, was diesen erschrocken zurückzucken lässt.

»Pass ja auf«, warnt Peer Alfredo mit einem Augenzwinkern, »sonst bekommst du Probleme mit meinen nimmersatten Freundinnen!«

Lachend betreten die Jungs den technischen Schultrakt und steigen die Treppe hoch in den zweiten Stock. Peer folgt Alfredo und Mike durch die langen Gänge zu ihrem Klassenzimmer. Der Zufall will es, dass alle drei der Klassengruppe A zugeteilt wurden. Letztes Schuljahr waren Mike und Alfredo in der gleichen Klasse, aber in verschiedenen Gruppen. Das ändert aber nichts daran, dass sie genau wissen, wo sie sich im Klassenzimmer hinsetzen müssen. Auf Peers Frage »Warum gleich hier« antworten sie viel sagend und mit mysteriösem Lächeln: »Wart's ab. Es wird dir gefallen.«

Genau zum Zeitpunkt, als aus dem Lautsprecher über der Tür das »Ding, Dang, Dong« ertönt, betritt eine jüngere, rassige Frau das Klassenzimmer und geht dezent Hüfte schwingend zum Lehrerpult. Ihr wohlgeformter Po zeichnet eine knackige Rundung in ihren dunkelblauen Rock, und ihre Brustwarzen, die durch die weisse, im Ausschnitt mit feinen Stickereien verzierte Bluse schimmern, lassen erahnen, dass sie keinen Büstenhalter trägt.

»Wow«, entfährt es Peer, »was für ein Weib!«

Die Frau wird so um die dreissig sein. Ihr in der Mitte gescheiteltes, bis auf die Schulter fallendes, schwarzes Haar umspült mit weichen Wellen ihr ovales Gesicht. Ein südländischer Einschlag ist nicht zu übersehen. Die mit sympathischen, kleinen Lachfältchen umgebenen, feurigen, und doch so sanften Augen, strahlen jene Wärme aus, welche nur Menschen im Herzen tragen, die in ihrer Persönlichkeit gefestigt sind und bedingungslos und ohne Vorurteile auf ihr Gegenüber zugehen können.

»Mein Name ist Baierl.« Die warme, fast ein wenig verrucht klingende Stimme der Professorin holt Peer wieder in die Wirklichkeit zurück. »Ich komme aus Österreich. Und ich werde euch in die Geheimnisse der Mathematik einführen.«

»Einführen ist immer gut«, flüstert Alfredo Peer zu, »und jetzt wirst du gleich sehen, warum wir hier sitzen.«

Peer ist gespannt, was nun folgen wird.

»Als Erstes ist hier euer Stundenplan für das erste Trimester dieses Schuljahres.« Und mit den Worten: »Bitte nehmt einen und gebt den Rest weiter«, drückt sie dem jeweils Ersten in jeder Bankreihe ein paar Stundenpläne in die Hand.

Und dann kommt, was Alfredo so geheimnisvoll angekündigt hat: Frau Baierl setzt sich rechts auf das Lehrerpult und schlägt ihre wohlgeformten, schlanken Beine übereinander. Wie auf Kommando und leicht verlegen schauen alle Jungs verstohlen dorthin, wo sie etwas zu sehen erhoffen. Doch, obwohl Frau Baierls modischer Rock nun etwas mehr als nur das Knie freigibt, bleibt der erwartete und so geheimnisvoll angekündigte Blitzer ihres Slips aus.

»Ist das alles?«, will Peer von Alfredo enttäuscht wissen.

»Nur nicht ungeduldig werden, Amigo«, gibt Alfredo leise zurück. »Einfach dran bleiben.«

Das sind natürlich nicht gerade gute Voraussetzungen, um sich auf Mathematik zu konzentrieren, ist sich Peer klar. Doch er folgt Alfredos Rat und behält Frau Baierls Rocksaum im Auge.

Während rund einer Viertelstunde bleibt die Professorin mit übereinander geschlagenen Beinen auf ihrem Pult sitzen und erklärt den Lehrstoff, der in diesem ersten Trimester zu bewältigen ist. Doch dann schickt sie sich plötzlich an, aufzustehen um eine Zusammenfassung des eben Gesagten an die Wandtafel zu schreiben. Das ist der Zeitpunkt, auf den die Jungs gewartet haben. Und da ist er, der herbeigesehnte Blitzer – beim Heruntersteigen vom Pult geben die wohlgeformten Oberschenkel der Professorin den zartrosafarbigen Slip für einen Sekundenbruchteil frei! Das genügt den Jungs bereits. In ihren Hosen ist plötzlich der Teufel los, und einer nach dem andern muss unbedingt mal dringend auf die Toilette. Sicherheitshalber gehen alle leicht nach vorn gebeugt, damit die Hose nicht so spannt, und die kleine Beule im Schritt nicht so gut zu sehen ist. Auch Peer, Alfredo und Mike sind da keine Ausnahme.

»Habe ich zu viel versprochen?«, will Alfredo draussen auf dem Gang von Peer wissen.

Dieser gibt sich über der Sache stehend und erwidert gespielt gleichgültig: »Nicht, dass du jetzt etwa was anderes denkst. Ich muss nur mal dringend, weil ich Bauchweh habe.«

»Ja, ja, kennen wir«, lacht Alfredo. »Dein kleiner Freund drückt dir wohl auf den Bauch.«

Der Rest der Unterrichtsstunde verläuft dann ohne weitere Zwischenfälle. So auch der restliche Morgen.

Zu den Essenszeiten werden alle Jungs dort erwartet, wo sie wohnen: Die Externen zu Hause und die Internen im Kollegi, respektive in ihrem Studentenheim. Für Peer und seine Kollegen aus dem Haus Claret heisst das also rund anderthalb Stunden Schulweg pro Tag.

Heute beeilen sich die drei nach Schulschluss besonders, wollen sie doch noch rasch im besagten Musikhaus vorbei schauen. Das tun sie dann auch. Und es ist so, wie Alfredo gesagt hat. Bereits für hundertsechzig Franken gibt es Gitarren, die einen soliden Eindruck machen, und die nicht nur gut tönen, sondern, wie Alfredo versichert, auch sehr angenehm zu spielen sind. Peer ist beruhigt. Jetzt fehlt nur noch das Geld. Doch Peer ist überzeugt, dass ihm seine Grosseltern das Geld für die Gitarre in den nächsten Tagen schicken werden.

Tatsächlich vergeht keine Woche seit Peers Schreiben an seine Grosseltern, und als er von der Schule ins Haus Claret zurückkehrt, liegt auf seinem Pult im Studium, so nennet man hier den Raum, in dem gelernt wird, der schon sehnlichst erwartete Brief der Grosseltern. Peer reisst den Umschlag hastig mit den Fingern auf. Für das Suchen des Brieföffners oder der Schere bleibt da einfach keine Zeit. Zu wichtig ist dieser Brief. Und als er ihn voller Ungeduld aus dem Umschlag zieht, flattern ihm auch schon zwei Hundernoten vor die Füsse.

»Ja! Ja!«, schreit Peer seine Freude hinaus. Dann liest er, was ihm seine Grossmutter in ihrer zwar schon etwas zittrigen, aber immer noch wunderschönen Handschrift geschrieben hat:

Lieber Peer

Danke für Deinen Brief. Wir sind ein bisschen traurig, dass wir Dich nicht mehr sehen konnten, bevor Du nach Schwyz gegangen bist. Wir haben davon auch nichts gewusst. Wir glauben, nicht einmal Deine Mutter wusste etwas davon. Sie hätte uns sonst sicher etwas gesagt. Wir haben sie ja vor kurzem erst noch gesehen. Also, sei nicht böse auf Deine Mutter. Sie kann nichts dafür. Wir wissen, dass es immer nach dem Kopf Deines Vaters gehen muss. Darum seid Ihr ja auch schon so viele Male umgezogen. Aber er meint es sicher nur gut mit Dir. Er hat es halt selber nie anders gelernt. Bei so vielen Kindern wie sie waren, musste er sich auch immer durchsetzen. Aber er hätte das mit Dir trotzdem nicht einfach so selber entscheiden dürfen. Das macht man nicht. Auch nicht mit den eigenen Kindern.

Es freut uns, dass Du gerne Gitarre spielen lernen willst, und wir schicken Dir in diesem Couvert gerne das Geld, um eine zu kaufen. Es sind zweihundert Franken. Kaufe eine gute Gitarre, nicht einfach eine billige. Und wenn Du dann das nächste Mal zu uns kommst, vielleicht in Deinen nächsten Ferien, dann kannst Du uns ja etwas vorspielen, gell. Und dazu singen. Du hast ja immer so schön gesungen.

So, nun wünschen wir Dir alles Gute, und wir hoffen, dass Du nicht lange traurig bist. Alles geht einmal vorbei und wird gut.

Der Herrgott sei mit Dir und segne Dich.

Viele liebe Grüsse
Dein Grosi und Dein Grosspapi

Peer hat nie daran gezweifelt, dass ihm seine Grosseltern seinen Gitarrenwunsch erfüllen werden. Noch nie wurde er von ihnen enttäuscht. Sie haben ihn immer aufgefangen, wenn sein Selbstwertgefühl von seinem Vater wieder mal mit »Dich kann man zu nichts gebrauchen« in den Dreck getreten wurde. Sie geben ihm vorbehaltslos das Gefühl, ein ganz wertvoller Mensch zu sein. Ohne sie wären die vergangenen Jahre für Peer noch viel schwerer gewesen.

Doch im Moment, mit den zweihundert Franken in der Hand, und mit der Vorfreude auf seine neue Gitarre im Herzen, plagen Peer keine schwarzen Gedanken. Er ist einfach nur glücklich, und im Unterbewusstsein fühlt er, dass das Instrument Gitarre eine wichtige Rolle in seinem Leben spielen wird.

Da Peer gerade alleine im Studium ist, setzt er sich hin und schreibt einen langen Dankesbrief an seine Grosseltern. Er verspricht ihnen, dass er sie in seinen nächsten Ferien besuchen und ihnen etwas auf der Gitarre vorspielen wird.

Der Zufall will es, dass Thomas und Alfredo genau zu dem Zeitpunkt im Studium auftauchen, als Peer den Umschlag mit dem Brief an seine Grosseltern zuklebt.

»Was für ein Schleimer«, meint Alfredo ziemlich belustigt zu Thomas. Und auf Peer deutend frotzelt er: »Eben erst hatte er noch einen Steifen in der Hose, wegen einer blonden Katze auf dem Rathausplatz, und jetzt schleimt er seiner Freundin schon vor, wie sehr er sie vermisse.«

Und Thomas lästert, lachend auf den Brief in Peers Hand zeigend: »Die Schleimerei tropft sicher nächstens grad aus dem Umschlag.«

Doch Peer hört gar nicht hin, und mit einem lauten »Taraaa«, streckt er seine zwei Hunderternoten in die Höhe. »Für die Gitarre«, schreit er den beiden übermütig entgegen und vollführt dazu einen wahren Freudentanz.

»He, Hombre, pass auf«, flachst Alfredo, »sonst wird dein Regentanz noch plötzlich erhört und wir stehen im Nassen.«

Auch die übrigen Jungs sind mittlerweile eingetroffen, und nach dem ertönen der Glocke, wird es still im Studium. Für die nächste Stunde ist lernen angesagt. Peer kann sich nicht konzentrieren. Er würde am liebsten aufstehen, ins Dorf marschieren und sich seine geliebte Gitarre gleich jetzt holen. Aber er weiss, dass er bis Donnerstag warten muss. Denn erst am Donnerstagnachmittag ist schulfrei. Gut, er könnte auch schon samstags gehen, da der Unterricht am Samstag bereits um vier Uhr beendet ist. Leider schliessen aber die Geschäfte am Samstag bereits um fünf, und so würde die Zeit doch etwas knapp, um die richtige Gitarre aussuchen zu können. Auch Alfredo meint, dass der Donnerstagnachmittag besser wäre.

5

Auch den zweiten Sonntag ohne Ausgang haben die Jungs mit Studium und Gitarre spielen überstanden. Peer wurde bereits für seine erste Wochenaufgabe eingeteilt. Er muss ab Montag in jeder Frühmesse ministrieren. Für ihn heisst das: Eine halbe Stunde früher aufstehen, als die andern.

Montag und Dienstag wurde Peer noch Markus aus der Parallelklasse zur Seite gestellt, damit der ihm zeigt, wie alles funktioniert. Ab Mittwoch aber ist Peer für den Rest der Woche auf sich allein gestellt. Für ihn ist das allerdings kein Problem. Er war schon während seiner Primarschulzeit Ministrant.

Peer freut sich bereits auf heute Nachmittag. Heute ist Donnerstag, und da ist am Nachmittag schulfrei. Und heute geht er mit Alfredo seine erste Gitarre kaufen.

Gleich nach dem Mittagessen machen sich die Jungs auf ins Dorf.

»Hast du das Geld bei dir?«, will Alfredo wissen.

»Ja, hab' ich«, erwidert Peer und kontrolliert sicherheitshalber nochmals sein Portemonnaie. Aber kein Problem, das Geld ist drin.

»Ich kann kaum warten, bis wir in diesem Musikladen sind«, meint Peer ungeduldig. »Komm, beeil dich ein bisschen!«

»Hombre. Nicht aufregen. Wir sind gleich da«, besänftigt ihn Alfredo.

Und tatsächlich. Kaum haben die beiden den Rathausplatz überquert, sieht Peer auch schon das grosse Schaufenster mit dem roten Schlagzeug und den grossen Marshall Boxen.

»He, da ist es ja«, ruft er erfreut. »Komm, gehen wir rein!«

Das Geschäft ist menschenleer. Keine Kundschaft. Einzig ein langhaariger, ungepflegter Bursche so um die zwanzig, mit ausgewaschenen Jeans wedelt mit einem Staubtuch missmutig über die herumstehenden Instrumente, Verstärker und Boxen.

Scheint der Verkäufer zu sein, denkt Peer und wartet mit Alfredo in der Annahme, dass sich der Langhaarige gleich um sie kümmern werde. Doch der denkt offensichtlich nicht im Traum daran. Peer und Alfredo schauen sich fragend an und machen sich mit einem Schulterzucken auf den Weg in den hinteren Teil des Musikgeschäfts. Da stehen etwa fünfzig Gitarren, fein säuberlich aufgereiht. Sicher noch einmal so viele hängen an der Wand. Ein Paradies für jeden Gitarristen! Peer ist hingerissen von der Vielfalt und Schönheit dieser Instrumente. Da gibt es Gitarren in jeder Farbe und Ausführung. Akustische, halbakustische und Gitarren mit Vollkorpus. Solche mit Nylon- und solche mit Stahlsaiten. Vier-, Fünf-, Sechs- und Zwölfsaitige.

»Hier diese Vier- und Fünfsaitigen, das sind Bässe«, klärt Alfredo Peer auf. »Und diese Zwölfsaitigen würde ich dir noch nicht empfehlen. Nicht, dass sie nicht schön klingen.

Die klingen sogar sehr schön! Aber zum Lernen sind sie nicht so geeignet. Und zudem sind sie erst noch einiges teurer, als die Sechssaitigen. Ich würde dir eine Sechssaitige mit Stahlsaiten empfehlen. Zum Beispiel diese hier«, und er nimmt eine akustische Gitarre mit Stahlsaiten vom Ständer, stimmt sie kurz nach Gehör, zupft ein paar Akkorde darauf und reicht sie Peer.

Etwas verlegen zupft Peer die einzelnen Saiten. Dann versucht er, die drei Griffe »E«, »A« und »D«, die Alfredo ihm bereits gezeigt hat, zu spielen, was ihm aber nicht sonderlich gut gelingt.

Der Langhaarige von eben, mittlerweile auch nach hinten gekommen, schaut ihn verächtlich an und meint spöttisch: »Wow, ganz grosse Klasse«, dann macht er sich mit seinem Staublappen an den herumstehenden Gitarren zu schaffen.

Peer fixiert ihn, wie eine Klapperschlange, die zum tödlichen Biss ansetzt. Seine Halsschlagadern schwellen bedrohlich an, als er mit zusammengekniffenen Augen langsam auf ihn zugeht und gefährlich leise zu ihm sagt: »Du bist wohl einer jener Rock 'n' Roller, die seit ewig nach dem vierten Griff suchen und ohne Verzerrer nichts zu Stande bringen.«

Alfredo schaltet sofort. »¡Muchacho! Du spielst ja bereits wie die Los Paraguayos«, versucht er die angespannte Situation zu entschärfen.

Hätte nicht in diesem Augenblick ein älterer, gepflegter Herr – allem Anschein nach der Geschäftsinhaber – den Verkaufsraum betreten und den Langhaarigen mit: »Josef, du hast im Keller noch Kisten auszupacken«, weggeschickt, wäre es bestimmt zu einer Schlägerei gekommen.

Der vermeindliche Geschäftsinhaber entschuldigt sich überschwänglich für das Vorgefallene und bietet den beiden seine Hilfe an. Peer und Alfredo lehnen aber dankend ab und widmen sich weiter den faszinierenden Saiteninstrumenten.

»A propos Los Paraguayos, Muchacho«, gibt sich Peer wieder einigermassen beruhigt, »auch du hast mal neu angefangen.«

»Da irrst du dich aber gewaltig. Bei uns in Peru wird jedem die Gitarre bereits in die Wiege gelegt«, kontert Alfredo lachend.

So geht es noch eine ganze Weile weiter, und jeder will immer das letzte Wort haben. Nichts desto trotz probieren die beiden alle Gitarren im Preissegment bis zweihundert Franken aus. Alfredo weisst dabei geduldig auf die Vor- und Nachteile der einzelnen Instrumente hin. Obwohl Peer an diesem Nachmittag viel über Gitarren lernt, ist er doch ziemlich überfordert und bittet schliesslich Alfredo, das richtige Instrument für ihn auszuwählen. Die Entscheidung fällt auf eine sechsseitige, akustische Gitarre mit Stahlsaiten für hundertsechzig Franken. Die Schutzhülle dazu kommt Peer noch auf fünfundzwanzig Franken zu stehen, womit ihm von den zweihundert Franken, die ihm seine Grosseltern geschickt haben, noch fünfzehn Franken übrig bleiben.

»Damit gehen wir etwas trinken. Ich lade dich ein«, gibt sich Peer spendabel und hält Alfredo die fünfzehn Franken unter die Nase.

»Mit einem Bier liegst du bei mir aber falsch. Da musst du schon Champagner auffahren, um meine hochkarätige Beratung als Gitarrenfachmann auch nur annähernd abgelten zu können«, stellt Alfredo klar.

»Kein Problem«, erwidert Peer lachend, »sobald meine erste Platte als neuer Gitarren-Gott auf dem Markt ist, bekommst du deinen Champagner. Und zwar mehr, als dir lieb ist. Jetzt weisst du, was du zu tun hast. Jimi Hendrix ist der Massstab.«

»Geht auf keinen Fall«, rechtfertigt sich Alfredo mit ernster Mine. Und prustend fährt er fort: »Du kannst doch nicht besser werden als ich.«

Lachend, und sich gegenseitig weiter hochnehmend, setzen sie sich für eine kleine Erfrischung in den Schatten des übergrossen Sonnenschirms auf der Terrasse des Cafés Haug, das sich auf ihrem Weg zum Studentenheim befindet. Hier fachsimpeln sie weiter über die grossen E-Gitarristen wie Jimi Hendrix, Eric Clapton oder Carlos Santana. Aber auch über spanische Flamenco-Gitarristen wie Manolo Sanlúcar und Paco Cepero, oder über den grossen französischen Folk-Gitarristen Manitas de Plata. Es ist unschwer zu erkennen, dass die Musik, und ganz speziell die Gitarre, diese beiden Jungs verbindet, und dass hier eine grosse Freundschaft am Entstehen ist.

Die Zeit vergeht wie im Flug. Peer und Alfredo müssen sich auch dieses Mal wieder sputen, um nicht zu spät zum Studium im Haus Claret einzutreffen. Doch die Aussichten auf ihr zukünftiges, gemeinsames Gitarrenüben scheint ihnen Flügel zu verleihen, denn zu ihrem eigenen Erstaunen schaffen sie es problemlos, nicht nur rechtzeitig einzutreffen, sondern sich auch noch in die Belegungspläne der vier Musikzimmer so einzutragen, dass sie an allen sieben Tagen der Woche je die erlaubte eine Stunde üben können.

Heute plagen Peer keine dunklen Gedanken vor dem Einschlafen. Er freut sich auf den morgigen Tag und seine neue Gitarre. Peer ist sich sicher, mit dem Gitarrenspielen seinem Vater beweisen zu können, dass er etwas erreichen kann, dass man ihn zu etwas gebrauchen kann, und dass auch er etwas wert ist.

Ein Wunschtraum, wie sich im Verlaufe der Jahre herausstellen wird …

6

Das letzte Trimester, und damit das Schuljahr, neigen sich dem Ende zu. Die Sommerferien stehen vor der Tür. Peer freut sich ungemein auf die kommenden rund zwei Monate, obwohl er weiss, dass er dann wieder dem Druck und den Nörgeleien seines Vaters ausgesetzt sein wird. Doch das kümmert ihn im Moment nicht. Es wird sich sicher die eine oder andere Möglichkeit ergeben, all diesem zwischendurch zu entfliehen.

Peer und Alfredo haben sich nach dem Mittagessen in den Schatten eines knorrigen Kirschbaumes auf der frisch gemähten Wiese beim nahen Dorfbach gelegt. Hier, unweit der grossen Mauer, die das Grundstück rund um das Studentenheim einfriedet, geniessen sie etwas Ruhe, bis die Patres den weiteren Tagesablauf bekannt geben. Ein lauer Sommerwind säuselt durch die Äste des alten Baumes und bringt die Blätter leise zum Rauschen.

»Morgen geht's nach Hause, Hombre. Freust du dich?«, doch Alfredo wartet gar nicht erst Peers Antwort ab und fährt, mit einem Anflug von Traurigkeit in seiner Stimme, wie es Peer scheint, fort: »Ich fliege nicht nach Lima. Wir haben da eine Wohnung in Luzern, wo meine Schwester und zwei meiner Brüder wohnen. Da werde ich meine Sommerferien verbringen. Komm doch in den Ferien für ein paar Tage zu uns. Ich werde dir dann zeigen, dass die schönsten Mädels in Luzern wohnen.«

»Gute Idee«, gibt sich Peer lässig, »werde das meinem Vater klar machen.«

Doch es will ihm nicht so recht gelingen, seine gespielte Selbstsicherheit auch überzeugend rüber zu bringen. Alfredo bleibt das natürlich nicht verborgen. Zu gut kennt er seinen Freund und dessen Probleme mit seinem dominanten Vater.

»He, das schaffst du schon, Muchacho«, muntert ihn Alfredo auf. Und mit fester Stimme fährt er fort: »Sonst haust du einfach mal von zu Hause ab und kommst zu mir nach Luzern. Platz haben wir genug, und meine Leute sind immer offen für Neues. Vielleicht bringt das dann deinen alten Herrn etwas zum Nachdenken. Du musst dir nur nicht alles gefallen lassen. Jeder Mensch hat ein Recht auf Selbstverwirklichung. Und was hält denn eigentlich deine Mutter von der ganzen Sache mit deinem Vater?«

Genau diese Frage hat sich Peer selber schon duzende Male gestellt. Und er ist hin und her gerissen. Einerseits ist er sicher, dass seine Mutter die aufbrausende Art seines Vaters und dessen verletzender Umgang mit seinen Mitmenschen auf keinen Fall gut findet. Andererseits ist ja auch nicht alles schlecht, was sein Vater macht. Aber trotzdem dürfte seine Mutter seinen Vater ruhig mal auf sein egoistisches Gehabe aufmerksam machen und ihn zum Ändern seines Verhaltens anhalten.

»Meine Mutter …«, versucht Peer die Frage von Alfredo zu beantworten, ohne seine Mutter in ein schlechtes Licht zu rücken, »… also, meiner Mutter ist das sicher oft auch peinlich. Aber, was soll sie denn tun? Es ist anzunehmen, dass mein Vater schon so war, als sie ihn geheiratet hat. Zudem möchte sie, denke ich, sicher mit ihm einigermassen in Frieden alt werden.« Und sichtlich gelöster fährt er fort: »Aber den Vorschlag, ein paar Tage zu dir nach Luzern zu kommen, finde ich spitze. Und das mit den Girls, du weisst ja, das schönste Girl wohnt hier in Schwyz. Vielleicht sehe ich sie heute nochmals, wenn wir ins Dorf gehen.«

Doch daraus wird nichts mehr. Wie sich gleich herausstellen wird, ist für heute Abend packen und nicht ins Dorf gehen angesagt.

»Achtung! Achtung!«, ertönt die sonore Stimme von Pater Franz aus den Lautsprechern im Haus Claret und im Hof. »In fünf Minuten erwarte ich alle Studenten im Studium zur Information ›Ohne Fleiss kein Schweiss‹.«

Na ja – ohne Fleiss kein Schweiss … Pater Franz, ein kleiner, untersetzter Mann ende sechzig, Stellvertreter von Pater Josef, ist nun mal immer zu einem Spässchen aufgelegt. Nur, ab und zu will ihm das Lustigsein nicht so richtig gelingen. Nichts desto trotz ist er bei den Studenten sehr beliebt.

Peer und Alfredo schlendern zurück ins Studentenheim, wo sie im Studium auf die bereits wartenden übrigen Jungs und Pater Franz treffen.

»Aha, auch Peer und Alfredo sind hier, dann können wir ja beginnen«, meint der Pater leicht düpiert, und mit ernster Stimme fährt er fort: »Meine Lieben. Hopfen und Schmalz sind noch nicht ganz verloren.«

Auch dieses Spässchen will bei den Jungs nicht so recht ankommen.

Und dann setzt Pater Franz beschwörend und mit erhobenem Zeigefinger zu seinem Standart-Spässchen an: »Ich sehe Gicht am Ende des Fummelns!«

Nun befällt die Zuhörerschaft endgültig ein grosses Gähnen, was Pater Franz natürlich nicht ganz verborgen bleibt und ihn schliesslich doch zum Wesentlichen führt.

»Also meine Lieben«, fährt er fort. »Wir müssen vor der morgigen Abreise in die wohlverdienten Sommerferien noch ein paar Sachen erledigen. Weil einige von euch nicht mehr hier ins Haus Claret zurückkommen, sondern ab dem neuen Schuljahr direkt ins Kollegiums-Internat wechseln, müssen alle Schulunterlagen eingepackt und nach Hause mitgenommen werden. Diejenigen, die Schachteln benötigen, können sich nachher bei mir melden.«

»Pater Franz«, meldet sich einer aus der hintersten Reihe, »müssen die, welche nach den Ferien hier ins Haus Claret zurückkommen, ihre Schulsachen auch nach Hause nehmen?«

»Der Rainer. Hat mal wieder nicht zugehört. Oder ist mit seinen Gedanken schon wieder bei seinen weiblichen Fans«, gibt sich Pater Franz betont gelangweilt.

Schallendes Gelächter bricht im Studium aus. Der rothaarige Rainer ist wohl ein begabter Musiker – er spielt Klavier, Gitarre und Schlagzeug –, aber eher nicht der grosse Frauenschwarm. Obwohl, Jungs wissen ja nie so genau, was Mädchen wollen. Und Rainer scheint bei den Frauen, allen Unkenrufen zum Trotz, recht gut anzukommen. Schliesslich gab er kürzlich mit seiner Band ein Konzert in der Kollegi-Aula, bei dem die Volontärinnen, die das Konzert ebenfalls besuchen durften – natürlich unter der strengen Aufsicht der Ingenbohl Schwestern – total ausflippten. Daher die Bemerkung von Pater Franz bezüglich der weiblichen Fans und das provozierende Lachen der pubertierenden Jungs. Aber Rainer macht auch immer viel Blödsinn und muss fast jeden Monat mindestens ein Mal zur Strafe auf die Haggenegg marschieren.

»Ich habe doch eben gesagt: Alle nehmen alles mit nach Hause. Hat das jetzt auch der Rainer verstanden, oder muss ich es ihm noch schriftlich geben?«, fragt Pater Franz etwas ungehalten.

Und Rainer in seiner typischen Art: »Bitte schriftlich, Pater Franz«, was natürlich erneutes Gegröle auslöst.

Doch der in die Jahre gekommene Pater lässt sich nicht provozieren und fährt gelassen fort: »Dann, bevor ihr morgen in den Speisesaal geht, entfernt ihr die Kissen- und Deckbettbezüge und deponiert diese zusammen mit den Leintüchern vor der Zimmertür. Nach dem Morgenessen vergesst nicht, euer Besteck, eure Konfitüre, Butter, und was ihr sonst noch im Speisesaal habt, mitzunehmen. Was liegen bleibt, wird weggeschmissen. So, und jetzt ab zum Packen!«

Die Jungs erheben sich unter grossem Stühlerücken und wollen eben das Studium verlassen, als sich Pater Franz, sichtlich um Aufmerksamkeit kämpfend, nochmals meldet: »Moment noch …! Wartet mal …! Diejenigen, die schon draussen sind, sollen bitte nochmals reinkommen …« Und nach einer kurzen Pause ruft er laut in den Saal: »Morgen fällt die Frühmesse aus!«

Kaum hat Pater Franz diesen Satz zu Ende gesprochen, verwandelt sich das Studium in einen Hexenkessel. Die Jungs schreien ihre Freude über diese Mitteilung hemmungslos hinaus, was wieder mal zur Überlegung anregt, wie viel Religion vertragen pubertierende Jugendliche.

»Ich bin noch nicht ganz fertig«, versucht sich Pater Franz nochmals Gehör zu verschaffen. »Morgen könnt ihr ausschlafen. Tagwacht ist erst um halb acht. Morgenessen um acht.«

Wieder so ein abgedroschenes Spässchen. Ausschlafen! Die Studenten quittieren es mit einem lauten: »Buuuhhh!«

Für Pater Franz nichts Neues. Mit einer entsprechenden Handbewegung und einem süffisanten Lächeln auf den Lippen schickt er die Jungs auf ihre Zimmer.

Manch einer schläft kaum in dieser Nacht, und viele können es kaum erwarten, endlich in die Ferien abzureisen. Es wird bis in die frühen Morgenstunden gequatscht. Die Mehrzahl der Jungs ist in Gedanken schon zu Hause und freut sich auf Familie und Freunde.

Nur Peer kann sich nicht so recht freuen. Schon der Gedanke daran, dass sein Vater wegen der Gitarre gleich wieder ein grosses Theater machen wird, treibt ihm den Angstschweiss auf die Stirn. Der Vater ist nämlich seit langem der Meinung, Peers Grosseltern mütterlicherseits untergraben seine Autorität, weil Peer viel Zeit bei ihnen verbringt, und sie ihn immer wieder in Schutz nehmen. Und Peer geht gerne zu ihnen. Seine Grossmutter macht nicht nur die beste Rösti. Nein, seine Grosseltern geben ihm auch Liebe und Geborgenheit, und jene Anerkennung, die er von seinem Vater nicht bekommt.

Im Gegensatz dazu, die Grosseltern väterlicherseits. Peer hat zwar den Grossvater nie kennengelernt, weil er schon früh verstorben ist. Doch die Grossmutter – die kennt er schon! Peer kann sich noch gut daran erinnern, wie seine Mutter oft traurig zum Vater gesagt hat, dass seine – also

Vaters – Mutter sie – also Peers Mutter – immer wieder sehr abschätzig behandle, so als nicht gleichwertig, als Person zweiter Klasse eben. Auch Peer fühlt sich bei dieser Grossmutter nicht wohl, wenn er sie wieder mal mit seinen Eltern besuchen muss, und er keine Ausrede findet, um sich davor zu drücken. Die Atmosphäre ist immer frostig, und Peer ist jeweils froh, wenn der Besuch bei ihr beendet ist.

Alle diese Gedanken gehen Peer durch den Kopf, als er am nächsten Morgen draussen auf dem grossen Parkplatz beim Studentenheim mit etwa zehn Studienkollegen darauf wartet, von den Eltern abgeholt zu werden. Die Uhr zeigt bereits Mittag, und die Sonne brennt heiss auf die Köpfe der Wartenden. Peer ist froh, bei dieser Hitze nicht wie viele andere Jungs mit dem schweren Gepäck zu Fuss zum Bahnhof Seewen marschieren zu müssen.

Nach und nach wird jeder hier auf dem Parkplatz von seine Eltern freudig in Empfang genommen. Schliesslich wird auch Alfredo abgeholt. Von seiner Schwester und einem Bruder. Er verabschiedet sich herzlich von Peer, und beim Wegfahren ruft er diesem nochmals mit dem Daumen nach oben zu: »¡Hombre! Keine Angst wegen der Gitarre! Du schaffst das! Dein alter Herr kann dich ja nicht mehr, als zusammenstauchen. Und sonst kommst du zu uns nach Luzern! ¿Claro?«

»¡Claro!«, gibt sich Peer selbstsicher. »Ich rufe dich an! Bis dann, schöne Ferien!«

Alfredos Auto verlässt langsam den Parkplatz, und Peer schaut ihm gedankenverloren nach, bis es hinter der nächsten Kurve verschwunden ist.

Nun steht er alleine auf dem Parkplatz. Innerlich zittert er bereits vor seinem Vater – die Geschichte mit der Gitarre eben! In diesem Moment wünscht er sich, mit dem Zug nach Hause unterwegs zu sein. Das wäre ein guter Einstieg in die Ferien. So hätte er noch etwas Zeit, seinen Gedanken nachhängen und die kommenden freien Wochen schon etwas planen zu können. Wenn er erst einmal im Auto sitzt, dann kann er nicht mehr enfliehen. Dann muss er sich auf dem ganzen Heimweg anhören, was für ein frecher Bursche er sei, hinter dem Rücken seines Vaters die Grosseltern um Geld zu bitten, und sich eine Gitarre zu kaufen, obwohl er, der Vater, ihm das verboten habe.

So ist es dann auch, als Peers Eltern endlich eintreffen. Der Vater ist noch nicht einmal richtig aus dem Auto gestiegen, als er schon mit zusammengekniffenen Augen anhebt: »Das ist aber nicht eine Gitarre?!« Und auf die gestreifte, braune Plastikhülle zeigend, die unschwer zu erkennen gibt, was sie beinhaltet, poltert er weiter: »Habe ich dir nicht verboten ...«

»Jetzt sei doch still und lass' ihn erstmal hallo sagen«, unterbricht ihn die Mutter barsch. Und in der Zwischenzeit ausgestiegen, nimmt sie Peer liebevoll in die Arme und fragt ihn zärtlich: »Wie geht es dir denn, mein Junge?«

»Ich bin gesund«, sagt Peer, indem er seine Mutter an sich drückt, »habe einfach ein bisschen Heimweh gehabt.«

Peers Mutter fühlt instinktiv, dass es ihrem Jungen nicht so gut geht. Gesund? Denkt sie. Ja, vielleicht physisch. Aber psychisch? Und zu Peer gewandt meint sie: »Jetzt hast du ja Ferien. Und wenn du erst ein wenig Distanz vom Kollegi hast, sieht alles wieder ganz anders aus.«

»Ja. Hoffentlich«, gibt sich Peer optimistisch, und in Gedanken fährt er fort: Du hast ja keine Ahnung, wie es in mir drin aussieht.

Laut will er das nicht sagen, denn er hat absolut keinen Bock darauf jetzt »du könntest wirklich etwas dankbarer sein. Da ermöglicht man dir ein Studium …« und die ganzen übrigen Vorwürfe zu hören.

7

Die Heimreise ist für Peer nicht gerade das, was man üblicherweise als freudiges Zusammensein nach längerer Trennung bezeichnen würde. Doch erstaunlicherweise belasten ihn die »Stänkereien« seines Vaters – als solche bezeichnet er in der Zwischenzeit diese immer wiederkehrenden Vorwürfe, wohl um sich selber vor zu grosser emotionaler Belastung zu schützen – mit zunehmender Reisezeit immer weniger. Er schafft es sogar, gedanklich etwas abzuschweifen und über die Beziehung zu seiner Freundin nachzudenken. Dabei taucht gedanklich auch immer wieder die blonde Schöne auf, mit der er auf dem Rathausplatz von Schwyz beinahe zusammengestossen wäre.

Je mehr Peer über seine Freundin Marianne und über das blonde Mädchen von Schwyz nachdenkt, desto mehr wird ihm bewusst, dass ihm seine Freundin zwar immer noch viel bedeutet, aber nicht mehr als Partnerin, sondern eben nur noch als gute Freundin. Und schlagartig wird ihm klar, dass er das mit ihr so bald wie möglich klären muss.

»Hast du gehört, was ich gesagt habe?«, wird er plötzlich von der gehässigen Stimme seines Vaters aus seinen Gedanken gerissen.

»Äh, ja«, antwortet Peer etwas verlegen.

»Also! Dann gib mir eine Antwort!«

Natürlich hat Peer keine Ahnung um was es geht. Er hat ja nicht zugehört.

Entsprechend antwortet er: »Also – äh …«

»Ich hab's ja gewusst! Du hörst mir gar nicht zu! Eine Frechheit ist das«, fährt Peers Vater polternd dazwischen.

Und da ist es wieder, dieses Herzrasen bei Peer. Dabei hat er sich so vorgenommen, sich von diesem unbeherrschten Verhalten seines Vaters nicht mehr ins Bockshorn jagen zu lassen. Doch wie es scheint, ist er noch meilenweit davon entfernt.

Zum Glück mischt sich die Mutter ein: »Es ist ja gut. Peer ist doch nur müde und hat deshalb ein bisschen geschlafen.« Mit ihrer sanften Stimme gelingt es ihr, den Vater etwas zu beruhigen.

»Also, noch mal«, fährt dieser etwas gefasster, aber immer noch im Befehlston fort, »diese Gitarre kommt mir nicht ins Haus. Hast du verstanden?!«

»Ja, was mach ich denn jetzt damit?« fragt Peer etwas verlegen, und ihm ist klar, dass er so rasch wie möglich die Grossmutter informieren muss, sobald sie zu Hause angekommen sind.

Peers Mutter wird nun das Ganze doch etwas zu viel.

»Mir reicht's«, sagt sie verärgert. »Halt beim nächsten Bahnhof an. Ich fahre mit dem Zug heim und Peer kommt mit mir. Das ist ja nicht zum Aushalten. Du hast den Jungen noch keine Stunde wieder gesehen, und schon zwingst du ihm wieder deinen Willen auf. Wie lange soll das so weitergehen? Warum kann er nicht Gitarre spielen lernen? Es muss dir doch klar sein, dass die im Kollegi auch das Musizieren geregelt haben, und zwar sicher so, dass das Studium nicht zu kurz kommt. Sei doch bitte endlich mal etwas mehr Vater und etwas weniger Befehlshaber.«

Das hat gesessen! Jetzt kommt Peers Vater doch etwas in Zugszwang. Offensichtlich weiss er genau, dass seine Frau ihre Drohung wahr machen wird, wenn er jetzt nicht einlenkt. Er hat sie mit seinem cholerischen Verhalten schon einmal aus dem Haus vertrieben. Und es war damals nicht gerade einfach, sie zur Rückkehr zu bewegen. Aber er kann jetzt doch nicht einfach so klein beigeben?!

Peers Mutter weiss, dass sie einen wunden Punkt bei ihrem Mann getroffen hat. Als kluge Frau will sie ihm eine Brücke bauen, damit er nicht sein Gesicht verliert. Denn klar ist: Er muss einlenken – ohne wenn und aber! Und er weiss das auch.

So macht sie Peers Vater folgenden Vorschlag: »Peer kann die Gitarre behalten, so lange sich seine schulischen Leistungen nicht verschlechtern. Bist du damit einverstanden?«

Peers Vater versucht zu verhandeln: »So lang keine Note unter vier einhalb ist.«

»So lange Peer sein Studium nicht vernachlässigt«, insistiert die Mutter ruhig, aber bestimmt. »Das ist nur fair. Man kann nicht erwarten, dass die Noten immer gleich gut bleiben, wenn der Unterrichtsstoff schwieriger wird.«

Die Mutter hat die besseren Karten und der Vater muss einlenken. Das passt ihm gar nicht. Er wirft Peer noch einen gehässigen Blick zu und murrt etwas vor sich hin, das sich in etwa so anhört wie: »Wart nur, dich krieg ich schon noch.«

Doch Peer ist das egal. Er hat seine Gitarre und kann diese behalten. Danke liebe Mutter, denkt er, irgendwann wirst du dafür belohnt. Und er ist froh darüber, dass er nicht seine

Grossmutter mit diesem Streit um seine neue Gitarre belästigen muss. In solchen Momenten ist ihm sein Vater so was von peinlich, weil dieser immer das letzte Wort haben muss. Das geht manchmal so weit, dass man beim Zuhören meinen könnte, man befinde sich im Kindergarten.

Nach dieser Niederlage des Vaters geht die Reise nun ohne Unterbruch direkt nach Hause. Der Vater ist sauer. Kein Zwischenstopp in einem Restaurant. Kein Beine vertreten an den Ufern des Vierwaltstädtersees. Peer soll's recht sein. Er hat absolut keine Lust darauf, die Gegenwart seines Vaters länger als nötig zu ertragen, denn dieser ist jetzt in seiner Ehre verletzt und in solchen Fällen äusserst unausstehlich.

Peer vertreibt sich die Zeit der Heimreise mit Kreuzworträtsel lösen. Kreuzworträtsel sind die grosse Leidenschaft seiner Mutter, und sie hat immer welche in ihrer Handtasche. Sie füllt die Kreuzworträtsel mit einer Leichtigkeit und Sicherheit aus, wie man das von einer einfachen Hausfrau nicht erwarten würde. So hat sie denn auch fast auf jede Frage von Peer die richtige Antwort. Ja, meine Mutter, denkt Peer, das ist ein feiner Mensch. Wie meine Grossmutter und mein Grossvater. Ihre Eltern eben.

Beim Kreuzworträtseln ist die Zeit wie im Flug vergangen. Als Peer kurz hinaus schaut, sieht er gerade noch die Ortstafel seines Wohnorts am Seitenfenster des Autos vorbei huschen.

»Oh, wir sind ja schon da«, stellt er überrascht fest.

»Ja, die Zeit vergeht schnell beim Kreuzworträtsellösen, gell«, entgegnet seine Mutter freudig. »Nun noch die Kirchgasse runter, und wir sind daheim.«

Beim Einbiegen auf den Vorplatz ihres Hauses entgeht Peer nicht, dass sein Vater mit dem Bau eines kleinen Brunnens beim Kirschbaum, dort wo früher der Sandkasten war, begonnen hat. Peer fährt der Schreck in die Glieder. Nur schon beim Gedanken daran, seinem Vater beim Fertigstellen helfen zu müssen, befällt ihn das unvermeidliche Herzrasen, aus Angst vor den cholerischen Ausbrüchen seines Vaters. Für Aussenstehende eher nicht zu verstehen, solche Angstzustände, ausgelöst durch Menschen aus dem engsten Familienkreis. Doch für Peer sind sie Realität, und neustens versucht er sich mit dem Gedanken zu beruhigen, dass sich, sobald er erwachsen ist, die belastende Situation mit seinem Vater von selbst normalisieren wird. Die menschliche Psyche ist ja durch den Selbsterhaltungstrieb auf eine rosarote Zukunftssicht programmiert …

»So, da sind wir«, stellt Peers Mutter erleichtert fest, »und zum Glück sind wir wieder gesund nach Hause gekommen.«

Peer bringt seine Koffer und die Schachtel mit den Schulbüchern in sein Zimmer. Natürlich fehlt auch die Gitarre nicht.

Doch noch bevor er diese aus der Hülle holen kann, steht sein Vater im Türrahmen und gibt Peer gleich den Tarif durch: »Nichts da Gitarre! Zuerst packst du deine Koffer aus, und dann kommst du in den Garten und hilfst mir beim Brunnen!«

Peers Mutter kommt aus der Küche und folgt dem Vater raschen Schrittes hinaus in den Garten. Peer kann nicht genau verstehen, was die beiden miteinander reden. Aber es müssen klärende Worte sein, denn nach ein paar Minuten kehrt die Mutter mit einem Lächeln zu Peer zurück.

»So, jetzt packen wir zusammen die Koffer aus«, sagt sie mit beruhigender Stimme. »Die schmutzige Wäsche bringst du bitte gleich hinunter in die Waschküche. Dann nimmst du am besten die Bücher, die du im nächsten Schuljahr nicht mehr benötigst, aus der Schachtel und stellst sie in dein Bücherregal. So ist das bereits auch erledigt. Dann kannst du gehen.«

»Ich habe jetzt aber wirklich keine Lust, Vater mit dem Brunnen zu helfen«, wehrt sich Peer recht ungehalten. »Es beginnt ja schon bald einzunachten.«

»Musst du auch nicht. Ich habe das schon mit ihm geklärt.«

»Wow! Super«, und mit einem dicken Kuss auf Mutters Wange bedankt sich Peer für diese freudige Überraschung.

Allerdings bereitet ihm das, was er sich als Nächstes vorgenommen hat, nämlich seiner Freundin zu sagen, dass er sich von ihr trennen will, noch um einiges mehr Kopfzerbrechen, als seinem Vater zu helfen. Aber Peer will gleich zu Beginn der Ferien klare Verhältnisse schaffen.

»Ich schaue dann mal bei Marianne vorbei. Ich muss da etwas mit ihr klären«, ruft Peer beim Hinausgehen noch seiner Mutter zu.

Dann ist er weg.

Auf dem Weg zu seiner Freundin, zermartert sich Peer das Gehirn, und insgeheim hofft er, sie nicht zu Hause anzutreffen. Wie ein wilder Mückenschwarm in der Nacht um eine Strassenlaterne, kreisen die Worte »Wie sage ich's ihr bloss, um sie nicht zu sehr zu verletzen« unaufhörlich in seinem Kopf. Peer tut sich schwer damit, andere Menschen enttäuschen zu müssen. Er ist sehr harmoniebedürftig. Wohl eine

Folge der mangelnden Akzeptanz seitens seines Vaters. Harmoniebedürftige Menschen können nur schwer »Nein« sagen und es scheint, als stehe ihnen das in grossen Lettern auf die Stirn geschrieben. Diese Harmoniebedürftigkeit ist vielfach gepaart mit dem Zwang, sich immer beweisen zu müssen. Solche Menschen leiden unter den Oberflächlichkeiten der Gesellschaft. Sie sind ein gefundenes Fressen für Profiteure und Egoisten. Tief im Innern wissen sie das auch, können es aber nicht ändern, und viele sind dadurch besonders anfällig für Depressionen. Auch Peer gehört dazu.

Trotz des absichtlich gewählten, längeren Weges über die Kirchgasse, steht Peer nun schliesslich doch vor dem Haus, in dem seine Freundin Marianne mit ihrem jüngeren Bruder und ihren Eltern wohnt. Er gibt sich einen Ruck und drückt die Türklingel. Drinnen bleibt es still. Als Peer auch nach ein paar Minuten nichts hört, denkt er erleichtert: Auch gut. Nur kein zweites Mal klingeln! Dann eben morgen.

Doch im selben Moment, als er sich anschickt zu gehen, hört er im Innern des Hauses die melodiöse Stimme der Mutter seiner Freundin: »Ich kooommeee! Wer ist denn daaa?«

Peer zuckt zusammen, und etwas überrumpelt stottert er: »Äh … Ich … Der Peer …«

»Oh, der Peer«, begrüsst ihn Mariannes Mutter freudig, nachdem sie die Tür geöffnet hat, und schüttelt ihm herzlich die Hand.

Mariannes Mutter ist jene Art Frau, die immer alles im Griff hat. Durch ihre fröhliche, aufgestellte Art ist sie äusserst beliebt im Dorf. Kürzlich wurde sie sogar in den Gemeinderat gewählt.

»Komm rein und erzähl! Wie geht es dir? Hast du dich gut eingelebt im diesem Kollegium, wo du jetzt bist? Gefällt es dir?«

Fragen über Fragen. Peer muss alles erzählen. Und erst als er den schier unersättlichen Wissensdurst der Mutter seiner Freundin gestillt hat, gelingt es ihm, die Frage nach Marianne zu stellen.

»Oh, Marianne«, ist die Mutter im ersten Moment etwas erstaunt, »die ist nicht da. Sie ist mit einer Kollegin unterwegs, kommt aber gegen sieben Uhr dreissig heim, hat sie gesagt. Soll sie dich anrufen, wenn sie da ist?«

»Ja, gern«, erwidert Peer erleichtert und ist froh, dass er das anstehende, für ihn schwierige Trennungsgespräch so noch etwas hinauszögern kann.

Peer verabschiedet sich von Mariannes Mutter und macht sich auf den Heimweg. Er will noch rasch im Restaurant Neuhaus vorbeischauen. Vielleicht trifft er dort den einen oder anderen Schulkollegen aus dem Dorf.

Das »Neuhaus« liegt auf Peers Heimweg, nicht weit von Mariannes Elternhaus entfernt. Beim Restaurant angekommen, betritt Peer nichts ahnend die Gasstube. Lächelnd geht er auf den runden Stammtisch zu und lässt seinen Blick gelöst durch den Raum schweifen. Doch plötzlich gefriert sein Lächeln und seine Augenbrauen ziehen sich bedrohlich zusammen. Was er dort in der etwas schummrigen Nische in der Nähe der Theke sieht, gefällt ihm gar nicht. Obwohl: Eigentlich könnte er ja froh sein. Scheint sich doch sein Problem »Trennungsgespräch« von selbst zu lösen, denn in der besagten Nische sieht er seine Freundin Marianne Händchen haltend mit seinem ehemaligen Schulkollegen Kurt sitzen.

Marianne strahlt, wie immer. Sie hat das fröhliche Gemüt ihrer Mutter. Die Kerze vor ihr auf dem Tisch zeichnet weiche Schatten in ihr Gesicht, und obwohl sie fast zwei Jahre jünger ist als Peer, erweckt sie einen erstaunlich offenen und reifen Eindruck. Kurt dagegen ist eher der zurückhaltende Typ. Im selben Alter wie Peer, ist er unwesentlich grösser, bringt aber bestimmt zwanzig Kilogramm mehr auf die Waage, weshalb er in der Schule auch immer gehänselt wurde. Trotz seines Übergewichts hat er eine verhältnismässig schmale Taille, was seine Schultern noch breiter erscheinen lässt und ihm so den Übernamen »Knorrli« einbrachte.

»Es ist nicht so, wie's aussieht«, stottert Marianne errötend, als sie ihren Freund erkennt.

Verlegen bläst sie mit vorgeschobener Unterlippe einzelne Haarsträhnchen aus ihrem Gesicht und versucht Peer einen Kuss zu geben. Doch Peer wehrt ab. Lass dir jetzt nur keine Erleichterung anmerken, denkt er blitzartig. Die soll nur etwas leiden.

Und den tief Verletzten mimend entgegnet er mit weinerlicher Stimme: »Wie sieht's denn aus? Erklär mir das!«

Doch bevor Marianne antworten kann, geht Peer lächelnd auf sie zu und gibt ihr einen freundschaftlichen Kuss auf die Wange. Es liegt nicht in seiner Natur, andere Menschen zu quälen, und schon gar nicht solche, die er mal geliebt hat. Da ist es eben wieder, dieses allgegenwärtige Harmoniebedürfnis.

Ziemlich verwirrt meint Marianne nun ihrerseits: »Das musst *du* mir jetzt aber erklären.«

»Also«, beginnt Peer zaghaft, nachdem er sich zu den beiden an den Tisch gesetzt hat, »wie ich sehe hast auch du dir Gedanken gemacht, wie es mit uns weitergehen soll. Und wie es aussieht, bist du offensichtlich auch zur Überzeugung gekommen, dass es für uns wenig Sinn ergibt, die nächsten fünf Jahre aufeinander zu warten. Stimmt's?» Und etwas vorwurfsvoll fährt er fort: »Allerdings hätte ich erwartet, dass wir das zuerst zusammen klären, bevor wir wieder eine neue Beziehung eingehen.«

»Ja, ich weiss. Entschuldige bitte«, gibt sich Marianne kleinlaut.

»Und zwischen uns ist auch noch gar nichts passiert, nicht mal ein Kuss«, mischt sich Kurt vorsichtig ein.

Peer gibt sich versöhnlich: »Ist schon in Ordnung. Machen wir kein Theater daraus. Behalten wir die schöne Zeit in Erinnerung, die wir zusammen verbracht haben.« Und zu Kurt meint er: »Und du, Knorrli, behandle sie gut. Sonst bekommst du's mit mir zu tun«, dabei setzt er ihm lachend seine Faust sanft ans Kinn.

»Du kennst mich doch«, erwidert Kurt erleichtert. »Sie wird es bei mir gut haben.«

»Und selber? Hast du in Schwyz denn schon eine neue Freundin?«, will nun Marianne neugierig wissen.

Peer lehnt sich im Stuhl zurück, verschränkt die Arme vor der Brust, und mit hochgezogenen Augenbrauen gibt er sich betont lässig: »Mein lieber Schwan. Du weisst, ich bin unwiderstehlich. Die Mütter in Schwyz sperren ihre Girls bereits ein, wenn ich durch die Strassen gehe. Aber ich nehme natürlich nicht gleich jede, die sich mir an den Hals wirft.«

Die drei schauen sich in die Augen und brechen nach einer kleinen Kunstpause in lautes, befreiendes Gelächter aus. Ihnen wird erst bewusst, wie laut offensichtlich ihr Lachen eben gewesen sein muss, als sich die Gäste im Restaurant nach ihnen umdrehen und zu tuscheln beginnen. Doch das stört die Drei nicht. Sie sind froh, dass sie ihr Problem so einfach gelöst haben und weiterhin Freunde bleiben können. Mit einem Glas Coca-Cola stossen sie auf ihr gerade beginnendes Leben und eine erhofft wunderbare Zukunft an. Peer macht sich glücklich auf den Heimweg. Er fühlt sich gut. In solchen Momenten vergisst er für einen Augenblick die bevorstehenden Kollegi-Jahre.

Die Mutter trägt gerade das Nachtessen auf, als Peer zu Hause ankommt. Gedankenverloren setzt er sich an den Tisch, wo sein Vater bereits, nervös mit den Finger trommelnd, wartet. Mutter beginnt zu schöpfen. Es gibt Bratwurst und Rösti mit einer feinen Zwiebelsauce.

»Jetzt hast du aber Glück gehabt«, beginnt Vater bereits wieder zu nörgeln. »Wer nicht zur rechten Zeit kommt, geht ohne Nachtessen ins Bett.«

Peer kann sich nicht zurückhalten. »Oh ja, da habe ich aber wirklich Glück gehabt«, gibt er zynisch zurück.

»Sei nicht frech«, wird sein Vater laut. »Da tut man alles für dich, und du hast einfach keinen Respekt!«

»Was habe ich denn jetzt schon wieder falsch gemacht?«, will Peer entrüstet wissen.

Peers Mutter wird das Ganze zu viel. Sie legt ihr Besteck in den noch halb vollen Teller und zieht sich in die Küche zurück. Peer folgt ihr, und obwohl sie ihm den Rücken zudreht, sieht er, dass sie sich die Tränen aus dem Gesicht wischt. Er nimmt sie in den Arm, und während er ihr liebevoll über die Wangen streicht, entschuldigt er sich für die erneute Konfrontation mit seinem Vater.

»Es ist ja nicht allein deine Schuld. Ihr beide seid wie Pech und Schwefel. Ich verstehe das nicht. Das war doch früher nicht so«, entgegnet die Mutter traurig.

Doch damit hat sie ihren Sohn auf dem falschen Fuss erwischt.

»Was ›das war doch früher nicht so‹?«, fragt Peer empört. »Du weisst doch selber, dass ich Vater jeden Samstag helfen musste, bevor ich ins Kollegi ging, und ich ihm nie etwas recht machen konnte. Und das schon als kleiner Bub. Seid ich mich erinnern kann, war ich doch immer der, den man zu nichts gebrauchen kann.«

»Das stimmt doch nicht, Peer«, will ihn seine Mutter beruhigen.

Doch Peer kommen plötzlich alle diese demütigenden Momente wieder hoch, und die Tränen rollen ihm über die Wangen, als er fortfährt: »Und ob das stimmt! Du hast nur nichts davon mitbekommen, wenn mich Vater unten in der Garage zusammengestaucht hat, weil ich ihm nie schnell genug bringen konnte, was ich für ihn holen sollte. Manchmal wusste ich nicht einmal, wie das Ding aussieht, das er haben wollte, oder wo es war.«

Peers Mutter scheint nun doch ziemlich erschrocken zu sein. Sie hat schon ab und zu mitbekommen, dass der Vater Peer angeschnauzt hat. Meistens dann, wenn Peer mit ihm rechnen üben musste, und er es nicht grad auf Anhieb kapiert hat. Aber, dass es so schlimm gewesen sein soll, dass Peer beim Gedanken daran seine Tränen nicht zurückhalten kann, das hätte sie nie gedacht. Es schmerzt sie, wenn sie ihren Jungen so sieht, und sie macht sich Vorwürfe, in den vergangenen Jahren nicht besser aufgepasst zu haben. Gerne würde sie das Geschehene rückgängig machen.

Liebevoll streicht sie Peer durch das Haar. »Es tut mir Leid. Das habe ich nicht gewusst. Ich wollte dir immer eine gute Mutter sein. Aber …«

»Es ist ja nicht deine Schuld«, unterbricht Peer sie. »Du warst und bist mir immer noch eine gute Mutter. Nur mit der ganzen Kollegi-Geschichte hast du mich enttäuscht. Dass du mir da nichts gesagt hast, kann ich bis heute nicht verstehen.«

»Ich habe es ja selber erst zwei Tage vor dir erfahren. Auch wenn ich es schon früher gewusst und dir gesagt hätte, was hätte sich da geändert? Du weisst ja, wie Vater ist. Wenn er sich etwas in den Kopf gesetzt hat, dann wird es so gemacht, und nicht anders.«

»Dann wäre ich abgehauen, und ihr hättet mich nicht mehr gesehen. Vielleicht hätte Vater dann gemerkt, dass man mit anderen Menschen nicht einfach machen kann, was man will.«

Peer ist aufgebracht und will die Küche verlassen.

Doch seine Mutter hält ihn am Arm zurück und versucht ihn zu beruhigen: »Schau Peer, in ein paar Jahren denkst du anders. Und du wirst froh sein, dass es so gekommen ist. Mach einfach das Beste draus und geniesse deine Zeit im Kollegi.«

Peer bleibt eine Antwort schuldig.

Er hat sich bereits am ersten Tag im Kollegi geschworen, seine Studentenzeit nie schönzureden und bewusst als das zu sehen, was sie für ihn ist immer sein wird, nämlich ein egoistischer, selbstherrlicher und unverzeihlicher Eingriff in sein Leben. Und er ist zutiefst verletzt und masslos enttäuscht von seinem Vater.

8

Die Sommerferien vergehen wie im Flug. Vieles, was sich Peer vorgenommen hat, ist auf der Strecke geblieben. Sein Versprechen den Grosseltern gegenüber, hat er aber eingehalten. Eigentlich wollte er sie nur kurz besuchen, um ihnen zu zeigen, dass es ihm mit dem Gitarrenspielen ernst ist. Aber er ist dann eine ganze Woche geblieben.

Es war eine wunderschöne Woche. Jeden Morgen ist er bereits um sechs Uhr aufgestanden, um mit seinem Grossvater zu frühstücken. Denn es gab immer Rösti vom Holzofen. Eine Rösti, wie sie nur seine Grossmutter machen kann. Und dazu gab's Konfitüre und Käse. Heisse Grossmutter-Rösti und kalte Konfitüre – dafür lässt Peer alles stehen! Und dann den Anekdoten seines Grossvaters lauschen. Der alte Mann weiss immer so viel zu erzählen. Lustiges und Trauriges. Witziges und Ernstes. Immer von Anstand und Respekt gegenüber seinen Mitmenschen getragen. Wie wünscht sich Peer jedes Mal wieder, sein Vater möge doch wie sein Grossvater sein.

Dank Mutters Intervention durfte Peer auch eine Woche zu Alfredo nach Luzern. Der Vater hat sich zwar wieder quer gestellt, er war der Meinung, dass Peer besser das eine oder andere Buch lesen würde. Doch seine Mutter hat sich dieses Mal durchgesetzt.

Was für eine Woche haben Peer und Alfredo zusammen verbracht! Kino! Schwimmbad! Mädchen aufreissen – als »Guitarreros« mit spanischen Evergreens war das besonders leicht! Zudem ist Peer ein nicht zu unterschätzendes Gesangstalent. Würde ihn zu diesem Zeitpunkt ein Musikproduzent unter seine Fittiche nehmen, Peer hätte in ein paar Jahren ausgesorgt und könnte vom Singen leben.

Viel zu schnell vergeht die Woche in Luzern. Peer hat die südamerikanische Lebensart bei Alfredo und seinen Geschwistern in vollen Zügen genossen. Nun heisst es wieder: Koffer packen. In einer Woche ist Herbstanfang, und das neue Schuljahr im Kollegium Schwyz beginnt bereits ein paar Tage vorher.

Seine Eltern bringen Peer nach Schwyz. Mit seinen zwei Koffern, der Schachtel mit den Büchern und seiner Gitarre hätte er auch gar nicht mit dem Zug anreisen können.

Und da ist er nun wieder. Allerdings im Kollegi-Internat und nicht mehr im Haus Claret. Peer ist der Abteilung Don Bosco zugeteilt. Beim Erkunden seiner neuen Umgebung und beim Durchstreifen der vielen langen Gänge begegnen ihm immer wieder neue Gesichter. Patres in ihren speckigen Soutanen huschen vorbei, ihn keines Blickes würdigend, leicht nach vorne gebeugte, den finsteren Blick krampfhaft auf den Boden gerichtet, als wollten sie die abgewetzten Keramikplatten zählen, die sie überschreiten.

»Wo bin ich da nur gelandet«, wundert sich Peer. »Sind das die Vertreter der viel zitierten christlichen Nächstenliebe?« Und ein Schaudern durchfährt seinen Körper.

Weiter geht seine Erkundungstour. Vorbei an kleinen Nischenzimmern. Alle ausgestattet mit Tablaren. Unschwer zu erkennen, dass hier die Schuhe deponiert werden. Ein paar Schritte weiter findet er das Spielzimmer. Die Türe steht offen, und Peer wagt einen Blick hinein. In der Mitte des grossen Raumes sticht sofort ein Billardtisch ins Auge. An der Fensterfront sind kleine Tischchen mit jeweils vier Stühlen aufgestellt, und an der gegenüberliegenden Wand befinden sich raumhohe Kästen, gefüllt mit diversen Schach-, Karten- und Brettspielen. Da wird's uns sicher nicht langweilig, denkt Peer. Er kann ja noch nicht wissen, dass der Aufenthalt im Spielzimmer fast ausschliesslich nur als Belohnung erlaubt ist.

Peer geht weiter und steigt beim nächsten Treppenhaus ein Stockwerk höher. Unvermittelt steht er vor einer grossen Tür mit drei vertikalverlaufenden Milchglaseinsätzen. Auf der mittleren Scheibe steht in grossen, schwarzen Buchstaben »Schlafsaal Don Bosco«.

»Aha«, murmelt Peer, »hier werde ich also schlafen.«

Neugierig drückt er die Türklinke und erschrickt fast ein wenig, als sich die Türe öffnet. Eigentlich hat er erwartet, dass die Schlafsäle tagsüber abgeschlossen sind. Vorsichtig schaut er sich um und betritt zaghaft den Raum. Und was er da sieht, haut ihn fast um: Schlafkojen, soweit das Auge reicht. Jede Koje besteht aus drei Holzwänden von ungefähr einem Zentimeter Dicke und einem Vorhang. Die Kojen sind ungefähr zwei Meter hoch, etwa einen Meter achtzig lang, und sicher nicht mehr, als einen Meter zwanzig breit.

Alle Kojen sind so angeordnet, dass, abgesehen von der Ersten und der Letzten einer Reihe, jeweils die Kopfwand der einen Koje gleichzeitig die Fusswand der nächsten Koje ist. Sie stehen der Länge nach in vier Reihen zu jeweils vierundzwanzig Kojen, wobei jeweils die Kojen zweier Reihen ihre Rückwände gemeinsam haben. Daraus ergeben sich ein Mittelgang, durch den die beiden mittleren Kojenreihen zugänglich sind, und zwei Seitengänge, für die beiden äusseren Kojenreihen. Zusätzlich werden die Reihen nach zwölf Kojen durch einen Quergang unterbrochen. Der Matratzenrost jeder einzelnen Koje ist etwa achtzig Zentimeter breit und direkt mit den drei Wänden verschraubt. Die restlichen rund vierzig Zentimeter werden am Kopfende vom winzigen Nachttischchen mit einer Schublade und einem Ablagefach, und am Fussende von einem weiteren Ablagefach, rund zwanzig Zentimeter ab Boden, und zwei Kleiderhacken eingenommen. Nachttischchen und Ablagefach sind ebenfalls mit der jeweiligen Wand fest verschraubt.

Peer schreitet durch die Gänge und findet an den beiden Längswänden des Schlafsaals je achtundvierzig Kleiderschränke von nicht ganz einem Meter Breite und etwa gleich hoch, wie die Kojen. Alle Kästen tragen eine Nummer und sind so offensichtlich den ebenfalls nummerierten Kojen zugeordnet.

Der Waschraum und die Toiletten sind, vom Schlafraum abgetrennt, beim Eingang platziert. Hier sind auch die einzigen Fenster zu finden. Bei jeder der vier Toiletten eines. Das soll sich als eine sehr glückliche Lösung erweisen, dienen doch die Toiletten den Jungs später nach Lichterlöschen im Schlafsaal dazu, sich bei offenem Fenster und einer verbotenen Zigarette zu ihren Liebsten zu träumen.

Auf der dem Waschraum gegenüberliegenden Seite des Schlafraums befindet sich das Schlafzimmer des Präfekten. Eine für die Studenten nicht gerade vorteilhafte Lösung, ist doch so der Präfekt auch hier im Schlafsaal immer und überall gegenwärtig.

Eine weitere Tür entdeckt Peer in der Mitte der Längswand zum Innenhof. Sie ist abgeschlossen, aber der Schlüssel steckt. Peer dreht ihn, öffnet die Tür einen Spalt breit und sieht, dass sie zum grossen Rundturm des Kollegiums führt.

Wieder zurück beim Eingang, muss Peer das eben gesehene erst mal verarbeiten. Solche Massenschlafsäle konnte er sich bis heute in seinen kühnsten Träumen nicht vorstellen. Und dann unten, dieses riesige Studium mit den in Reih und Glied aufgestellten rund hundert Pulten. Was für ein gewaltiger Gegensatz zum vorherigen, übersichtlichen, ja fast schon intimen Haus Claret.

Gedankenverloren geht Peer zurück Richtung Studium. Als er gerade am Spielzimmer vorbei will, hört er Alfredos unverwechselbare Stimme.

»¡Hola amigo! Wohin des Weges so eilig?«, tönt es aus dem Spielzimmer.

Freudig überrascht dreht sich Peer um und sieht seinen Freund im Türrahmen stehen.

»He, Alfredo! Du bist auch schon da?!«

»Wie du siehst!«

Die Beiden begrüssen sich mit einer freundschaftlichen Umarmung und ihren machohaft angedeuteten Schlägen in Magen- und Genitalbereich.

»Und du? Bist du schon lange hier?«

»Lange genug! Am liebsten möchte ich auf schnellstem Weg gleich wieder abhauen.«

»Was ist denn passiert? Hast du etwa schon wieder das grosse Ziehen nach deiner Freundin in deinen Lenden?«, feixt Alfredo.

»Wenn's nur das wäre. Dem wäre rasch abgeholfen. Aber was ich da oben gesehen habe. Diese Schlafkojen-Landschaft«, redet sich Peer ins Feuer. »He, da sind sechsundneunzig Schlafplätze in einem einzigen Raum. Stell dir mal vor! Sechsundneunzig! In einem einzigen Raum! Unvorstellbar das Geraschel, wenn sich da alle gleichzeitig einen runter holen!«

Alfredo lacht und meint verschmitzt: »Geht gar nicht. Die mischen dir da etwas ins Essen, damit das Blut da bleibt, wo es bei einem Studenten hingehört – nämlich im Hirn.«

»Womit wir wieder beim Thema wären«, gibt sich Peer betont gelangweilt, um dann aber im gleichen Atemzug mit dem nötigen Ernst zu fragen: »Übrigens, wollen wir nicht bereits unsere Koffer in den Schlafsaal bringen und unsere Kojen reservieren?«

»Gute Idee«, meint Alfredo, »so können wir gleich unsere Schlafplätze nebeneinander nehmen.«

Gesagt – getan. Obwohl die beiden Jungs nicht wissen, ob das überhaupt erlaubt ist, bringen sie ihre Koffer nach oben in den Don Bosco Schlafsaal und belegen für sich die beiden Kojen Nummer einundfünfzig und zweiundfünfzig. Diese beiden Kojen liegen im Mittelgang und sind die Kojen drei und vier der dritten Reihe. Das hat den grossen Vorteil, dass sie einerseits nahe bei Waschraum und Toiletten liegen, andererseits aber auch nicht gleich die ersten Kojen einer Reihe sind – und was ganz wichtig ist, weit weg vom Schlafzimmer des Präfekten!

Zurück im Studium sichern sich Peer und Alfredo auch ihre Arbeitsplätze, die klassenweise zusammengefasst sind, nebeneinander. Sie finden zwei freie Pulte in der Nähe eines Fensters, und erst noch genug weit weg vom erhöhten Standort der Studiums-Aufsicht.

»Super«, witzelt Peer, »hier kann man auch mal die weibliche Anatomie in einem dieser ›Heftli‹, versteckt in einem Schulbuch, studieren, ohne dass es die Aufsicht gleich sieht.«

»Da gehe ich doch lieber rasch auf die Toilette. Das Blut muss ja irgendwie wieder ins Hirn zurück«, erklärt Alfredo und macht dabei diese unmissverständliche Handbewegung unterhalb des Bauchnabels.

»Genau das ist das Problem«, kontert Peer. »Auf dem stillen Örtchen soll ja während des Studiums jeweils gewaltig was los sein, hat mir eben Thomas gesagt. Aber Genaueres weiss er auch nicht. Ich frag doch mal Godi. Der weiss das sicher. Der war schon letztes Jahr hier.«

Godi, eigentlich heisst er ja Gottlieb, wird aber von allen nur Godi genannt, ist ein ziemlich verschrobener Typ. Er verfügt über eine besondere Art von Humor. So hat er kurz nach seinem Eintreffen im Spielsalon seinen nach eigenen Worten neusten Zaubertrick vorgeführt. Er sagte, er könne die Zeit anhalten. Und um das zu beweisen, legte er seine Armbanduhr auf den Boden und knallte den Absatz seines Schuhes drauf.

»Und siehe da«, meinte er emotionslos, »die Zeit bleibt stehen.«

Dieser Godi sitzt ein paar Schritte entfernt auf einer Fensterbank und ist am Diskutieren mit Thomas und Mike, die ebenfalls ins Internat gewechselt haben.

»He Godi, komm mal hier 'rüber! Dein fachmännischer Rat ist gefragt«, gibt sich Peer locker und winkt Godi zu sich.

Dieser dreht sich betont langsam um und entgegnet, den abgeklärten Macker mimend: »Auskunft nur gegen Bares.«

»Kein Scheiss! Sonst gibt's was auf die Nüsse«, erwidert Peer ungeduldig und geht lachend auf Godi zu.

»Du warst ja schon letztes Jahr hier. Oder?«, und weiter will er von Godi wissen: »Was ist denn da während des Studiums jeweils auf der Toilette los? Dieser Jüngling da«, und Peer zeigt auf den verschmitzt lächelnden, auf der Fensterbank neben Godi sitzenden Thomas, »hat mir da so etwas angedeutet, aber auch nichts Genaueres gewusst.«

Da hat Peer genau den Richtigen gefragt. Godi beugt sich vor, und mit jenem Schalk in den Augen, der bezeichnend ist für ihn, stellt er klar: »Kann er auch nicht. Er ist ja auch neu hier. Aber ich will es dir sagen. Es ist die Novizen-Taufe.«

»Novizen-Taufe?«, wiederholt Peer sichtlich ratlos. »Was ist denn das?«

Und geheimnisvoll fährt Godi fort: »Das darf ich dir nicht sagen, sonst ziehe ich mir den Fluch des Onanimus zu. Du musst das schon selber herausfinden.«

Eine typische Godi-Antwort. Alles Nachbohren nützt nichts. Aus Godi sind keine weiteren Informationen herauszuholen. So fassen Peer und Alfredo den Entschluss, so schnell wie möglich selber herauszufinden, was die Novizen-Taufe ist.

Wie im Haus Claret, wird auch hier im Kollegi der gesamte Tagesablauf über die hausinterne Lautsprecheranlage gesteuert. Das geschieht entweder mit dem bereits bekannten Glocken-Dreiklang, oder mit entsprechenden Durchsagen. Eine dieser Durchsagen fordert alle Studenten auf, sich punkt vier Uhr in ihrem Studium zu versammeln.

Dass hier im Kollegi strickte Pünktlichkeit herrscht, wird den neuen Studenten gleich eindrucksvoll demonstriert. Denn, obwohl bereits um viertel vor vier die gesamte Abteilung Don Bosco vollständig anwesend ist – jedenfalls sind alle Pulte besetzt, und das sind genau gleich viele, wie oben im Schlafsaal Kojen vorhanden sind, nämlich sechsundneunzig –, betritt der Präfekt mit seinem Vize genau beim dritten Gongschlag aus dem Lautsprecher das Studium.

Peer kann sich ein Schmunzeln nicht verkneifen und flüstert Alfredo zu: »Don Quijote und sein treuer Knappe.«

Der Auftritt der beiden erinnert wirklich ein klein wenig an Don Quijote und dessen treuen Begleiter Sancho Panza. Der Präfekt: Don Quijote; gross, hager, finstere, ernste Mine. Und sein Vize: Sancho Panza; zwar sehr schlank und nicht so rundlich, wie Sancho Panza, aber auch über einen Kopf kleiner, als sein Chef, und mit einem zufriedenen Lächeln im Gesicht.

»Silentium«, gebietet der Grosse mit den bereits leicht angegrauten Haaren gleich forsch. »Ich bin euer Präfekt. Mein Name ist Burri.« Und auf seinen Begleiter zeigend fährt er fort: »Und das ist euer Vize-Präfekt, mein Stellvertreter, Pater Gasser.«

»Guten Abend zusammen«, meldet sich dieser mit leicht zur Seite geneigtem Kopf etwas verlegen, aber mit strahlenden Augen, die sein ohnehin schon gewinnendes Auftreten noch weiter aufwerten.

»Sicher ein feiner Mensch«, flüstert Peer Alfredo zu. »Mit dem ist sicher gut auszukommen.«

Doch Alfredo kann gar nicht erst antworten. Offensichtlich ist die Akustik des Studiums so, dass jedes Geräusch im Raum sofort beim Aufsichtspult wahrgenommen wird. Wie sonst ist es zu erklären, dass der Präfekt Peer und Alfredo einen giftigen Blick zuwirft.

Und während sein Gesicht eine purpurrote Farbe annimmt, hört man ihn sichtlich verärgert nur diese drei Worte sagen: »Silentium, aber sofort!«

Peer und Alfredo erschrecken ob dem feindseligen Blick und dem hochroten Kopf des Präfekten, und als sich alle Studenten im Studium zu ihnen umdrehen, beginnen ihre Ohren zu glühen, und beide schauen mit gesenktem Kopf beschämt auf ihren Pultdeckel. Aha, denkt Peer, ein weiteres Beispiel christlicher Nächstenliebe. Er kann sich nicht zurückhalten und schiebt Alfredo einen Zettel zu, auf den er rasch »Was für ein scharfer Hund« gekritzelt hat. Alfredo liest den Zettel flüchtig und lässt ihn sofort mit einem unauffälligen Kopfnicken unter seiner Hand verschwinden. Das allerdings scheint nun der Vize-Präfekt gesehen zu haben. Jedenfalls geht dieser gemächlichen Schrittes, den Kopf leicht zur Seite geneigt, wie das so seine Art zu sein scheint, mit einem sympathischen Lächeln auf Alfredo zu. Sehr darauf bedacht, dass der Präfekt nichts mitbekommt, macht Vize Gasser mit dem Zeigefinger der rechten Hand jene Bewegung, die in der momentanen Situation nur bedeuten kann: Gib mir, was du da unter der Hand hast. Alfredo schaut ihn unschuldig an, zuckt mit den Schultern und gibt sich ahnungslos. Pater Gassers Lächeln wird noch eine Spur breiter, und indem er den Kopf bedächtig auf die andere Seite und gleichzeitig ganz leicht nach vorne neigt, was seiner Forderung etwas mehr Nachdruck verleiht, wiederholt er die besagte Bewegung mit seinem Zeigefinger. Nun ist auch Alfredo klar, dass er den Vize nicht länger hinhalten kann. Er steckt ihm äusserst widerwillig das kleine Stück Papier zu, während Peer bleicher und bleicher wird. Pater Gasser, immer noch mit dem Rücken zum Präfekten stehend, liest den ominösen Zettel rasch und lässt ihn dann belustigt und unauffällig in einer seiner Soutanen-Taschen verschwinden.

Peers Blick folgt Pater Gasser ängstlich zurück zum Präfekten. Im Moment, als sich der Präfekt zum Vize hinunter bückt und diesen offensichtlich etwas fragt, denkt Peer: Jetzt zeigt er ihm den Zettel, und du hast schon das erste Problem und bist noch nicht mal richtig hier. Peer fährt seine durch den Vater über Jahre aufgebaute Angst vor Autoritäten lähmend in die Glieder. Aber zu seinem grossen Erstaunen bleibt Präfekt Burri ruhig, und es sieht nicht so aus, als hätte ihm der Vize etwas über Peers Zettel erzählt.

Was der Präfekt seinen Vize gefragt hat, war nicht zu hören. Man konnte nur sehen, dass der Vize seinen Kopf schüttelte und Peers Zettel in der Tasche der Soutane verborgen hielt.

Peer atmet tief durch, und langsam kehrt wieder Farbe in sein Gesicht zurück. Alfredo berührt mit seinem Fuss kurz Peers Bein, und als sich beide verstohlen aus den Augenwinkeln anschauen, fährt sich Alfredo wie zufällig mit dem Zeigefinger über die Stirn, so, als wolle er sich den Schweiss abwischen. Peer nickt ihm unauffällig zu und presst, sichtlich erleichtert, leise etwas Luft zwischen seinen Lippen hindurch.

Präfekt Burri hat seine Ansprache beendet. Die Studenten kennen nun den exakt geregelten Tagesablauf und die lückenlose Kontrolle aller ihrer Aktivitäten. Sie wissen, wo sich welche Informationen am Anschlagbrett befinden, und wer bereits die ersten Ämter gefasst hat. Ihnen ist klar, dass wieder jeden Montag bis Freitag Frühmesse sein wird, und dass jeweils am schulfreien Donnerstagnachmittag der obligatorische Spaziergang unter der Aufsicht von Pater Gasser durchgeführt wird. Aber wo nur, fragt sich Peer, ist das Loch in diesem allumspannenden Kontrollnetz? Welche Möglichkeiten bestehen für kleine Fluchten aus dieser unnatürlichen Männerwelt hin zur holden Weiblichkeit? Es gibt sie irgendwo, die Möglichkeiten auszubrechen. Da ist sich Peer sicher. Es muss sie irgendwo geben, sonst wären alle, die schon länger im Internat sind, ja längst Psychopaten.

Als Nächstes stehen Schlafsaal beziehen und Pulte einräumen auf dem Programm. Und dann geht's zum Nachtessen. Der Speisesaal der Abteilung Don Bosco ist ziemlich gleich gestaltet, wie jener im Haus Claret: Lange Tischreihen für die Studenten, quergestellte Tische für die Patres. Auch das Office macht da keine Ausnahme. Lediglich die Küche ist nicht neben dem Office platziert. Sie befindet sich im ersten Untergeschoss und kümmert sich um das Wohlergehen aller, die im Kollegium wohnen.

Mit dem Ergattern der besten Sitzplätze haben Peer und Alfredo dieses Mal kein Problem. Sie sind unter den Ersten, die den Speisesaal betreten und setzen sich an den ersten

Tisch in der ersten Reihe beim Office. Auch Mike gesellt sich wieder zu ihnen. Zusätzlich Thomas. Am zweiten Tisch in dieser Reihe nimmt Rainer, neu auch im Internat, Platz. Für Unterhaltung ist also gesorgt. Nach ein paar kleinen Rangeleien, hat jeder einen Platz gefunden. Zeit für Präfekt Burri, die kleine Glocke, die selbstverständlich auch auf seinem Tisch nicht fehlen darf, zu läuten.

Grosses Stühlerücken – das Tischgebet wird natürlich stehend gesprochen. Erneut grosses Stühlerücken – nach dem Gebet setzen sich alle wieder.

Gebannt schauen die Jungs zum Office, in der Hoffnung, einen Blick auf die eine oder andere Volontärin werfen zu können, wenn sich die Rollläden heben. Aber die Rollläden heben sich noch nicht. Stattdessen öffnet sich die Tür zum Office, und heraus tritt eine Ordensfrau, mittlerer Statur und auf die sechzig zugehend. Präfekt Burri läutet kurz sein Glöcklein – das Stimmengewirr im Speisesaal verstummt urplötzlich! Ja, der Mann hat Autorität! Oder ist doch vielleicht eher die Zornesröte, die ihm bei der kleinsten Unstimmigkeit ins Gesicht steigt, für diesen bedingungslosen Gehorsam verantwortlich?

»Guten Abend meine Lieben«, beginnt die Ordensfrau mit fester Stimme. »Ich bin Schwester Gerlinde, komme aus dem Kloster Ingenbohl, und habe von Gott den Auftrag erhalten, als Leiterin der Kollegiums-Küche für euer leibliches Wohl zu sorgen.« Mit ihrer warmherzigen Art schlägt sie sofort alle in ihren Bann. »Ich sehe viele neue Gesichter«, fährt sie fort, »und darum möchte ich euch darauf aufmerksam machen, diejenigen, welche schon letztes Schuljahr hier waren, wissen es schon, dass ich auch verantwortlich bin für die Volontärinnen, die hier im Office arbeiten. Wir haben den Eltern der Mädchen versprochen, dass wir ihre Töchter auf einem tugendhaften Weg während ihrer Zeit hier im Kollegium führen, und daher ist es verboten, mit den Mädchen zu sprechen, oder sich ihnen überhaupt zu nähern.«

»Die werden schon vom Anschauen schwanger«, murmelt Rainer vor sich hin.

Die Jungs im Umkreis von Rainer können ein Glucksen nicht unterdrücken, was Präfekt Burri unweigerlich die Zornesröte ins Gesicht treibt.

»Silentium!«, ruft er verärgert und läutet dazu sein Glöckchen Sturm.

»Meine lieben Studenten«, versucht Schwester Gerlinde die Situation zu entschärfen, »ihr seid doch alle intelligente Jungen und wisst was sich gehört.«

»Eben gerade darum zeigen wir ihnen, wo der Hammer hängt«, flüstert Rainer erneut, den Kopf nach unten gesenkt, und die Hand wie zufällig vor den Mund haltend.

Klar, dass solche Äusserungen bei den Jungs entsprechende Belustigungs-Laute auslösen, die durch Räuspern und Husten vertuscht werden sollen.

Präfekt Burri allerdings, findet solches gar nicht lustig, und durch »Silentium! Silentium! Silentium!« und schon fast hysterisches Glöckchengeläute versucht er, der Lage Herr zu werden.

Schwester Gerlinde ist da schon schlagfertiger: »Dieser Tisch da«, und sie zeigt auf den Tisch von Rainer, »darf nach dem Essen im Office beim Abwaschen helfen.«

Was sich für die Neuen wie eine Belohnung anhört, ist allerdings bei den Bisherigen bekannt, als Strafe. Denn selbstverständlich werden die Volontärinnen vorher vom Office abgezogen. Entsprechend brechen die bisherigen Studenten in schadenfrohes Gelächter aus, und Rainer kratzt sich verlegen am Kopf.

Während Rainer und die Übrigen seines Tisches sich nach dem Essen mit dem Abwasch abmühen, nehmen Peer, Alfredo, Mike und Thomas den Abendspaziergang unter die Füsse. Dieser ist auf einen vorgegebenen Rundgang beschränkt und wird von den Präfekten der verschiedenen Abteilungen kontrolliert. Böse Zungen behaupten, dass er deshalb auch als »Narrendreieck« bezeichnet wird. In der Hoffnung auf ein paar Insider-Tipps, schliessen sich Peer und seine drei Kollegen einer Gruppe Jungs an, die bereits das vergangene Schuljahr im Internat verbracht haben. Dass sie damit richtig liegen, zeigt sich bereits an der nächsten Einmündung in eine Hauptstrasse. Hier führt der reguläre Spaziergang links eine kleine Steigung hinauf, kurz darauf wieder links, leicht hügeligen Wiesen mit Apfel- und Kirschbäumen entlang, vorbei an einer Kappelle und wenig später an einem Bauernhaus, bis zu einer Brücke, die über den Dorfbach führt. Vor dieser Brücke geht es links wieder hinunter zum Kollegium. Die dorfkundigen Jungs halten sich jedoch bei der Einmündig in die Hauptstrasse nicht, wie vorgeschrieben, links. Ihnen steht der Sinn nach einem Schlummertrunk. Sie biegen daher rechts ab, und nach wenigen Metern geht hier, auch nachts, die Sonne auf. Die verbotene Sonne der Freiheit! Auch wenn es nur diejenige im Restaurant Sonne ist. Diese gemütliche Dorfbeiz steht etwas versteckt und wird von den Präfekten selten bis nie kontrolliert, weil die meisten Gäste einheimische Bergler sind, und diese die Geistlichkeit des Kollegiums nicht besonders mögen. Ideal also für einen verbotenen Umtrunk zum Tagesabschluss.

Doch nicht nur der Durst in der Kehle lässt die Jungs das Risiko eingehen, erwischt und mit einem Marsch auf die Haggenegg bestraft zu werden. Vielmehr dürstet es sie auch nach etwas Erotik, wartet doch im Treppenhaus des öfteren Brigitte, die dunkelhaarige, warmäugige, für vieles offene Tochter einer Nachbarsfamilie. Und Brigitte ist nicht wählerisch, nimmt die Studenten, wie sie kommen. Auch heute wieder liegt sie dem einen oder anderen in den Armen, und wenn dann das automatische Licht im Gang ausgeht, fühlt dieser ihren heissen Atem nicht nur im Gesicht.

Das also ist eines jener willkommenen Löcher im allumspannenden Kontrollnetz der Patres, denkt Peer erleichtert. Hier sogar im wahrsten Sinn des Wortes, sinniert er lächelnd. Und es gibt noch mehr davon. Wir werden sie alle finden, ist sich Peer sicher.

Zurück im Studium wartet auf Peer noch eine weitere Überraschung.

Die Novizen-Taufe!

Peer will es heute wissen. Und so verlässt er das Abendstudium und sucht die Toiletten auf. An der Fensterfront des Toilettenraums, mit Blick zum Innenhof, befinden sich zwei flache Gräben zum Urinieren. Links und rechts davon an den Seitenwänden sind je drei Toilettenschüsseln aufgestellt, getrennt durch dünne, zwei Meter hohe Holzwände. Die so entstandenen Kabinen sind je mit einer von innen verschliessbarer Tür ausgestattet. Gegenüber der Fensterfront sind ein kleines Waschbecken mit fliessend kaltem Wasser und darüber ein Spiegel an die Wand montiert. Es riecht nach Urin und Putzmittel. Peer begibt sich in eine Kabine, schliesst die Tür hinter sich und harrt mucksmäuschenstill der Dinge, die da kommen werden.

Lange muss er nicht warten. Plötzlich ist ein zaghaftes Quietschen zu hören, und die Tür zum Toilettenraum wird langsam aufgestossen. Die draussen wissen natürlich sofort, in welcher Kabine sich Peer aufhält – das entsprechende runde Scheibchen an seiner Kabinentür steht schliesslich auf »Besetzt«. Angestrengt lauscht Peer, in der Hoffnung herauszufinden, was da auf ihn zukommt. Doch ausser etwas Wasserrauschen, kann er nichts heraushören. Er wagt kaum zu atmen. Ist es vielleicht nicht doch besser, die Kabinen zu verlassen? Noch ist Zeit dafür. Doch er erinnert sich wieder an die Worte »Irgendwann erwischt es jeden Neuen«. Also, bleiben! Dann hat er's hinter sich.

Plötzlich hört Peer das leise Quietschen von Schuhsolen auf Keramikplatten sich seiner Kabine nähern. Gespannt haftet sein Blick an der Türklinke, denn er geht davon aus, dass die Türe mit einem Vierkantschlüssel von aussen geöffnet wird.

Und dann passiert es – platsch!

Peer spürt zuerst etwas Weiches auf seinem Kopf. Doch dann wird's plötzlich nass! Peer glaubt sich in einem Wasserfall, als ihm unvermittelt kaltes Wasser über Kopf und Schultern läuft. Panikartig reisst er die Tür auf und will nur noch aus der Kabine flüchten. Aber es ist bereits zu spät. Peer ist bis auf die Knochen nass.

Draussen stehen Godi und noch zwei andere Jungs, die er noch nicht näher kennt. Sie halten sich die Bäuche vor lachen, als sie Peer so sehen: Pudelnass, sein modischer Coup-Hardy-Haarschnitt ein nasses, plattgedrücktes Irgendwas, und zu allem Überfluss hängt an seinem linken Ohr auch noch das geplatzte Kondom, welches als Wasserbehälter gedient hat.

»Verdammt! Ihr Schweine!«, ruft Peer zähneknirschend, aber versöhnlich. »Das habt ihr euch gut ausgedacht!« Und wie er sich selber im Spiegel sieht, mit seinem »neuen« Coup Hardy und dem Kondom am Ohr, bricht auch er in schallendes Gelächter aus.

»Nicht traurig sein«, meint Godi tröstend. »Du hast es nun hinter dir. Die anderen Neuen kommen alle auch noch dran! Sie wissen nur nicht wann. Wart's nur ab! Und glaube mir: Diejenigen, welche es unmittelbar vor dem Unterricht erwischt, sind blöder dran!«

»Oh ja«, erwidert Peer hämisch grinsend, »mit diesen nassen Kleidern. Und keine Zeit zum Umziehen.«

»Geh schon mal nach oben«, fordert Godi Peer auf. »Das Studium ist sowieso gleich fertig, und ich informiere den Präfekten, dass dich die Novizen-Taufe ereilt hat. Früher gab's dafür noch Strafen. Aber in der Zwischenzeit haben die da oben gemerkt, dass sie dagegen mit allen Verboten nichts ausrichten können. So bleibt ihnen nichts anderes übrig, als es zu dulden.«

Nachdem die Jungs den Boden trocken gewischt haben, kehren Godi und die beiden anderen ins Studium zurück. Peer sucht den Schlafsaal auf und stürzt sich schon mal ins Pyjama. Die nassen Kleider hängt er über die Radiatoren im Waschraum. Es vergehen keine fünf Minuten, da treffen auch die übrigen Studenten im Schlafsaal ein. Peer ist froh, seine Abendtoilette bereits erledigt zu haben, denn im

Waschraum geht es zu wie in einem Bienenschwarm. Nicht verwunderlich, bei sechsundneunzig Jungs und vierzig Waschstationen. Nun, Waschstation ist wohl etwas übertrieben, handelt es sich doch dabei lediglich um einen Wasserhahn mit kaltem Wasser. Auch Duschen gibt es keine. Geschweige denn warmes Wasser. Und so muss auch die Körperhygiene an einer dieser Waschstationen erledigt werden. Dabei gibt es nur ein Problem. Es ist strengstens verboten, sich ganz auszuziehen. Lediglich der nackte Oberkörper ist erlaubt. Aber auch nur hier im Waschraum. Im Schlafsaal: Kein nackter Oberkörper in den Gängen! Das Keuschheitsgelübde der Schlafsaal-Schwester, die in Abwesenheit der Studenten zwischen Frühmesse und Morgenessen kontrolliert, ob Leintuch und Wolldecke faltenlos über die Matratze gespannt sind, gilt unausgesprochen auch für die Studenten. Gesehen wurde die Ingenbohl-Schwester bis jetzt zwar noch nie. Aber ihr Gelübde bedeutet für die Studenten selbstredend moralische Leibchentragpflicht. Und Peer ortet ein weiterer Akt christlicher Nächstenliebe: Nach dem Morgenessen werden die Namen jener verlesen, die ihr Bett, das sich jetzt mit umgedrehter Matratze präsentiert, nochmals machen dürfen, da es der strengen Prüfung durch »Schwester Schlafsaal«, wie sie von den Studenten nur genannt wird, nicht Stand gehalten hat …

Überhaupt ist Sittlichkeit und Betragen unabdingbar mit den kleinen Privilegien im Internatsleben verknüpft. Wer da keine absolut weisse Weste hat, darf – um nur ein Beispiel zu nennen – während des Trimesters das eine freie Wochenende nicht zu Hause verbringen. So wird es dann auch immer wieder zum Kamikaze-Akt für die Studenten, wenn sie an einem Wasserhahn rasch ihre Unterhosen in die Kniekehle schieben, um sich mit eiskaltem Wasser rasch den Genitalbereich zu waschen. Denn selbstverständlich ist der Präfekt auch im Schlafsaal allgegenwärtig und steht unverhofft mit prüfendem Blick in der Waschraumtür.

Um neun Uhr ist Lichterlöschen im Schlafsaal. Nur noch ein kleines Notlicht brennt. Ab sofort darf nicht mehr gesprochen werden. Absolutes Silentium ist geboten. Wer sich nicht daran hält, darf wieder in seine Kleider steigen und unter der Aufsicht des Vize eine Stunde Strafstudium absolvieren.

Präfekt Burri schleicht nach Lichterlöschen noch mindestens eine halbe Stunde auf leisen Sohlen durch die Gänge, und ein leichter Luftzug lässt bei seinem Vorbeigehen die Vorhänge der Kojen leicht schwingen. Das kleine Notlicht genügt, um Burris langen Schatten über das Schlafsaalgewölbe wandern zu sehen.

Mittwochs und sonntags rieselt Gutenachtmusik aus der Lautsprecheranlage. Sonntags ist das klassische Musik. Mittwochs aber, wird eine Aufzeichnung der zehn Titel der Hitparade von Radio Beromünster – jedes Stück eine Nachricht aus der Welt da draussen! – abgespielt. Oder jedenfalls, wurde abgespielt, bis zu dem Zeitpunkt, als Präfekt Burri zur Überzeugung gelangte, dass eine gewisse Zensur für die sittliche Unversehrtheit seiner Studenten unumgänglich wurde. Seit diesem Zeitpunkt wird im Schlafsaal der Abteilung Don Bosco am Mittwoch jeweils nur noch eine gekürzte Aufzeichnung der Hitparade gespielt. Da fehlen dann eben Titel, wie zum Beispiel »Je t'aime moi non plus« von Serge Gainsbourg und Jane Birkin, die mit ihrem Stöhnen und erotischen Flüstern offensichtlich nicht nur sich selber, sondern jeweils auch Präfekt Burri zum Höhepunkt bringen. Und fürsorglich, wie Burri ist, möchte er die Qualen der sexuellen Versuchung von seinen doch noch so jungen Studenten fern halten …

9

Peer hat sich in der Zwischenzeit im Kollegium gut eingelebt und viele neue Freunde gefunden. Er kennt die Gebote und Verbote – und davon gibt es viele! Er weiss aber auch, wie er diese so zurechtbiegen kann, dass hier im Kollegi ein seinem Alter entsprechendes, einigermassen normales Leben möglich ist.

Obwohl Peer mit den anderen Jungs viel Spass im Internat hat, wird er immer wieder von starkem Heimweh geplagt. Oft weint er nachts in seiner Koje, wenn er darüber nachdenkt, wie lange er noch im Kollegi sein wird. Jahre seiner Jugend, die er nie mehr zurückholen kann. Aber alle Briefe, in denen er seine Eltern bittet, ihn nach Hause zu holen und eine Grafikerlehre machen zu lassen, bleiben ohne Wirkung. Verständnis seitens des Vaters? Fehlanzeige! Vielmehr wird er von diesem bei jeder sich bietenden Gelegenheit als unreifer Bursche ohne Durchhaltevermögen, der es mal zu nichts bringen wird, abgestempelt.

Und dann ist da bei jeder sich bietenden Gelegenheit wieder dieser Satz: »Da ermöglicht man dir ein Studium, und jetzt reklamierst du noch. Du könntest ruhig etwas dankbar sein!«

All das beschäftigt Peer immer wieder. Dann sitzt er jeweils gedankenverloren da und nimmt sich vor, bis zu seiner

Volljährigkeit das Beste aus seinem Aufenthalt hier im Kollegi zu machen. Doch an seinem zwanzigsten Geburtstag wird er seinem Vater zeigen, ob er Durchsetzungsvermögen hat, oder nicht! Da ist er sich sicher!

»Alle austreten«, hört Peer plötzlich die Stimme von Turnlehrer Guble.

Carlo Guble, durchtrainiert, von mittlerer Grösse und so um die vierzig, ist kein Ordensmann, sondern ein »Weltlicher«. Dementsprechend gestaltet er auch seine Turnstunden etwas »weltlicher«, als man das in einem katholischen Internat erwarten würde. Das bringt ihm viele Sympathiepunkte seitens seiner Studenten ein.

Dass die Jungs turnen lieben, ist allein Gubles Verdienst. Und damit das so bleibt, unternimmt Turnlehrer Guble mit seinen Studenten immer wieder Läufe in die nähere und weitere Umgebung. Offiziell bezeichnet er solche Ausflüge in seinen Trainingsplänen unverfänglich als Ausdauerläufe. Gegenüber seinen Jungs aber, spricht er mit Vorliebe von »Seelenläufen«. Denn Carlo Guble weiss genau, was den Internats-Studenten am meisten fehlt: Der Kontakt zum weiblichen Geschlecht.

In seiner Funktion als Turnlehrer, kennt Guble natürlich die Unterrichtspläne aller Schwyzer Schulen. So führen dann auch seine »Seelenläufe« per Zufall immer gerade dort vorbei, wo eben eine Mädchenklasse im ungefähren Alter der Jungs am Turnen ist. Selbstverständlich wissen die Jungs, was sich gehört und benehmen sich auch entsprechend vorbildlich. Sie möchten ja ihre »Seelenläufe« auch in Zukunft nicht missen. Viel zu wertvoll sind sie ihnen für ihr Seelenheil. So mancher verliebte Blick fliegt da jeweils hin und her, und das eine oder andere Zettelchen mit einer Verabredung wird verstohlen zugesteckt.

Heute jedoch ist ein kalter, unwirtlicher Herbsttag. Grauer Nebel steigt langsam die steilen Wände der Mythen hoch, und leichter Nieselregen kräuselt die grossen Pfützen auf dem asphaltierten Spielfeld vor der Turnhalle.

Entsprechend die Durchsage des Turnlehrers: »Heute kein ›Seelenlauf‹, sondern Hochsprung in der Halle.«

»Schade«, meint Peer etwas enttäuscht, »so ein ›Seelenläufchen‹ hätte mir jetzt gut getan.«

»Hast du schon wieder Entzugserscheinungen?«, witzelt Alfredo.

»Du etwa nicht?«, will Peer wissen, und breit grinsend fügt er an: »Man konnte dich ja gestern im ganzen Schlafsaal ganz schön den ›kleinen Alfredo‹ massieren hören.

Das will Alfredo, auch wenn es stimmt, nicht einfach unwidersprochen auf sich sitzen lassen, und er erwidert schelmisch: »Ja, das habe ich auch gehört. Aber mir schien es, als komme es aus deiner Koje. Und es war der ›kleine Peer‹, der da verwöhnt wurde. Der ›kleine Alfredo‹ hatte sein Köpfchen längst auf seine zwei ›Ruhekissen‹ gebettet und bereits geschlafen.«

»Also Jungs, bitte«, unterbricht Turnlehrer Guble bestimmt, aber freundlich wie immer, die Konversation. »Stellt euch jetzt in zwei Reihen auf. Wir machen zuerst fünfzehn Minuten aufwärmen.«

Es folgen ein paar Hallenrunden leichtes Einlaufen, unterbrochen von Dehn- und Streckübungen, die der Turnlehrer selbstverständlich alle auch mitmacht. Und da kann sich manch einer der Jungs ein Stück abschneiden an dem, was da Carlo Guble in seinem Alter noch an Beweglichkeit vorlegt.

»Ok, das reicht«, hört man Guble. »Stellt nun bitte die Hochsprunganlage auf und legt die Matten aus.«

Die zur Verfügung stehenden Matten haben auch schon bessere Tage gesehen. Bei einigen fehlen die Handschlaufen, welche den Transport erleichtern sollten, bei anderen wurden bereits wiederholt aufgeplatzte Nähte behelfsmässig geflickt. Für den Hochsprung sind diese rund ein mal zwei Meter grossen Matten absolut ungeeignet. Sie sind nur zirka zehn Zentimeter dick und verfügen rundherum lediglich über eine einzige Naht, was beim Auslegen breite, schräg abfallende, ungepolsterte Fugen ergibt. Und eine solche Fuge soll Peer zum Verhängnis werden.

»So. Jetzt bilden die, welche mit dem rechten Bein zuerst über die Latte springen, rechts eine Reihe, und die anderen links«, gibt Guble weitere Anweisungen. »Und dann springen wir immer abwechslungsweise. Wir beginnen bei achtzig Zentimetern.«

Nachdem alle problemlos die Achtzig-Zentimeter-Marke im ersten Durchlauf geschafft haben, wird die Latte auf neunzig Zentimeter gesetzt.

»Gut, dass ich eng anliegende Unterhosen angezogen habe«, raunt Alfredo Peer zu, »sonst würde mein ›Geläut‹ immer an die Hochsprungstange schlagen.«

Peer muss natürlich wie immer dem Ganzen noch eins draufsetzen: »Meines würde die Stange beim Anschlagen glatt zerbrechen.«

Alfredo dreht sich um und deutet einen Kniestoss Richtung Peers Genitalien an, was diesen veranlasst, seine Hände blitzartig schützend vor seine »Kronjuwelen« zu halten.

»Hört auf mit dem Blödsinn, und konzentriert euch lieber auf den nächsten Sprung«, ermahnt Turnlehrer Guble die beiden etwas genervt, wohl wissend, dass alles, was mit Sex und Erotik zusammenhängt, bei pubertierenden Jungs besonders hoch im Kurs steht.

Peer ist der Nächste in der rechten Reihe. Die Latte liegt in der Zwischenzeit bei einem Meter. Für Peer nichts Aussergewöhnliches, schafft er doch in der Regel problemlos einen Ein-Meter-zwanzig-Sprung.

Und tatsächlich überquert Peer die Hochsprunglatte ohne die geringsten Probleme. Doch dann, bei der Landung, geschieht das Unvorhergesehene: Peer landet mit dem rechten Bein nicht auf der Matte, sondern so unglücklich in einer dieser Fugen zwischen den Matten, dass sein rechtes Knie mit einem lauten Knall auseinander bricht. Sofort ist Turnlehrer Guble bei Peer und hilft ihm beim Aufstehen. Doch zu Peers Erstaunen kann er sein rechtes Bein nicht mehr strecken. Der Unterschenkel bleibt beim Knie rechtwinklig hängen. Zudem sieht er, dass sein rechtes Knie nun doppelt so breit ist, wie vorher.

»Das ist ausgerenkt. Doch die bringen das ohne bleibende Schäden wieder hin«, versucht Guble Peer zu beruhigen, während er ihn sanft zurück auf den Boden legt.

Peer liegt auf dem Rücken, das linke Bein gestreckt, das rechte wie vorgegeben angewinkelt. Und dann, nach dem ersten Schock, kommen die Schmerzen! Höllische Schmerzen! Peer hält sich mit beiden Händen sein verletztes Knie, und allmählich gehen seine Schmerzensschreie in leises

Wimmern über. Die Jungs stehen wie angewurzelt, bleich und mit weit aufgerissenen Augen um Peer herum. Sie begreifen im ersten Moment nicht, was da eben passiert ist.

Der Erste, der reagiert ist Rainer: »Ich hole eine Bahre im Krankenstock. Es soll noch einer mitkommen.«

Für Alfredo ist sofort klar: »Ich komme mit! Los, gehen wir!« Peer so mit schmerzverzerrtem Gesicht liegen zu sehen, ist für Alfredo fast nicht auszuhalten. Und mit: »Es wird alles gut, Amigo. Wir sind gleich zurück«, versucht er seinen Freund etwas aufzumuntern.

Die Zeit erscheint Peer unendlich lang, bis Rainer und Alfredo mit der Bahre zurückkommen. Sie werden von Schwester Friedeburga, einer ausgebildeten Krankenschwester, begleitet.

»Wie geht's dir, Peer?«, fragt Schwester Friedeburga, die bereits von Rainer und Alfredo über Peers Unfall informiert wurde, und legt ihm mütterlich ihre Hand auf die Stirne. »Du hast sicher grosse Schmerzen.« Und ohne Peers Antwort abzuwarten, fährt sie fort: »Ich habe bereits das Spital informiert und einen Krankenwagen angefordert. Wir betten dich nun auf die Bahre und bringen dich in den Krankenstock.«

Schwester Friedeburga übernimmt auch gleich die Koordination und beortet Turnlehrer Guble auf die linke Seite von Peers Gesäss, Alfredo auf die rechte Seite, dann Rainer zu Peers linker Schulter, einen weiteren Jungen zur rechten Schulter und Thomas zum linken Bein.

»Bitte schiebt nun vorsichtig eure Hände unter Gesäss und Schultern. Und du Thomas, du nimmst das linke Bein und ich das rechte. Auf ›Drei‹ heben wir Peer gleichzeitig langsam hoch und legen ihn auf die Bahre. Also – eins, zwei, drei!«

Ein heftiger Schmerz durchfährt Peers rechtes Bein, als sie ihn auf die Bahre legen. Peer schreit laut auf und presst sich die Hände vors Gesicht. Die Jungs um ihn herum werden noch bleicher, als sie bereits sind. Und ausgerechnet der sich immer betont lässig gebende Godi muss sich übergeben. Peer wird in den Krankenstock getragen. Bei der kleinsten Bewegung seines Knies stöhnt er auf. Schwester Friedeburga hält seine Hand und versucht ihm mit aufmunternden Worten Trost zu spenden. Peer hat starke Schmerzen. Verzweifelt wartet er auf den Krankenwagen. Es scheint ihm, als vergehen Stunden, bis dieser bei der Krankenstation des Kollegiums eintrifft.

Dann, endlich – der Krankenwagen fährt vor. Schwester Friedeburga führt den Arzt, der eben mit dem Krankenwagen eingetroffen ist, ins Zimmer, wo Peer immer noch auf der Bahre liegt. Auch der Chauffeur mit der Spezialbahre des Krankenwagens betritt das Zimmer.

»Oh«, gibt sich der Arzt überrascht, »das sieht nicht gut aus.« Und zum Pfleger meint er: »Das Knie möglichst nicht bewegen. Versuchen wir die Kollegi-Bahre in den Krankenwagen zu bringen. So müssen wir den Patienten ein Mal weniger umlagern.«

Arzt und Pfleger tragen die Bahre mit Peer hinunter zum Krankenwagen. Und hier trifft ein, was eigentlich schon allen klar war: Die Kollegiums-Bahre passt nicht ins Fahrzeug.

Also doch umlagern!

Wieder muss Peer dieselbe Tortur, wie schon vorher in der Turnhalle, über sich ergehen lassen. Und die Schmerzen werden heftiger.

»Geben sie mir doch etwas gegen die Schmerzen«, bittet Peer den Arzt mit schwacher Stimme.

»Wir sind ja gleich im Spital, und dann werden sie gut versorgt«, weicht der Arzt aus, und zusammen mit dem Pfleger hebt er die Bahre auf die herausgezogene Schiebevorrichtung und klickt sie am Kopfende ein. Der Pfleger schiebt die Bahre vorsichtig ins Fahrzeug.

Und dann – die nächste Überraschung!

Das verletzte und angewinkelte Knie stösst oben an die Heckklappe. Die Bahre kann nicht vollständig eingeschoben werden. Bei einem Bus wäre dieses Problem gar nicht erst aufgetreten. Aber dieser Krankenwagen hier ist kein Bus, sondern ein Kombi.

»Wir müssen das verletzte Bein etwas strecken, um die Bahre ganz einschieben zu können«, und mit diesen Worten packt der Arzt die Ferse von Peers rechtem Fuss und beginnt daran zu ziehen.

Die Schmerzen sind für Peer unerträglich. Schweiss steht ihm auf der Stirn. Sein verletztes Knie fühlt sich an, als seien Ober- und Unterschenkel durch ein rechtwinkliges Stück Stahlrohr fixiert.

»Seid ihr wahnsinnig«, schreit er Arzt und Pfleger an und versucht seinen Oberkörper aufzurichten. Die Schmerzen lassen dies aber nicht zu. »Was macht ihr denn da?!«

»Wir haben keine andere Wahl«, entschuldigt sich der Arzt, »es sei denn, sie können das verletzte Bein etwas zur Seite neigen. Dann sollte es auch gehen.»

»Ich versuch's«, entgegnet Peer, und mit vor Schmerzen geschlossenen Augen dreht er sich Millimeter für Millimeter zur Seite, bis das angewinkelte Knie in die Hecköffnung passt und die Bahre ganz eingeschoben und verankert werden kann.

»Geschafft«, haucht Peer leise und bedeckt mit beiden Händen seine Augen, um seine Tränen zu verstecken.

10

Das Erste, was Peer sieht, als er die Augen öffnet, ist die weiss getünchte Decke des Spitalzimmers. Er schaut sich um und stellt fest, dass er allein im Zimmer ist. Da stehen zwar noch drei weitere Betten im Raum, aber alle sind leer.

»Gut so«, ist Peer erfreut, »so habe ich wenigstens meine Ruhe.«

Er versucht sich zu erinnern, warum er denn überhaupt hier ist. Die Vollnarkose scheint ihm noch ein wenig das Gehirn zu vernebeln. Doch als er das Deckbett, das sich verdächtig hoch über seinem rechten Bein auftürmt, zur Seite schlägt, erinnert er sich schlagartig wieder, warum er im Spital liegt.

Peers Bein ist von der Hüfte bis hinunter zum Fuss eingegipst. Nur die Zehen sind sichtbar. Damit die Bettdecke nicht auf sein Bein drückt, ist dieses mit einem Drahtgeflecht überdeckt. Vorsichtig klopft Peer mit der Hand auf den Gips. Der ist jedoch bereits vollständig ausgehärtet und äusserst stabil.

»Wie schwer ist wohl dieser Gips«, fragt sich Peer und versucht sein rechtes Bein zu heben.

Doch das lässt sich nicht bewegen. Stattdessen durchfährt ein stechender Schmerz, wie ein Blitz, sein rechtes Knie.

Peer schreit auf: »Verdammt! Wie soll das wohl mit Laufen gehen, wenn das bei jeder Bewegung so höllisch schmerzt!«

In diesem Moment öffnet sich die Tür.

»Arztvisite. Guten Abend.« Eine junge Krankenschwester, so um die Fünfundzwanzig, mit südländischem Einschlag, die langen schwarzen Haare zu einem Knoten hochgesteckt, betritt das Zimmer und mit »Ich bin Schwester Marion« stellt sie sich vor und gibt Peer die Hand.

In ihrem Schlepptau hat Schwester Marion vier jünger aussehende Herren, sowie einen wichtig dreinschauenden Endvierziger – offensichtlich der Chef des ganzen Zirkus. Die vier jüngeren Herren stellen sich am Fussende von Peers Bett im Halbkreis um den älteren Herrn auf.

»Darf ich vorstellen: Chefarzt Professor Doktor Steiner mit einigen seiner Assistenzärzten«, erklärt die rassige Krankenschwester mit einer eleganten Handbewegung Richtung der Fünf am Fussende des Bettes.

»Guten Abend«, grüsst der Professor laut und hochnäsig, ohne auch nur ansatzweise in die Richtung von Peer zu schauen.

Was für ein arroganter, eingebildeter Armleuchter, denkt Peer empört, grüsst aber freundlich mit »Guten Abend zusammen« zurück und streckt dem Professor die Hand entgegen, welche dieser jedoch demonstrativ keines Blickes würdigt.

Die vier Assistenzärzte schweigen in demütig vornübergebeugter Haltung gleichgültig vor sich hin. Überhaupt stehen sie einerseits da, wie bestellt und nicht abgeholt, strahlen aber andererseits die genau gleiche Arroganz aus, wie ihr Chef. Auch scheint grüssen nicht so ihr Ding zu sein.

Was für ein Kabarett, denkt Peer. Das ist ja schon fast peinlich. Die vier wollen Assistenzärzte sein? Und der da – ein Chefarzt? Und dazu noch Professor? Für mich sind das eingebildete, abgehobene männliche Zicken. Über ihr elitäres Gehabe kann ich nur lachen. Wo bleiben Anstand und Menschlichkeit? Die sind wohl mit Düsenschuhen durch die Kinderstube gesaust.

Doch Peer lässt sich seine Verachtung nicht anmerken. Er hofft, dass sie, wenn schon nicht menschlich, dann wenigstens fachlich, über die nötigen Kompetenzen verfügen. Zumindest der Herr Professor.

»Wir haben ihr Knie wieder eingerenkt«, fährt Professor Steiner mit schnarrender Stimme fort. »Ausser einem kleinen Knochenhautriss und etwas gedehnten Bändern konnten wir keine weiteren Verletzungen feststellen.«

»Kann ich denn wieder …«, setzt Peer zu einer Frage an.

»Lassen sie mich ausreden, dann können sie Fragen stellen«, unterbricht der Chefarzt Peer barsch. »Sie werden wieder beschwerdefrei gehen können. Alles wird vollständig ausheilen, und es werden keine Schäden bleiben.«

»Das ist ja wunderbar«, bleibt Peer ruhig. »Dann kann ich ja morgen das Spital wieder verlassen.«

»So schnell geht das sicher nicht. Das müsste auch ihnen klar sein«, erwidert der Professor affektiert. »Eine Woche müssen sie mindesten bleiben. Dann sehen wir weiter.«

In diesem Moment steckt Alfredo den Kopf zur Tür herein.

»Dürfen wir reinkommen?«, fragt er etwas verlegen.

Eigentlich gar nicht Alfredos Art. Peer hätte schon eher so etwas wie »Genug gequatscht! Raus, jetzt kommen wir« erwartet. Aber doch nicht »Dürfen wir reinkommen?«.

Der Professor hebt den Kopf, und mit dem drohenden Blick eines in seinem Revier provozierten Löwen – es fehlt nur noch, dass er seine Ohren nach hinten legt, den Schwanz kann er wohl mangels entsprechender Länge nicht zwischen die Beine klemmen – dreht er sich Richtung Tür.

Doch bevor die Situation eskaliert, greift Schwester Marion ein: »Bitte wartet noch einen Moment draussen. Wir sind gleich fertig.«

Artig zieht Alfredo den Kopf zurück und schliesst die Tür genau so leise, wie er sie geöffnet hat. Peer kann sich ein süffisantes Lächeln nicht verkneifen, was von Schwester Marion aber sofort mit einem scheuen Lächeln und einem mahnenden Augenabschlag quasi gerügt wird. Peer hat verstanden und versucht ernst zu bleiben, um die angespannte Situation nicht noch zu verschärfen. Denn auch er weiss, »Platzhirsche« soll man nicht unnötig reizen. Vor allem dann nicht, wenn man noch weiter auf sie angewiesen ist.

So arrogant wie ihr Auftritt, ist auch ihr Abgang. Das Ärzteteam verlässt Peers Zimmer ohne weiteren Kommentar. Lediglich Schwester Marion verabschiedet sich mit einem warmen Lächeln und bittet gleichzeitig Alfredo und die beiden anderen Jungs – Thomas und Mike – ins Zimmer.

»¡Hola hombre! ¿Qué tal?«, begrüsst Alfredo Peer überschwänglich und mit einer festen Umarmung.

Und sogleich, wie könnte es auch anders sein, ist Schwester Marion im Gespräch.

»Was war denn das für eine heisse Stute?«, sprudelt es aus Mike heraus.

»Ja! Ein ungemein scharfes Stück«, pflichtet auch Thomas voller Enthusiasmus bei.

Natürlich kann's auch Alfredo nicht lassen. Und indem er mit dem rechten Zeigefinger sein Augenlid nach unten zieht witzelt er lautstark: »Da sieht man dich die nächsten Wochen sicher nicht mehr – bei diesem Betreuungspersonal!«

»He Jungs! Zuerst mal hallo«, unterbricht Peer die euphorisch plappernde Runde, um dann mit übertriebener Unschuldsmine fortzufahren: »Ihr solltet schon etwas mehr Bedauern mit mir haben. Ihr habt ja keine Ahnung, welche unmenschliche Konzentration zur Ablenkung ich aufbringen muss, damit mein Nachthemd nicht zum Zelt wird, wenn mein Gips untersucht wird, der notabene bis zu meinen ›Kronjuwelen‹ hoch reicht.«

»Ooohhh! Du Armer«, brechen die drei Jungs gleichzeitig in Bedauern aus.

Und Alfredo bringt es spitzbübisch auf den Punkt: »Dabei wartest du doch nur darauf, dass die Schwester bei der Gipskontrolle deine Cojones auf die Seite schieben muss.«

»Nun ja«, prustet Peer los, »da gibt's nur ein Problem. Die Gipskontrolle macht nicht Schwester Marion, sondern ein Pfleger.«

Diese Pointe hat gesessen. Die Jungs schauen sich sekundenlang verdutzt an und brechen in schallendes Gelächter aus.

So geht es noch eine Weile weiter, bis Schwester Marion erneut das Zimmer betritt.

»Darf ich euch bitten, das Zimmer kurz zu verlassen«, fordert sie die Jungs auf. »Ich muss rasch kontrollieren, ob der Gips überall gut sitzt.«

Das ist zuviel für die Jungs. Während Peer immer bleicher wird, verlassen die anderen Drei das Zimmer unter

Grölen. Schwester Marion ist ob dem Verhalten der Jungs sichtlich irritiert und schaut Peer fragend an. Dabei entgeht ihr nicht, dass Peer so weiss im Gesicht ist, wie das Lacken, das ihn zudeckt.

»Ist ihnen nicht gut?«, fragt sie erschrocken.

»Nein, nein Schwester. Es ist alles in Ordnung«, antwortet Peer – vielleicht eine Spur zu schnell, so dass es nicht ganz zu überzeugen vermag.

»Es tut nicht weh«, beruhigt Schwester Marion Peer, »ich muss nur rasch nachschauen, ob der Gips überall hart ist.«

»Äh, apropos hart«, stottert Peer verlegen, doch in diesem Moment schlägt Schwester Marion die Bettdecke zurück, und die nicht zu übersehende Beule in Peers Nachthemd sagt ihr, dass dieser offensichtlich eine Erektion hat.

Doch solche Reaktionen der männlichen Patienten bringen die Krankenschwester nicht mehr aus der Ruhe. Zu lange arbeitet sie schon in ihrem Beruf, und sie weiss mittlerweile, dass Männer ihre Erektion nur schwer, wenn überhaupt, kontrollieren können.

»Ach so! Ihr kleiner Freund«, überspielt Schwester Marion die Situation gekonnt. »Der will doch nur schauen, was hier vor sich geht«, fährt sie mit einem charmanten Lächeln fort. Und unbeeindruckt von Peers »Stehaufmännchen« beginnt sie vom Fuss her aufwärts Peers Gips auf Unversehrtheit und Festigkeit zu kontrollieren.

Peer versucht ruhig zu bleiben und an irgendetwas Unverfängliches zu denken. Doch das will ihm nicht so recht gelingen, und je höher Schwester Marions Hände den Gips an seinem Bein abtasten, desto fester schlägt sein Herz, und sein Penis fühlt sich an, als würde er jeden Moment platzen.

Ich denke jetzt nur an meine Gitarre – nur an meine Gitarre, versucht Peer sich abzulenken.

Doch es hilft alles nichts. Im Moment, als Schwester Marion Peers Hodensack etwas zur Seite halten muss, um den oberen Gipsrand kontrollieren zu können, explodiert Peers kleiner Freund und hinterlässt im Nachthemd einen dunklen Fleck, der langsam grösser wird.

»Hoppla«, zuckt Schwester Marion leicht erschrocken zusammen. Doch sie hat sich sogleich wieder im Griff und beruhigt Peer, dem das Ganze sichtlich unangenehm ist.

»Es tut mir Leid. Es ist einfach so passiert«, entschuldigt sich Peer.

»Ist doch kein Problem«, beruhigt ihn Schwester Marion. Und mit einem Lächeln fügt sie an: »Seien sie froh, dass alles so gut funktioniert. Ziehen sie ihr Nachthemd aus. Ich hole rasch ein neues.«

Schwester Marion verschwindet im Nebenzimmer und kommt kurz darauf mit einem feuchten Frotteelappen und einem frischen Nachthemd zurück. Bevor Peer etwas sagen kann, beginnt sie seine immer noch halb erigierte »Männlichkeit« und das ganze Drumherum mit dem nach Veilchen duftenden Lappen zu reinigen. Peers Scham ist verflogen, und er geniesst die angenehme Kühle des Waschlappens.

»So, alles sauber«, stellt Schwester Marion fest. »Sie können jetzt das neue Nachthemd anziehen. Ich gebe dann ihren Kollegen Bescheid, dass sie wieder zu ihnen dürfen.«

»Besten Dank Schwester Marion. Und entschuldigen Sie bitte nochmals. Es ist mir wirklich sehr peinlich«, versucht Peer glaubhaft rüberzubringen. Doch seine funkelnden Augen verraten, dass Schwester Marions Gipskontrolle jederzeit herzlich willkommen ist.

Zurück in Peers Zimmer, wollen Alfredo und die anderen Jungs genau wissen, was in ihrer Abwesenheit passiert ist. Gerne, und nicht ganz ohne Stolz, gibt Peer Auskunft über die Gipskontrolle, seinen verlorenen Kampf gegen die Erektion, den unvermeidbaren »Schuss« ins Nachthemd, und Schwester Marions anschliessende Reinigungsprozedur. Die Jungs sitzen mit roten Ohren und prall gefüllten Hosen an Peers Bett. Sie hängen förmlich an seinen Lippen und können fast nicht glauben, dass alles, was sie da hören, eben grad wirklich passiert ist. Peer muss immer wieder ausführlich über die Reinigungszeremonie mit dem Waschlappen berichten, und nach und nach verschwindet einer nach dem andern diskret für ein paar Minuten auf der Toilette, um dann erleichtert an Peers Bett zurückzukehren.

Die Stunden vergehen wie im Flug, und die Besuchszeit neigt sich dem Ende zu. Alfredo, Mike und Thomas machen sich auf den Weg zurück ins Kollegi, nicht ohne vorher versprochen zu haben, wieder zu kommen. Sie sagen es zwar nicht, aber ins Geheim hoffen sie, beim nächsten Besuch wieder eine Geschichte zu hören, ähnlich jener der Gipskontrolle.

Nach dem Nachtessen blättert Peer noch kurz im »Paris Match«, welches ihm die Jungs mitgebracht haben. Er kann sich aber nicht richtig konzentrieren. Immer noch geistert Schwester Marion mit ihrer Gipskontrolle durch seinen Kopf. Dann endlich, so gegen Mitternacht, schläft er ein.

Es dauert aber nicht lange, und Peer wird durch starke Schmerzen im eingegipsten Bein geweckt. Die Schmerzen werden stärker, und Peer drückt den Notfallknopf, der an einem Kabel über seinem Kopf baumelt. Zu seinem Erstaunen steht sofort der Chefarzt Professor Steiner mit seinen vier Assistenzärzten von der Nachmittagsarztvisite vor seinem Bett. Alle tragen grüne Operationsschürzen, grüne Haarhauben und grüne Gummihandschuhe. Den ebenfalls grünen Mundschutz haben sie unter das Kinn geschoben. Peer hebt den Blick Richtung Zimmerdecke und wird vom gleissenden Licht mehrer Scheinwerfer geblendet. Erst jetzt realisiert er, dass er sich offensichtlich in einem Operationssaal befindet.

»Wir müssen sie sofort operieren. Das Bein muss weg«, hört Peer wie in Trance Professor Steiners blecherne Stimme.

Die schneiden dir das Bein ab. Nur schnell weg hier, schiesst es Peer durch den Kopf, und in Panik versucht er aufzustehen. Doch das geht nicht, denn Peer ist, wie er an sich runterschauend feststellt, mit breiten, schwarzen Lederriemen mit grossen Nieten am Operationstisch festgeschnallt.

»Hier kommen sie nicht mehr weg«, hört Peer eine hohle, fremdartig klingende Stimme, und ein schrilles, schauriges Lachen erfüllt den Raum.

Peer schliesst die Augen, in der Hoffnung, dass der Spuk vorbei ist, wenn er sie wieder öffnet. Doch dem ist nicht so. Stattdessen schaut er in fünf teuflische Fratzen, die mit fletschenden Zähnen langsam am Fussende auf ihn zukommen.

»Herr Nickels! Herr Nickels! Wachen sie auf, Herr Nickels!«, hört Peer plötzlich aufgeregte Stimmen. Kräftige Hände rütteln heftig an seiner Schulter und lassen ihn schweissgebadet hochschrecken. Es sind die Nachtschwester und ein Pfleger, die ihn aufgeweckt haben. Peer schlägt die

Augen auf und realisiert voller Erleichterung, dass alles nur ein böser Traum war.

»Herr Nickels. Ist alles in Ordnung? Was ist denn passiert?«, will die Nachtschwester besorgt wissen.

»Das frage ich mich auch«, erwidert Peer etwas konsterniert.

»Sie haben ganz verzweifelt geschrieen«, fährt die Nachtschwester fort und tupft Peer den Schweiss von der Stirn.

»Ja! Jetzt erinnere ich mich langsam wieder«, sinniert Peer und erzählt den beiden seinen Traum vom Chefarzt und seinen Assistenten, die ihm sein Bein amputieren wollten.

Die Nachtschwester und der Pfleger sind sichtlich geschockt. Beruhigend reden sie auf Peer ein und versuchen ihm verständlich zu machen, dass solche Reaktionen in seltenen Fällen nach einer Vollnarkose vorkommen können. Sie bieten ihm ein Schlafmittel an, was Peer aber dankend ablehnt, denn er befürchtet einen Rückfall in diesen schlimmen Traum.

Peer findet nur wenig Schlaf in dieser Nacht. Sein Albtraum beschäftigt in zwar nicht mehr gross. Dafür steigen in ihm aber die Erinnerungen an all jene Ereignisse hoch, die ihm bereits in seiner Kindheit etliche Spitalaufenthalte beschert hatten.

So erinnert er sich an seinen Kuraufenthalt als kleiner Junge in jener Höhenklinik, wo er einen angeblichen Schatten auf der Lunge, ein Tuberkuloseverdacht, auskurieren sollte. Er weiss noch genau, wie der Tag seiner Entlassung dort verlaufen ist. Wie ihn der Arzt der Höhenklinik, ein alter Mann, nach Peers damaliger Schätzung sicher neunzig Jahre alt, untersucht, ihm am Bauch herumgedrückt und ihn mehrmals gefragt hat, ob er Schmerzen habe. Dass er, Peer, damals ungefähr sieben Jahre alt, die Zähne zusammengebissen und immer wieder nein gesagt hat, weil er einfach heim wollte, obwohl er grosse Schmerzen im Unterbauch hatte. Er erinnert sich, wie er dann, kaum zu Hause angekommen, notfallmässig mit geplatztem Blinddarm ins Spital eingeliefert und nach der Operation, bereits aufgegeben, in ein sogenanntes »Totenkämmerlein« abgeschoben wurde. Er sieht noch heute das kleine, vergitterte Fenster dieses schmalen, hohen Raumes. Links und rechts vom Bett war kaum Platz für einen Stuhl. Er sieht seine Mutter wieder, wie sie ihm mit einem Waschlappen seine trockenen, aufgesprungen Lippen befeuchtet hat, da er weder essen noch trinken durfte. Er erinnert sich daran, wie er sich im Bett aufgerappelt und versucht hat, irgendwie aus dem Plastikbeutel, der als Tropf über seinem Kopf hing, zu trinken, was ihm natürlich nie gelang. Er sieht die Schatten der Äste jenes Baumes vor dem Fenster wieder, die im fahlen Mondlicht über die Wände des »Totenkämmerleins« huschten und ihn in Angst und Schrecken versetzten. Und er erinnert sich daran, wie er sich seinen Vater an sein Bett wünschte, der aber nicht kam.

Auch an die Operation seiner Mandeln erinnert er sich wieder. Es ist ihm gar, als rieche er die penetrante Äthermaske, die ihm damals zur Narkose auf Mund und Nase gedrückt wurde. Und als wäre es eben erst gestern gewesen, fühlt er wieder die Blutklumpen, die sich noch Tage nach der Operation in seinem Hals gebildet hatten, und die er jeweils in einem unbeobachteten Moment hinter einen Radiator spuckte.

Peer versucht, all diese belastenden Gedanken zu verdrängen und doch noch etwas Schlaf zu finden, was ihm gegen vier Uhr in der Früh dann auch tatsächlich gelingt. Es ist allerdings eher ein Vor-sich-hin-dösen, denn ein erholsames Schlafen.

Nach zehn Tagen Aufenthalt kann Peer das Spital verlassen, allerdings nicht ohne vorher einen neuen Gips verpasst zu bekommen. Grund dafür ist, dass der alte Gips durch das vollumfängliche Abschwellen des verletzten Knies nicht mehr fest anliegt.

In der Patientenaufnahme wird Peer bereits vom Taxichauffeur, der ihn zurück ins Kollegi bringen wird, erwartet.

»Von Känel«, stellt sich dieser wortkarg vor – ein Bergler eben.

»Nickels«, gibt sich Peer ebenfalls kurz angebunden.

Peer kennt den örtlichen Menschenschlag und will keinesfalls als Schwätzer gelten. Von Känel nimmt Peers Koffer und bewegt seine sicher gegen hundertvierzig Kilo Richtung Taxi. Beim Verlassen des Spitals muss Peer die Augen zusammenkneifen. Das gleissende Sonnenlicht blendet ihn. Flink folgt er auf seinen beiden Krücken dem Taxichauffeur. Er hat bereits in den Gängen des Spitals fleissig geübt und kann problemlos jedes Tempo mithalten.

Doch dann, beim Einsteigen ins Taxi zeigen sich bereits die ersten Tücken eines von Fuss bis Pobacke eingegipsten Beines – es kann nicht gebogen werden! Und falls der Beifahrersitz eines Autos nicht genügend zurückgeschoben werden kann, muss der Gipsträger quer auf dem Rücksitz Platz nehmen. Das ist hier der Fall. Peer muss sich auf die Rückbank setzen. Leise flucht der Taxichauffeur vor sich hin, sollte er doch jetzt Peers Koffer, den er auf dem Rücksitz deponiert hat, im Kofferraum verstauen. Aber da ist kein

Platz. Von Känel ist offenbar Bauer und liefert zusätzlich seine Hofprodukte mit dem Taxi aus. So bleibt ihm nichts anderes übrig, als den Beifahrersitz mit Peers Koffer zu belegen. Schlecht fürs Geschäft, denn hier in der Region nimmt jeder Chauffeur auf seiner Route gerne weitere Passagiere mit, falls deren Ziel auf dem Weg liegt. Doch hier ist leider das Taxi mit einem einzigen Passagier bereits voll besetzt. Und Peer bekommt das zu spüren. Es scheint ihm, als ob Von Känel absichtlich kein Schlagloch auslässt. Zum Glück ist die Fahrt nicht all zu lang und die Strasse in relativ gutem Zustand.

Vor dem Kollegi warten bereits einige von Peers Schulkollegen. Sie empfangen Peer mit Applaus und jeder möchte seinen Koffer tragen.

»¡Bienvenido hombre!«, begrüsst Alfredo seinen Freund überschwänglich und muss, wie könnte es anders sein, gleich mal Peers Krücken ausprobieren.

»Pass auf mit diesen Dingern!«, ruft ihm Peer noch warnend nach.

Aber es ist bereits zu spät, und die Krücken knicken weg. Alfredo hat seine Oberarme nicht richtig in die dafür vorgesehenen Halterungen geklemmt. Und schon liegt er bäuchlings auf dem Asphalt. Die übrigen Jungs grölen und klopfen sich schadenfroh auf ihre Oberschenkel.

»Da brauchst du Kraft in den Armen und nicht in der Hose«, foppt ihn Peer, »schau mal!« Und Peer schiebt seinen rechten Hemdsärmel zurück und zeigt Alfredo seinen angespannten Bizeps.

»Oh! Tut mir Leid. Da kann ich nicht mithalten«, gibt sich Alfredo bescheiden. »Bei meinen vielen Frauen steht bei mir«, und mit einer entsprechenden Handbewegung unterhalb seiner Gürtellinie unterstreicht er seine Aussage auch bildlich, »Handbetrieb nicht zur Diskussion.«

»Das sehe ich aber anders«, klickt sich nun auch Thomas verschmitzt ein, »du hast ja schon Schwielen an den Händen!«

Hätte nicht eben gerade die Glocke aus der Lautsprecheranlage zum Studium gerufen, würden die Jungs noch lange ihre erotischen Fantasien austauschen. So werden sie aber unmissverständlich aufgefordert, das zu machen, wofür sie eigentlich hier sind – nämlich zu studieren.

Die Zeit bis zu den Weihnachtsferien vergeht ohne nennenswerte Vorkommnisse. Peer hat sich im Umgang mit seinen Krücken zu einem wahren Spezialisten entwickelt. Sein ausgeprägtes Koordinationsvermögen und sein athletischer Körperbau ermöglichen ihm mittlerweile ein Vorwärtskommen, das den Jungs ohne Krücken in nichts nachsteht.

Nur mit dem bis zu seiner Pobacke reichenden Gips hat Peer ab und zu Probleme. So klemmt er beispielsweise des Öfteren aus Unachtsamkeit kleine Stücke seines Oberschenkels zwischen WC-Brille und Gipsrand ein, was sehr schmerzhaft und äusserst unangenehm ist. Auch ist der Gips im Bereich der Wade durch das wiederholte Hochlagern des Beines auf einer harten Oberfläche sehr brüchig geworden. Das Unangenehmste aber ist die Tatsache, dass seine unten aus dem Gips herausschauenden Zehen äusserst unvorteilhaft riechen, ja man könnte schon sagen, stinken, da er diese nicht waschen kann. Peer entschliesst sich daher, den defekten Gips noch vor Ferienbeginn hier im Spital von Schwyz wechseln und sich bei dieser Gelegenheit auch gleich die Zehen pflegen zu lassen. Mit der Unterstützung des Vize-Präfekten lässt er sich einen Termin zur Gipserneuerung geben. Hätte Peer schon vorher von den Unannehmlichkeiten gewusst, die da auf ihn zukommen, er wäre bestimmt ohne neuen Gips in die Ferien gefahren.

Nun aber ist er hier im Spital, in diesem kleinen Behandlungszimmer und hofft darauf, dass gleich sexy Schwester Marion mit wallendem Haar und sympathischem Lächeln in der Tür erscheint, um ihm den Gips zu wechseln. Lange Minuten vergehen. Endlich öffnet sich die Tür und herein spaziert lässig mit wehender, weisser Schürze – nicht die freundliche Schwester Marion, sondern ein nicht minder freundlicher, jedoch mehr schlecht als recht rasierter Krankenpfleger, wie Peer meint, mit alternativen Dreadlocks. Aha, zivildienstleistender Dienstverweigerer, stuft Peer diesen etwas vorschnell ein.

Doch dann: »Gruss! Ich bin der Hans. Angehender Arzt. Und mache hier mein Praktikum. Du bist der ...?«

Damit hat Peer jetzt nicht gerechnet. Dieser aufgestellte Hippie ist doch kaum älter als ich, denkt er erstaunt. Doch auf dem Namensschildchen des vermeintlichen Dienstverweigerers steht tatsächlich »Cand. med. Hans Gruber«.

Überrascht und im ersten Moment ziemlich sprachlos sucht Peer nach Worten. »Äh ... ja ... äh ... also ich ... äh ... bin der Peer«, stottert er schliesslich verlegen.

»... der Peer Nickels, genau. Und du möchtest deinen Gips wechseln«, fährt der angehende Arzt in lockerem Ton fort. »Dann wollen wir mal schauen, wie das aussieht. Zieh bitte deine Hose aus und legt dich hier hin«, dabei zeigt er auf eine Art Tisch mit dünner Matratze in der Mitte des

Raumes. Peer schlüpft aus seiner Hose, das heisst eigentlich nur aus dem linken Hosenbein, denn das rechte ist ja von oben bis unten aufgeschlitzt, und legt sich auf den Behandlungstisch.

Der junge Cand. med. begutachtet Peers Gips, und auf dem Weg zur Tür meint er: »Ja, das sieht nicht mehr gut aus. Das müssen wir neu machen. Ich rufe rasch einen Pfleger, damit er den Gips aufschneidet«, und weg ist er.

Es dauert nicht lange, und der angehende Arzt kehrt zurück. In seinem Gefolge, ein recht missmutig dreinschauender, leicht übergewichtiger Mann um die vierzig, dessen strähnige Haare ihm bis auf die Schultern fallen, und der in seinem mindestens zwei Nummern zu kleinen weiss-, grau- oder was auch immer farbigen Arbeitskittel einen höchst schmuddeligen Eindruck erweckt.

Verflixt, denkt Peer, nicht gerade berauschend. Warum nicht Schwester Marion?!

»Das ist unser Stiefi«, stellt der angehende Arzt den missmutig Dreinschauenden vor. »Er ist Pfleger und heisst eigentlich Franz Stiefelberger. Aber wir nennen ihn nur Stiefi.«

Stiefi murmelt etwas, das sich wie »Guten Tag« anhört und holt aus einem Schrank eine grosse Schere, die eher aussieht, als würde sie zum Blechschneiden verwendet. Sofort beginnt er Peers Gips vorne am Bein von oben her aufzuschneiden. Die Schere fühlt sich kalt an auf Peers Haut, und bei jedem Schnitt ist ein hässliches »Chrrscht« zu hören. Am Oberschenkel geht das ganze Aufschneideprozedere noch problemlos vonstatten. Hier gibt die Muskulatur dem Druck des zirka zwei Zentimeter hohen Scherenblattes gut nach. Doch erste Probleme treten dann bei der Kniescheibe auf. Und erst recht beim Schienbein. Hier ist schlicht nicht mehr genug Muskelgewebe vorhanden, das den Druck der Schere ausgleichen könnte. Entsprechend schmerzhaft ist das Nachschieben derjenigen nach jedem Schnitt.

Stiefi scheint das allerdings Spass zu machen. Denn je mehr Peer vor Schmerz sein Gesicht verzieht, desto kräftiger schiebt der Pfleger die Schere nach. Peer reisst sich zusammen und gibt keinen Ton von sich – er ist ja schliesslich ein Mann …

Und dann, endlich, scheint es geschafft zu sein, fehlen doch nur noch die rund zehn Zentimeter über dem Rist. Doch die haben es in sich, wie Peer gleich merken wird!

Wie gewohnt schiebt Stiefi die Schere nach dem letzten Schnitt über dem Schienbein kräftig weiter. Peer spürt einen stechenden Schmerz im Fussrist und stöhnt auf. Das allerdings scheint den Pfleger nicht zu beeindrucken: Schere zurück – und neu nachstossen.

»Aua! Verdammt noch mal! Was machen sie denn da?«, wird Peer nun laut. Und mit schmerzverzerrtem Gesicht setzt er sich auf, um zu sehen, was da falsch läuft.

»Sei doch nicht so wehleidig«, schnauzt der Pfleger Peer mürrisch an, »das kann doch nicht so schlimm sein.«

Mittlerweile hat sich auch der angehende Arzt, der bis jetzt teilnahmslos in einer Zeitschrift geblättert hat, dazu gesellt und sieht gleich, was da los ist.

»Stiefi, Stiefi, Stiefi«, wiederholt er vorwurfsvoll. »Du hast wohl noch nie mit der Schere einen Gips geöffnet.«

Und zu Peer meint er entschuldigend: »Er macht es eben sonst immer mit der Fräse. Leider ist die im Moment defekt.«

Nicht leider, sondern zum Glück, denkt Peer, der hätte mir ja das ganze Bein aufgeschlitzt.

»Schau«, wendet sich Cand. med. Gruber wieder Stiefi zu und nimmt ihm die Schere aus der Hand. »Das letzte Stück hier am Rist, das musst du von vorne schneiden. Schau! So«, und mit einem kurzen »Chrrscht« sind auch die letzten zehn Zentimeter Gips durchtrennt.

Peer atmet erleichtert auf. Vorsichtig drückt der angehende Arzt den Gips auseinander und hebt das verletzte Bein leicht an, damit der Pfleger den Gips wegziehen kann.

»Wo kommen denn die vielen Haare her?«, fragt Peer erstaunt beim Anblick seines vom Gips befreiten Beines. »Das sieht ja aus wie ein Pelz. Und die Muskeln sind auch weg.«

»Alles kein Problem«, beruhigt Cand. med. Gruber Peer. »Die Muskeln kommen wieder, sobald der Gips weg ist und du das Bein wieder voll belasten kannst. Und der Haarwuchs normalisiert sich dann auch wieder.«

»Zum Glück«, meint Peer erleichtert, »ich sehe ja aus wie aus Frankensteins Gruselkabinett.«

Die Wunde auf Peers Rist in nicht weiter schlimm. Stiefi behandelt sie mit einer speziellen Salbe, nachdem er Peers Fuss gewaschen hat. Anschliessend wird Peers Bein neu eingegipst, und Peer kann das Spital wieder verlassen.

Zurück im Kollegi packt auch Peer seine Koffer, denn morgen geht's nach Hause in die Weihnachtsferien. Die übrigen Studenten sind bereits mit packen fertig und lümmeln gelangweilt im Schlafsaal herum. Alfredo hilft Peer, damit die beiden anschliessend noch den üblichen Abendspaziergang machen können. Allerdings absolvieren sie diesen nicht auf dem »Narrendreieck«, sondern schleichen sich für ein kühles

Bier und ein paar unbeschwerte Minuten mit Brigitte ins Restaurant Sonne.

Tagwacht ist an einem Abreisetag immer eine Stunde später, als normal, da jeweils die Frühmesse ausfällt. Für die Jungs bedeutet das beinahe schon ausschlafen. So auch heute.

Doch plötzlich kommt Hektik auf im Schlafsaal. Wie aufgeschreckte Hühner laufen die Jungs durcheinander.

Alfredo kommt soeben vom Waschraum und flüstert Peer aufgeregt zu: »Jetzt habe ich sie zum ersten Mal gesehen.«

»Wen?«, fragt Peer ebenso neugierig, wie überrascht.

»Die Schlafsaal-Schwester, Muchacho.«

»Und? Wie ist sie denn?«

»Wie eben eine Fünfzigjährige ist. Zu alt für uns.«

Und da hören die Jungs sie auch schon, die »Schwester Schlafsaal«, wie sie sie nennen.

»Alle mal herhören«, poltert es aus Richtung Waschraum.

»Hei! Was für ein Organ«, entfährt es Alfredo.

»Da ist ja der Start eines Düsenjets ein laues Lüftchen dagegen«, pflichtet ihm Peer bei.

Und weiter tönt es in preussischem Befehlston: »Also, hört gut zu! Ich sage es nur einmal! Alle Betten abziehen! Leintücher zusammenfalten! Ebenfalls Kopfkissen- und Deckbettbezug! Und alles auf dem Nachttisch deponieren! Zuunterst Leintücher, dann Deckbett- und zuoberst Kopfkissenbezug! Wer das nicht kann, der übt das nach dem Morgenessen und fährt eine Stunde später nach Hause!«

»Wunderbar«, raunt Peer Alfredo zu, »auch wieder so ein Akt christlicher Nächstenliebe. Wie hat doch mein Vater gesagt: ›Du wirst sehen, wie gut du es in einem katholischen Internat hast‹. Ja, wirklich saugut haben wir es hier …«

Geschäftiges Treiben im Schlafsaal. Die Studenten befolgen peinlich genau die Anordnungen der Schlafsaal-Schwester und kontrollieren sich gegenseitig. Die Reihenfolge der Wäscheablage auf dem Nachttischchen muss unbedingt stimmen. Schliesslich will keiner erst eine Stunde später als die anderen in den Urlaub entlassen werden. Anschliessend begeben sich alle mit ihren Koffern ins Studium.

Dann, das grosse Bangen. Während die Jungs nervös diskutierend in kleinen Gruppen zusammenstehen und warten, wird im Schlafsaal ihr Werk peinlichst genau kontrolliert. Doch die klare Ansage der Schlafsaal-Schwester scheint Wirkung gezeigt zu haben: Ausnahmslos alle können um zehn Uhr in die wohlverdienten Ferien entlassen werden.

Viele Eltern sind schon da und warten vor dem Kollegium auf ihren Nachwuchs. Auch Alfredos Schwester ist bereits eingetroffen. Nach und nach verabschiedet sich einer nach dem andern von Peer, und es dauert nicht lange, bis dieser alleine, auf einem seiner Koffern sitzend, vor dem Kollegi wartet. Ursprünglich sollte er eigentlich mit dem Zug nach Hause fahren. Noch nach dem Unfall meinte der Vater, Peer könne die Koffer bei der Bahn aufgeben und den Zug nehmen. Peers Mutter konnte den Vater dann aber offensichtlich umstimmen, so dass sich dieser doch bereit erklärt hat, Peer abzuholen. Gegen elf Uhr treffen Peers Eltern dann auch wirklich ein, und ohne Unterbruch geht's nach Hause. Peer nimmt sich vor, ein paar Tage bei den Grosseltern zu verbringen, seine Ferien zu geniessen und sich möglichst auf keine Diskussionen mit seinem Vater einzulassen.

11

Trotz aller Bemühungen gelang es Peer nicht, seine guten Vorsätze in die Tat umsetzen. Lediglich die Tage bei den Grosseltern konnte er so richtig geniessen. Mit ihnen zusammen hat er auch seinen sechzehnten Geburtstag gefeiert. Zu Hause aber sollte er nach Vaters Meinung jeden Tag mindestens drei Stunden lernen. Was Peer natürlich nicht machte, denn schliesslich sind Ferien zur Erholung da. Zudem wird er im Kollegi wieder genug Zeit zum Lernen haben. Das mache aber mal einer seinem rechthaberischen Vater klar. Der alleine weiss schliesslich, was richtig und was falsch ist. Und damit basta! Ende der Diskussion!

Nach drei Wochen Ferien in ständigem Konflikt mit seinem Erzeuger ist Peer beinahe schon wieder froh, zurück im Kollegi zu sein. Hier wird ihm wieder ein gewisses Recht auf Selbstbestimmung gewährt. Und hier hat er seine Freunde. Menschen, die ihn mögen. Menschen, die ihm eine eigene Meinung zugestehen. Menschen, die ihn so nehmen, wie er ist.

Die erste Woche nach den Ferien beginnt dann aber gleich mit einem Eklat. Im Schlafsaal wird Geld gestohlen. Immer wieder. Und bei verschiedenen Studenten. Das wissen natürlich nur ein paar Eingeweihte. Peer gehört dazu. Auch Alfredo und Thomas sind mit von der Partie.

Doch der Reihe nach.

Drei Tage sind seit dem Einrücken aus den Ferien bereits vergangen. Die Studenten sitzen gerade beim Morgenessen und unterhalten sich lautstark über die neuen Volontärinnen, die sie gerade eben im Office entdeckt haben. Diese halten sich natürlich auch nicht zurück und provozieren die Burschen mit verführerischem Lächeln und heissen Augenaufschlägen.

»He Jungs, die Blonde da, die mit den grossen Augen« – will also heissen mit den grossen Brüsten – »die muss ich unbedingt nächstens auf dem Gang treffen«, schwärmt Thomas.

»Du holst dir noch eine Genickstarre, wenn du weiter so unverschämt ins Office äugst«, witzelt Mike und stösst dem neben ihm sitzenden Thomas den Ellenbogen in die Seite.

»Das ist vielleicht bei dir so«, gibt Thomas mit einem revanchierenden Ellenbogenstoss in Mikes Seite zurück. »Bei mir ist die Starre schon etwas tiefer.«

Plötzlich richtet Peer seinen Blick demonstrativ auf seinen Teller und flüstert: »Achtung. Der Burri kommt.«

Wie auf Kommando senken sich auch die Köpfe der anderen Jungs, und verlegen streichen sie sich rasch ein Butterbrot. Besonders Thomas benimmt sich auffällig geschäftig, denkt er doch, dass Burri wegen ihm im Anmarsch ist. Der Präfekt hat aber ganz andere Probleme, als sexuell gestresste Pubertierende. Er neigt sich zu den Jungs hinunter und bittet Peer, Thomas und Alfredo auffallend höflich, sie mögen nachher doch bitte rasch bei ihm im Büro vorbeischauen. Die ungewohnte Höflichkeit des Präfekten verunsichert die Jungs ungemein. Sie sind das nicht gewohnt und können sich keinen Reim darauf machen.

»Was will der bloss von uns?«, rätselt Peer nachdenklich. »Wir haben doch nichts verbrochen. Das bisschen Flirten mit den Office-Girls kann's doch nicht sein?«

»Dann gehen wir mal schauen«, meint Alfredo selbstsicher. »Den Kopf abreissen kann er uns ja nicht.«

Und da steigt sie bei Peer schon wieder auf, diese Angst vor Autoritäten, die ihm den Schweiss aus den Poren treibt. Er muss sich zwingen ruhig zu bleiben. In solchen Momenten verflucht er seinen Vater, der ihn mit seinen cholerischen Ausbrüchen so weit gebracht hat. Doch es hilft nichts, er muss mit Thomas und Alfredo zum Büro des Präfekten.

Zum Erstaunen der Drei, warten hier bereits Rainer und Godi.

»Ihr auch?«, fragt Peer erstaunt.

Doch bevor einer der beiden antworten kann, öffnet sich die Tür zu Präfekt Burris Büro, und Vize Gasser erscheint im Türrahmen.

»Darf ich euch herein bitten?«, säuselt er, den Kopf wie gewohnt leicht zur Seite geneigt, halb fragend, halb befehlend.

Die fünf Jungs betreten leicht verlegen Burris Büro und setzen sich mit Vize Gasser, wie geheissen, an den Tisch.

Hinter seinem Schreibtisch sitzt Präfekt Burri, und mit aufgesetzter Freundlichkeit begrüsst er die Jungs: »Ich freue mich, dass ihr gekommen seid und danke euch bereits jetzt für eure Mitarbeit.«

Schleimer, denkt Peer, haben wir denn eine andere Wahl?

»Es geht um Folgendes«, fährt Burri fort und erklärt den Jungs, dass in den letzten Tagen im Schlafsaal immer wieder Geld aus Portemonnaies von Studenten gestohlen wurde, vor allem dann, wenn diese im Turnunterricht waren, und dass er jetzt die Polizei eingeschaltet habe, und diese nun eine Aktion mit präparierten Geldscheinen plane. Er, Burri, stufe sie, also Peer, Thomas, Alfredo, Rainer und Godi als besonders vertrauenswürdige Jungs ein und habe sie daher für diese Aktion ausgewählt. Selbstverständlich herrsche absolute Geheimhaltungspflicht.

In diesem Moment klopft es an der Tür. Vize Gasser öffnet und bittet den Herrn, der im Gang steht, mit einer einladenden Handbewegung herein.

»Guten Tag Herr Amweg. Bitte nehmen sie Platz«, begrüsst Burri den neuen Gast und reicht ihm über den Schreibtisch die Hand.

Amweg erwidert den Gruss und setzt sich zu Gasser und den Jungs an den Tisch. Seinen mitgebrachten Handkoffer stellt er neben sich auf den Boden.

»Das ist Herr Amweg. Herr Amweg ist Polizei-Inspektor und wird euch nun informieren, wie das mit den präparierten Geldscheinen vor sich geht«, führt Präfekt Burri weiter aus.

Inspektor Amweg ist ein gemütlichaussehender Herr im Alter von ungefähr fünfzig Jahren, und nichts scheint ihn aus seiner stoischen Ruhe bringen zu können. Sein Haar hat er wie mit dem Lineal gezogen rund drei Zentimeter über dem rechten Ohr gescheitelt. Hemd, Hose, Krawatte, alles grau in grau, dazu eine modische, schwarze Jacke aus feinstem Leder. Ein dünner, gepflegter Schnurrbart ziert seine Oberlippe. Ein Inspektor eben, wie man ihn immer wieder in den Krimis von Agatha Christi findet.

»Ok«, eröffnet Inspektor Amweg das Gespräch. »Wie euch Herr Burri sicher bereits gesagt hat, werden wir heute eure Portemonnaies«, und er schaut dabei die fünf Jungs an, »mit Portemonnaies von uns austauschen. Unsere Portemonnaies enthalten je eine präparierte Zehner- und Zwanzigernote. Ich habe alles bereits vorbereitet hier in meinem Köfferchen. Die Noten wurden bei uns im Labor mit einem Pulver behandelt, das man nicht sieht, das aber bei Berührung einen schwarzen Fleck auf der Haut hinterlässt. Dieser Fleck bleibt rund achtundvierzig Stunden sichtbar und kann weder mit Wasser, noch mit Seife entfernt werden. Die von uns vorbereiteten Portemonnaies legen wir in eure Nachttischchen.« Und mit erhobenem Zeigefinger fährt Amweg fort: »Diese Aktion untersteht höchster Geheimhaltung! Ihr dürft zu absolut niemandem etwas davon sagen, sonst ist das Ganze gefährdet. So was können wir nur einmal machen. Natürlich dürft ihr die Noten auch nicht selber berühren, damit das Markierungspulver nicht entfernt wird. Ich verlasse mich auf euch. Habt ihr mich verstanden?« Und der Inspektor schaut jedem einzelnen der Jungs in die Augen und will von diesem ein überzeugtes »Ja« hören.

Peer wähnt sich in einem grossen Kriminalfall und ist mächtig stolz, für diese Aktion ausgewählt worden zu sein. Den übrigen vier Jungs dürfte es, ihrem Gesichtsausdruck zufolge, nicht anders ergehen. So viel Vertrauen zu erfahren ist für Peer neu. Zum ersten Mal fühlt er bewusst, dass er offenbar zu etwas gebraucht werden kann. Dass er als Mensch wahrgenommen wird, dem man zutraut, eigene, richtige Entscheidungen treffen zu können. Kurz, dass er ein wertvoller Mensch ist. Ein Anflug elitärer Macht und Grösse durchdringt ihn. Gefühle des Stolzes und der Gewissheit, alles im Leben erreichen zu können, wenn er nur an sich glaubt, durchströmen seinen Körper. Doch im selben Augenblick sind da auch wieder die grossen Zweifel, zu versagen, nichts auf die Reihe zu kriegen, eben zu nichts zu gebrauchen zu sein, wie ihm sein Vater immer wieder attestiert.

Inspektor Amweg und Präfekt Burri warten mit den Jungs im Büro, bis der Unterricht angefangen hat und gehen dann nach oben in den Schlafsaal. Dort werden die Portemonnaies wie vorgesehen in die entsprechenden Nachttischchen der Jungs gelegt.

Der Erfolg lässt nicht lange auf sich warten. Bereits nach dem Mittagessen stellen Alfredo und Rainer fest, dass in ihren Portemonnaies je die Zwanzigernote fehlt. Umgehend informieren sie ihren Präfekten. Burri handelt sofort.

»Achtung! Alle aufgepasst!«, tönt kurz darauf Burris kräftige Stimme leicht nervös aus der Lautsprecheranlage. »Alle Studenten finden sich jetzt gleich im Studium ein.« Und weiter verkündet er mit Nachdruck und im Stile eines übermotivierten Rekrutenschleifers, sich richtig in Rage redend: »Und wenn ich alle sage, dann meine ich auch alle! Es gibt keine Ausnahmen! Jeder ist dafür verantwortlich, dass seine Tischnachbarn anwesend sind! Also sucht diese, wenn sie nicht an ihrem Platz sitzen. Verstanden?!«

Ähnlich wie in der Abteilung Don Bosco, nur wohl etwas gesitteter, tönt es auch aus den Lautsprechern der übrigen Abteilungen, denn alle Präfekten wurden von Burri über die Diebstähle in seiner Abteilung informiert und müssen ihre Studenten ebenfalls kontrollieren.

»Das scheint ja eine grössere Sache zu werden«, meint Mike erstaunt zu Peer.

»Ist es auch«, entgegnet Peer wohl wissend. »Du wirst es nicht glauben.«

»Was ist denn passiert?«, will Mike weiter wissen.

»Das wirst du jetzt dann gleich hören«, gibt sich Peer weiterhin bedeckt.

»Mir kannst du es doch sagen«, insistiert Mike, »du weisst es ja schliesslich auch.«

Zu Peers Erleichterung, betritt Präfekt Burri das Studium, und urplötzlich ist es mäuschenstill im Saal. Burris Gesicht spricht Bände. Zackig schreitet er zum Aufsichtspult. Das Quietschen seiner Schuhsohlen auf dem mit Linoleum belegten Boden schmerzt bei dieser absoluten Ruhe schon fast in den Ohren. Für die Studenten ist sofort klar: Jetzt nur nicht auffallen, es sei denn, man wolle für den Rest des Jahres den Ausgang gestrichen haben und stattdessen jeden Sonntag auf die Haggenegg marschieren.

»Es ist etwas Unerhörtes vorgefallen«, beginnt Burri betont langsam, um dann, nach einer Kunstpause, umso ungestümer, und mit der zur Faust geballten rechten Hand bei jedem Wort auf die linke Handfläche schlagend, fortzufahren: »Wir haben einen Dieb unter uns!«

Totenstille …

Keiner der Studenten bewegt sich. Alle hängen mit offenem Mund und verständnislosem Blick an Burris Lippen.

»Wir haben die Polizei eingeschaltet und speziell behandelte Geldscheine als Köder ausgelegt«, poltert Burri weiter. »Wir werden also problemlos herausfinden können, wer der Dieb ist. Dieser hat nämlich jetzt schwarze Finger.«

Und wie auf Kommando schaut jeder der Studenten auf seine Finger, obwohl er ja genau weiss, dass er nichts gestohlen hat. Macht der Gewohnheit eben. Auch Peer ist da keine Ausnahme. Erschreckend zeigt sich hier wieder mal deutlich, wie leicht Menschen gewollt oder ungewollt psychologisch manipulierbar sind.

Präfekt Burri beruhigt sich und gibt sich wieder etwas versöhnlicher: »Ihr dürft nun das Studium für fünfzehn Minuten verlassen. Der Dieb kann sich während dieser Zeit freiwillig bei mir im Büro melden. Das würde sich strafmildernd für ihn auswirken. Genau in fünfzehn Minuten sehe ich alle wieder hier.«

Die Viertelstunde vergeht wie im Flug. Alle Studenten sind wieder im Studium versammelt, als Präfekt Burri das Ergebnis der Auszeit bekannt gibt.

»Der Dieb hat seine Chance nicht wahrgenommen. Er hat sich nicht gemeldet«, gibt Burri mit fester Stimme bekannt. »Es wird also nun peinlich für ihn. Wir kontrollieren jetzt die Hände gleich hier im Studium. Dafür legt jeder seine Hände mit der Handfläche nach oben vor sich aufs Pult, und die Nachbarn links und rechts kontrollieren, ob sie schwarze Finger oder sonst schwarze Flecken sehen. Sieht jemand schwarze Finger oder andere Flecken? Hand hoch!«

Doch niemand meldet sich.

»Dann werde ich jetzt selber bei jedem vorbeikommen und die Hände anschauen«, stellt der Präfekt klar und beginnt mit seiner Kontrolle beim ersten Schreibtisch neben ihm.

Doch auch Burri findet keine schwarzen Finger oder Flecken, die auf einen Dieb hindeuten könnten.

Etwas erstaunt zwar, aber erleichtert huscht ihm so etwas wie ein Lächeln übers Gesicht, als er feststellt: »Gut, der Dieb ist nicht bei uns. Ich werde nun die anderen Präfekten konsultieren und euch heute Abend informieren. Ihr könnt jetzt verfügen.«

Peer, Alfredo, Thomas, Godi und Rainer treffen sich im Schlafsaal, um die präparierten Portemonnaies zu holen und dem Präfekten zurückzubringen. Thema Nummer eins bei ihnen ist natürlich Burris Fingerkontrolle und deren überraschender Ausgang.

»Wenn der Dieb nicht bei uns ist, wo ist er dann?«, fragt Thomas in die Runde.

»Ja, möchte ich auch gerne wissen«, pflichtet ihm Peer bei.

»¡Qué raro! Die Schlafsäle sind doch tagsüber immer geschlossen. Da kommt keiner rein«, sinniert Alfredo, »es sei denn …«

»Es sei denn, er hat einen Schlüssel«, fällt ihm Peer ins Wort.

»Genau«, spinnt Alfredo den Faden weiter, »und da gibt es nicht viele.«

Die fünf Jungs werden plötzlich vom Ehrgeiz gepackt. Schliesslich hat man sie beauftragt, bei der Aufklärung eines Diebstahls mitzuwirken. Und für sie ist klar: Sie werden den Fall lösen!

In bester kriminalistischer Manier beginnen sie die bisher bekannten Tatsachen zu analysieren, und bereits nach kurzer Zeit ist ihnen klar, wo der Dieb, oder nach ihren Erkenntnissen, die Diebin eben, zu finden sein wird.

»Ok, alles klar«, resümiert Peer. Und selbstsicher fährt er fort: »Jetzt informieren wir Burri.«

Die anderen Jungs stimmen ihm zu, und so machen sie sich auf den Weg zu Burris Büro. Dort angekommen, will Peer an die Tür klopfen. Er tritt aber gleich wieder erschrocken einen Schritt zurück, als sich diese im gleichen Moment öffnet und Präfekt Burri im Türrahmen steht.

»Oh, tut mir Leid«, entschuldigt sich der Präfekt, als er Peers erschrockenes Gesicht sieht. »Ich wollte eben zu euch, um die präparierten Portemonnaies abzuholen.«

»Diese haben wir hier mitgebracht«, erwidert Peer, und indem er Burri die fünf Portemonnaies entgegenstreckt, fährt er voller Stolz fort: »Und wir wissen auch, wo der Dieb, oder besser gesagt die Diebin, zu finden ist.«

»Aha«, ist Burri sichtlich überrascht. »Die Diebin?! Wie kommt ihr denn darauf?«

Die Jungs weihen den Präfekten in ihre Überlegungen ein und kommen auch mit ihm zur Schlussfolgerung: Die Diebin ist im Kreise der Volontärinnen zu suchen. Burri ist erfreut und wie die Jungs ebenfalls überzeugt, dass der Fall gelöst ist. Er bedankt sich bei ihnen für ihre Mithilfe und gibt ihnen für den nächsten freien Nachmittag die Erlaubnis, nach dem Mittagessen bis fünf Uhr abends freien Ausgang zu beziehen.

Noch am gleichen Tag werden die Hände der Volontärinnen einer Kontrolle unterzogen, und die Diebin kann überführt werden. Peer und die anderen Vier sind mächtig stolz, als Präfekt Burri sie beim Nachtessen namentlich erwähnt und erklärt, dass der Diebstahl durch ihre kriminalistischen Fähigkeiten gelöst werden konnte. Ab sofort trägt jeder der Fünf den Übernamen »Superhirn«.

12

Die ganze Diebstahlaffäre und die diebische Volontärin beschäftigen noch während Tagen die Gemüter der Studenten. Auch müssen Peer und die anderen vier »Superhirne« immer wieder die eine oder andere Hänselei ihrer Kollegen über sich ergehen lassen. Dann endlich, nach Wochen, kehrt wieder Ruhe ein im Kollegi. Das Leben nimmt seinen gewohnten Lauf.

Diesen Morgen steht Mathematik auf dem Stundenplan. Schon beim blossen Gedanken an Frau Baierl, ihre schöne Mathematik-Professorin, spüren die Jungs ein angenehmes Kribbeln in der Lendengegend. Erst recht jetzt im Frühling. Da steigt nicht nur ihr Hormonspiegel stetig, sondern auch Frau Baierls Rocksaum rutsch von Mathe-Stunde zu Mathe-Stunde höher. Nur heute nicht. Heute ist leider Hosen-Tag bei Frau Baierl! Ein enttäuschtes Raunen geht durch die Schulbänke, als die Professorin, beschwingt wie immer, das Schulzimmer betritt.

»Guten morgen«, säuselt Frau Baierl und streicht sich eine Strähne ihrer langen, schwarzen Haarpracht hinters Ohr.

»Guten morgen Frau Baierl«, antworten die Studenten brav.

»Schauen wir heute zusammen etwas in die Zukunft«, fährt die Professorin fort. »Ich möchte euch den Computer etwas näher bringen. Dieser wird in einigen Jahren nicht mehr aus unserem Leben wegzudenken sein. Der Computer wird die Menschen weltweit miteinander verbinden. Befassen wir uns heute damit, wie der Computer Daten verarbeitet und speichert.«

»Ein kurzes Röckchen wäre mir jetzt lieber gewesen«, raunt Alfredo Peer zu.

»Der Herr Alfredo möchte uns etwas mitteilen«, unterbricht die Professorin ihren Vortrag. »Also bitte, Alfredo?!«

Etwas verlegen gibt sich dieser gespielt überrascht: »Nein, nein! Wie kommen sie denn darauf?«

»Nun, ich dachte, du hättest uns was Wichtiges zu sagen«, bohrt Frau Baierl weiter.

»Nein, ich habe nur so Selbstgespräche geführt«, verteidigt sich Alfredo und kratzt sich verlegen an der Nase.

»Also dann, bitte aufpassen«, ermahnt die Professorin und fährt mit ihren Ausführungen fort: »Bevor ich näher auf den Computer eingehe, müsst ihr euch folgendes aufschreiben: $a^0 = 1$ wobei $a \neq 0$. Das ist ein mathematisches Axiom und sagt aus: Jede Zahl ungleich 0 mit der Potenz 0 ist gleich 1. Nun, zum Computer. Im Zusammenhang mit Computern muss man vor allem das Binäre und das Hexadezimale Zahlensystem erwähnen. Wir Menschen rechnen im Dezimalsystem. Also, wie schon der Name sagt, im Zehnersystem. Das Dezimalsystem kennt die zehn Ziffern 0 bis 9 und hat die Basis 10. Bei der Zahl 93 heisst das also im Dezimalsystem: $9 \times 10^1 + 3 \times 10^0 = 90 + 3 = 93$. Im Gegensatz dazu kennt das Binär-, oder Dualsystem, wie es auch genannt wird, nur die zwei Ziffern 0 und 1, und hat die Basis 2. Dezimal 93 ist

Binär also 1011101, nämlich: $1 \times 2^6 + 0 \times 2^5 + 1 \times 2^4 + 1 \times 2^3 + 1 \times 2^2 + 0 \times 2^1 + 1 \times 2^0 = 64 + 0 + 16 + 8 + 4 + 0 + 1 = 93$. Das Hexadezimalsystem hingegen kennt sechzehn Ziffern. Da wir aber nur die zehn Ziffern 0 bis 9 zur Verfügung haben, müssen noch die sechs Buchstaben A bis F dazu genommen werden. A hat den Wert 10, B den Wert 11, C den Wert 12, D den Wert 13, E den Wert 14 und F den Wert 15. Die Basis im Hexadezimalsystem ist 16. Die Dezimalzahl 93 ist hexadezimal daher 5D, im Detail: $5 \times 16^1 + 13 \times 16^0 = 80 + 13 = 93$. Gibt es dazu noch Fragen?«, wirft Frau Baierl in den Raum, um dann, nach einer kurzen Pause, ohne sich umzudrehen weiterzufahren: »Wenn nicht, nun noch etwas zu Bits und Bytes.«

Doch die Jungs bekommen von alle dem längst nichts mehr mit. Betont gelassen und wie zufällig gehen ihre Blicke schon seit geraumer Zeit immer wieder aus dem Fenster zum gegenüberliegenden, in einem Meer aus gelbem Löwenzahn eingebetteten Bauernhof. Denn dort, bei schönstem Sonnenschein, findet das wahre Leben statt!

Und was die Jungs sehen, treibt ihnen das Blut in die Lenden: Ein Bauer ist mit seiner Kuh gekommen. Wie es scheint, soll diese an diesem warmen Frühlingsmorgen gedeckt werden. Immer wieder führt der eine Bauer seine Kuh vor dem Stier hin und her in der Hoffnung, dieser werde vom wackelnden Hinterteil der Kuh stimuliert, derweil der andere Bauer krampfhaft versucht, den Stier in die richtige Position hinter die Kuh zu bringen. Der Stier wäre bereit. Das ist unübersehbar. Sein langes, rotes Ding zwischen den Beinen wippt bei jedem Schritt auf und ab. Ob dafür der Hintern der Kuh verantwortlich ist oder der Frühling, interessiert die Jungs weniger. Es sind die noch zu erwartenden, weiteren Aktionen, die sie fasziniert aus dem Fenster starren lassen.

»Das wippt wie bei mir«, flüstert Alfredo, ohne die Lippen zu bewegen.

»Da nützt dir der Grösste nichts, wenn deine Auserwählte jedes Mal einen Schritt zur Seite macht, wenn du sie beglücken willst. Wie diese Kuh dort«, sinniert Peer.

In diesem Augenblick gelingt dem Stier der Sprung auf die Kuh. Mit heftigen Stössen und weit aufgerissenen Augen geht der Glückliche zur Sache. Für die pubertierenden Jungs Erotik pur, und ihre Hände verschwinden langsam unter dem Tischen.

Die plötzliche Stille im Raum lässt Frau Baierl, die sich bis jetzt der Wandtafel zugewandt hat, aufhorchen. Sie dreht sich um und sieht, dass alle Studenten gebannt zum Fenster hinaus starren. Auch ihr Blick geht zum Bauernhof hinüber, und wie sie den Stier bei der »Arbeit« sieht, steigt ihr die Schamröte ins Gesicht.

Peinlich berührt und völlig verunsichert versucht sie über der Sache zu stehen und sagt in ihrer Verwirrung – in Gedanken wohl noch immer bei ihren Bits und Bytes – den wahrscheinlich dümmsten Satz ihres Lebens: »In Zukunft werden das Computer machen.«

Die Jungs schauen sich ungläubig an und brechen dann in grölendes Gelächter aus. Im selben Moment ertönt die Pausenglocke aus dem Zimmerlautsprecher und bewahrt die Professorin vor weiteren Peinlichkeiten. Sichtlich erleichtert und schnellen Schrittes verlässt sie den Raum. Die Jungs aber quetschen sich vor die Fenster und erfreuen sich des

Spektakels auf dem Bauernhof, bis der Stier nach kurzem, heftigem Zittern von der Kuh steigt.

Damit ist das ganze Thema aber noch nicht abgeschlossen!

Die Tatsache, dass die Kuh während des ganzen Deckungsaktes mit stoischer Ruhe gefressen hat, spaltet die Jungs in zwei Lager. Die einen sind der Meinung, das sei auch bei den Frauen so – Orgasmus nur vorgetäuscht –, und die anderen behaupten das Gegenteil.

Wie dem auch sei. Die Mathematikstunden jedenfalls werden in Zukunft in einem Zimmer ohne Blick auf den besagten Bauernhof stattfinden. Gerüchten zufolge soll Frau Baierl mit ihrer Kündigung gedroht haben, falls sich keine »ethisch vertretbare« Lösung finden lasse …

Den Studenten in Frau Baierls Klasse ist das allerdings egal. Sie haben ja immer noch die nicht minder aufregenden Höschen-Blitzer …

13

Heute wird Peer endlich seinen Gips los. Zu diesem Zweck soll er soll sich um zwei Uhr nachmittags im Spital einfinden. Vize Gasser hat ihm ein Taxi bestellt, das bereits vor dem Kollegium wartet. Als Peer mit seinen Krücken um die Ecke auf den Vorplatz des Kollegiums einbiegt, sieht er gleich: Es ist wieder der dicke Von Känel! Derselbe Taxichauffeur, der ihn schon einmal vom Spital zum Kollegium gefahren hat. Peer ist nicht gerade erfreut darüber. Er hat nur schlechte Erinnerungen an diesen dicken, schwitzenden Rollmops, der nur flucht, sobald er seinen Mund aufmacht. Auch Von Känel scheint dem Ganzen bei Peers Anblick nicht viel Positives abgewinnen zu können. Da er nun aber schon mal hier ist, hat er keine andere Wahl und öffnet Peer, wie gewohnt vor sich hin fluchend, die hintere Tür auf der Fahrerseite.

»Guten Tag Herr Von Känel«, begrüsst Peer den Taxichauffeur, und betont höflich fährt er fort: »Danke für das Öffnen der Tür. Ich muss aber auf der anderen Seite einsteigen. Sie wissen ja, der Gips.«

Von Känel flucht etwas wie »Scheiss-Studenten« vor sich hin und schmettert die eben geöffnete Tür wieder zu.

Scheiss-Studenten hätte er besser nicht gesagt. Damit hat er Peers Konfliktbereitschaft, die durch die Pubertät eh schon besonders ausgeprägt ist, erst recht angestachelt.

Der Taxichauffeur will sich gerade hinter das Steuerrad zwängen, als Peer, bei der hinteren Tür auf der Beifahrerseite stehend, mit aufgesetzter Unschuldsmiene fragt: »Würden sie mir bitte die Türe öffnen?«

Damit hat Peer voll ins Schwarze getroffen. Mit hochrotem Kopf, und als würden seine Ohren gleich zu Überdruckventilen mutieren und zum Dampfablassen pfeifen, stampft Von Känel auf die andere Seite seines Taxis und reisst die hintere Türe auf, dass es in den Scharnieren nur so kracht.

Übertrieben höflich bedankt sich Peer, streckt dem Taxichauffeur die Krücken entgegen und fügt provozierend an: »Bitte halten sie diese rasch, damit ich einsteigen kann.«

»Ich werde dir gleich …«, explodiert Von Känel ausser sich, und indem er mit seiner Stirn beinahe Peers Stirn berührt, zischt es bedrohlich zwischen seinen zusammengebissenen, gelben Zähnen hervor: »Du steigst jetzt sofort ein, oder …!«

Von Känels Atem riecht unangenehm nach Knoblauch und Zigaretten. Peer zieht es vor, die Krücken selber zu halten und ohne weitere Bemerkung einzusteigen.

Auf dem Weg ins Spital fällt kein Wort. Dort angekommen, bezahlt Peer die Fahrt und gibt dem Taxichauffeur ein rechtes Trinkgeld. Es verschafft ihm Genugtuung zu wissen, dass sich dieser nun Vorwürfe macht, sich so unhöflich benommen zu haben.

Peer meldet sich bei der Patientenaufnahme.

»Aha, Herr Nickels. Guten Tag«, begrüsst ihn die adrette, ältere Dame am Empfang freundlich. »Sie werden bereits erwartet. Im Gipsraum. Sie wissen ja schon, wo das ist.«

Peer fährt mit dem Aufzug in den zweiten Stock und drück die Klingel zum Gipsraum. Die Tür ist nur angelehnt.

»Herein«, tönt eine Männerstimme durch den kleinen Türspalt.

Verdammt, wieder nicht Schwester Marion, denkt Peer enttäuscht und betritt etwas verunsichert den Raum. Doch dann sieht er den ihm bekannten Cand. med. Gruber, was ihm ein erleichtertes Lächeln auf die Lippen zaubert.

»Der Peer«, begrüsst ihn Gruber. Und in seiner ihm eigenen Art fährt er fort: »Gruss Peer. Ist alles klar bei dir?«

Peer gibt sich betont lässig und erwidert, vielleicht eine Spur zu lässig: »Auch Gruss. Bei mir, alles klar. Selber?«

»Oh, der Peer ist gut drauf«, ist Cand. med. Gruber erfreut. Und nicht weiter auf Peers Frage eingehend stellt er fest: »Heute kommt der Gips definitiv weg. Freust du dich?«

»Ja, es wird langsam Zeit, das lästige Ding loszuwerden. Hoffentlich geht das dieses Mal ohne Zwischenfälle«, ist Peer etwas besorgt.

Doch Cand. med. Gruber beruhigt ihn: »Heute mache ich das selber. Mit der Fräse. Diese ist wieder repariert und viel komfortabler, als die Schere.«

Tatsächlich verläuft das Aufschneiden des Gipses mit der Fräse problemlos. Das Bein ist noch dünner geworden und noch stärker behaart, als beim letzten Gipswechsel.

»Steh mal mit dem linken Bein neben die Liege und nimm dann langsam das rechte Bein runter«, fordert Cand. med. Gruber Peer auf.

Peer rutscht vorsichtig von der Liege und stellt, auf dem linken Bein stehend, vorsichtig das rechte, jetzt vom Gips befreite Bein, mit beiden Händen daneben. Doch kaum ist dieses von der Liege runter, wird es gleich wieder wie von Geisterhand nach oben gehoben.

»Wow«, entfährt es Peer. »Was ist jetzt das bloss?!«

»Alles in Ordnung«, beruhigt Gruber. »Die Muskulatur ist immer noch an den schweren Gips gewöhnt. Daher geht das Bein automatisch nach oben. Aber das wird sich gleich normalisieren.«

Natürlich kann Peer das Knie des vorher eingegipsten Beines noch nicht biegen. Cand. med. Gruber instruiert ihn in den Übungen, die er laufend machen muss, um die volle Funktionsfähigkeit des lädierten Knies wieder herzustellen. Das ist sehr schmerzhaft, und es wird noch Wochen dauern, bis die Muskulatur wieder aufgebaut und das rechte Bein wieder voll einsatzfähig sein wird.

Doch der Heilungsprozess verläuft ausgesprochen gut. Die Muskulatur baut sich überraschend schnell wieder auf und eh sich Peer versieht, ist beinahe alles wieder so, wie vor dem Unfall. Nur voll belasten kann er das ehemals ausgehängte Knie in gebeugtem Zustand nicht. Dieses kleine Handicap stört Peer jedoch nicht wirklich. Er kann eigentlich ohne Einschränkungen wieder alles machen, wie vor dem Unfall. Das ist sehr wichtig für ihn, denn ein bis zwei Mal pro Trimester, je nach Burris mentaler Verfassung, ist Ausgang angesagt. Und da muss marschiert werden …

Und heute ist es wieder mal so weit. Freier Ausgang. Für Peer, Alfredo und Thomas heisst das: Fussmarsch nach

Brunnen, denn das Benützen von Verkehrsmitteln jeglicher Art ist strengstens verboten.

Die Jungs wollen sich an diesem wunderschönen Sonntag im Juni im Dancing Eden in Brunnen vergnügen. Sie waren schon öfters dort und wurden noch nie enttäuscht. Jedes Mal waren die hübschesten Mädchen von Brunnen und Umgebung anwesend. Es scheint so, als wüssten diese besser Bescheid über die Sonntage mit freiem Ausgang, als die Studenten selber.

Und dann gibt es da diese kuscheligen, dunklen Ecken im Dancing … Wie der Name schon sagt: Paradiesisch eben.

Bevor es aber in den Ausgang geht, findet wie jeden Sonntag um zehn Uhr dreissig die Heilige Messe in der grossen Kollegiums-Kirche statt.

Und diese dauert!

Gute eineinhalb Stunden, an kirchlichen Feiertagen sogar noch länger, müssen die rund achthundert Studenten mit aufstehen, knien, sitzen, singen und beten ausharren.

Die Kirche ist auch heute bis auf den letzten Platz besetzt. Oben auf den kleinen Emporen hören die Messebesucher aus dem Dorf und die Eltern, die ihre Buben zum auswärtigen Mittagessen abholen, andächtig der schwulstigen Predigt von Pater Paul Kamer zu. Die meisten Studenten interessiert das aber weniger. Obwohl Pater Kamer ein begnadeter Rhetoriker ist, lesen sie lieber in ihren im Gesangsbuch versteckten Novellen und Geschichtsbändchen. Das ist interessanter, und die Zeit vergeht so schneller.

Aber aufgepasst!

Präfekt Burri ist überall. Bevorzugt äugt er von den Emporen hinunter. Keineswegs andächtig, wie man meinen könnte. Vielmehr ist er auf der Suche nach Studenten, die er heute, anstelle des freien Ausgangs, zu einem Strafmarsch auf die Haggenegg verknurren kann. Und wenn er die Übeltäter nicht selber sieht, dann vielleicht seine Denunzianten – »Schülerräte« genannt. Auch wieder so ein Akt »christlicher Nächstenliebe«, wie man ihn in einem katholischen Internat eigentlich nicht erwartet.

Peer und seine Freunde haben heute aber nichts zu befürchten. An einem Sonntag mit freiem Ausgang wie heute, riskieren sie nichts und verhalten sich vorbildlich.

Und dann, endlich, ist die Messe vorbei. In Zweierkolonnen geht's zurück ins Studium. Vorne Vize Gasser und hinten Präfekt Burri. Immer noch ist Silentium geboten. Und wer sich nicht daran hält: Ab auf die Haggenegg!

Im Studium angekommen, gibt der Präfekt noch einmal den Tarif durch: »Mittagessen im Kollegium heute fakultativ. Wer nach Brunnen will, marschiert. Ich kontrolliere das. Beginn des heutigen Studiums, siebzehn Uhr dreissig«, und mit »Ich wünsche euch einen schönen Nachmittag« entlässt Burri die Jungs in ihren langersehnten, freien Ausgang.

Peer, Alfredo und Thomas stürmen aus dem Studium und die breite Wendeltreppe hinunter. Schnellen Schrittes geht es vorbei am alten Turnplatz, durch die Kastanienbaum-Allee hinunter ins Dorf, über den Rathausplatz und weiter Richtung Ibach. Die Jungs sind noch keine zehn Minuten unterwegs, da sehen sie bereits Burri mit seinem alten Käfer vorbeifahren.

»Nimm uns mit«, witzelt Alfredo und wirft seine Hände in die Luft, was Burri im Rückspiegel nicht entgeht.

Burri stoppt und wartet, bis die Jungs zu ihm aufgeschlossen haben.

»Ist etwas nicht in Ordnung?«, fragt er leicht verunsichert.

»Nein, nein«, winkt Alfredo ab, »ich habe den andern nur etwas erklärt. Und bei uns in Peru sind beim Reden die Hände nun mal immer mit dabei.«

»Ach so«, gibt sich der Präfekt beruhigt. »Dann weiterhin einen schönen Nachmittag«, und weg ist er mit seinem alten Käfer, eine stinkende, kleine Abgaswolke hinter sich herziehend.

»Der war aber jetzt ziemlich freundlich«, ist Thomas etwas erstaunt.

»Scheint mir auch so«, pflichtet ihm Peer bei. »Ich denke, mit unserer ›Kriminalaktion‹ haben wir ihn beeindruckt.«

»Ist ja nur gut für uns, Muchachos«, meint Alfredo erfreut. »Er soll sich gefälligst in Zukunft immer daran erinnern und uns stets bevorzugt behandeln.«

Die Jungs lachen und Peer erwidert ironisch: »Könnt ihr vergessen. Burris leicht sadistische Ader wird so etwas zu verhindern wissen.«

Inzwischen haben die drei Freunde Ibach schon fast passiert, und vor ihnen liegt das letzte Stück Weg zu ihrem »Paradies«, die lange, gerade Strecke nach Brunnen. Während sie schnellen Schrittes auf dem parallel zur Strasse verlaufenden Fussgänger- und Fahrradweg unterwegs sind, fährt Burri auf seiner Kontrollfahrt erneut an ihnen vorbei. Sie wissen: Das ist Burris bevorzugte Beschäftigung an jedem Sonntag mit freiem Ausgang. Burri notiert sich jeweils die Namen aller Studenten, die er unterwegs nach Brunnen sieht. Und sie alle will er wieder auf dem Rückweg ins Kollegium sehen. Sonst: Nächster freier Ausgang gesperrt und stattdessen Strafmarsch auf die Haggenegg!

Die Jungs passieren bereits das Kloster Ingenbohl.

»Jungs, haltet eure Hosen fest! Gleich kommen die Ingenbohl-Schülerinnen«, witzelt Alfredo.

Natürlich wissen die Burschen, dass das Kloster Ingenbohl und das Kollegium Schwyz ihren Schülerinnen und Schülern nie am gleichen Sonntag freien Ausgang gewähren. Die Begründung dazu ist, man wolle nicht die Unzucht fördern …!

Es ist schon erstaunlich, welch kranke Gedanken Zölibat und sexuelle Enthaltsamkeit in den Köpfen der Betroffenen auslösen können. In diesen Kreisen scheint klar zu sein, dass pubertierende Jungs und Mädchen sofort übereinander herfallen, wenn sie sich begegnen. Sexualität ist bei katholischen Fundamentalisten auch im zwanzigsten Jahrhundert immer noch ein Werk des Teufels.

Mittlerweile haben Peer und seine beiden Freunde den Dorfkern von Brunnen erreicht. Vor ihnen liegt die Seepromenade. Nun nur noch links abbiegen. Und da ist es! In grossen Lettern steht über dem Eingang geschrieben »Dancing Eden«.

»Super! Wir sind da«, ist Peer erleichtert.

»Hoffentlich hat es ein paar heisse Chicas«, meint Alfredo euphorisch.

Und auch Thomas, eher der ruhige Typ, kann sich nicht mehr zurückhalten und sprudelt los: »Haltet die Hüte! Jetzt kommen wir!«

»Gehen wir zuerst auf die Toilette«, schlägt Peer vor. »Wir müssen uns noch ein bisschen stylen. Und dann, diese staubigen Schuhe!«

Die Jungs verschwinden in den Sanitärräumen. Nach höchstens drei Minuten sind sie aber bereits wieder draussen. Schliesslich wollen sie keine Zeit mehr verlieren. Zu nahe ist die holde Weiblichkeit.

So stehen sie nun – Schuhe: Sauber, Schweissperlen im Gesicht: Weggewischt, Haare: Sorgfältig gekämmt – etwas verlegen vor der Tür zu ihrem »Paradies«. Aber plötzlich will keiner mehr der Erste sein. Einer muss sich noch rasch schnäuzen. Der andere muss seine Schuhe neu binden, obwohl diese perfekt gebunden sind. Jeder wartet, dass der andere den ersten Schritt macht.

Alfredo fasst sich als Erster ein Herz: »Ich bin der Schönste. Ich gehe zuerst.«

Weder Peer noch Thomas widersprechen. Sie sind froh, dass Alfredo den Anfang macht. Als dieser die Tür zum Tanzlokal öffnet, läuft gerade »Je t'aime moi non plus« von Serge Gainsbourg und Jane Birkin, jenes Stück, das sie im Kollegi-Schlafsaal nicht mehr zu hören bekommen.

Die drei müssen sich zuerst an das schummrige Licht gewöhnen, bevor sie etwas erkennen können. Doch dann stellen sie mit Freude fest, dass lediglich zwei Jungs, die sie jedoch nicht kennen, an der Theke stehen. Sonst aber sitzen überall im Dancing Mädchen in Zweier- oder Dreiergruppen oder alleine an kleinen Tischen auf den roten Plüschsofas.

»¡Hombre! Qué mujeres«, bricht es aus Alfredo heraus. »Alle geheimnisvoll wie Wundertüten. Die warten nur darauf, ausgepackt zu werden.«

Wie auf Kommando gehen die Blicke der Girls teils frech und provozierend, teils verstohlen und verlegen, hinüber zu den eben Eingetretenen. Diese fühlen sich natürlich erst recht als die Grössten, und ihre Blicke werden noch eine Spur überlegener.

Auf der Tanzfläche ist niemand. Peer, Alfredo und Thomas stellen sich zuerst mal an die Theke und bestellen das Kultgetränk Nummer eins: Coca-Cola. Hier haben sie den ganzen Raum im Überblick. Betont gleichgültig schauen sie sich um. Überall zücken die Mädchen hastig ihre Spiegel und legen da etwas Wangenrouge und dort etwas Lippenstift nach. Jede will die Schönste sein.

Thomas findet als Erster die Sprache wieder: »He, sieht mal dort hinten«, fordert er Peer und Alfredo mit einer unauffälligen Kopfbewegung in die entsprechende Richtung auf. »Die drei dort scheinen nur auf uns zu warten.«

»Nicht ganz mein Fall«, gibt sich Alfredo desinteressiert. »Ich brauche eine heisse Südländerin.«

»Da bist du ja hier genau richtig«, entgegnet Peer sarkastisch. »Nimm deine Südländerinnen! Thomas und ich kümmern uns dann um den Rest. Wir stehen auf blond.«

Blondinen sind klar in der Überzahl. Und zum Teil, da sind sich die drei Jungs einig, ganz scharfe Miezen.

»Das kann ich nicht verantworten. Ich opfere mich«, spielt Alfredo den Hilfsbereiten, »und nehme für einmal eine kühle Blonde statt eine heisse Schwarzhaarige.«

»Habe auch nichts anderes erwartet«, pflichtet ihm Peer bei. »Du bist doch unser Freund«, und augenzwinkernd fährt er fort: »Das muss ja echt hart für dich sein.«

Damit ist das entsprechende Stichwort gefallen, und Alfredo meint aufgekratzt: »Apropos hart, hoffentlich haben die Reissverschlusshersteller an solch potente Leute wie mich gedacht und ...«

»Und womit wir wieder beim Thema wären«, fällt ihm Peer ins Wort, um dann selber mit dieser schlüpfrigen, bei Pubertierenden aber äusserst beliebten Unterhaltung weiterzufahren: »Du kannst beruhigt sein. Riri-Reissverschlüsse werden für Schweizer hergestellt und müssen so nicht nur einen massiven Druck aushalten, sondern werden täglich noch zig Mal auf und zu gemacht – und das nicht nur zum Wasserlösen!«

»Weiss ich doch«, verteidigt sich Alfredo nonchalant. »Bin doch selber ein entsprechend gut bestückter Schweizer.«

Die Jungs brauchen diese anzügliche Konversation, um sich gegenseitig anzustacheln und ihre Scheu vor dem weiblichen Geschlecht herunterzuspielen. Nach und nach laufen sie zur Hochform auf, und ihre gesteigerte Hormonausschüttung lässt sie die anwesenden Mädchen etwas genauer betrachten.

»Die dort hinten, die Blonde, die alleine sitzt, die muss ich mal etwas genauer anschauen«, sagt Peer, steht auf und schlendert betont lässig über die Tanzfläche Richtung Auserwählte.

Es entgeht ihm nicht, dass die Blicke der übrigen Anwesenden ihm gespannt folgen. Jetzt nur nicht stolpern, denkt er, sonst habe ich hier nichts mehr verloren. Doch er lässt sich seine Unsicherheit nicht anmerken und erreicht seine hübsche Blonde ohne Zwischenfälle. Von nah sieht sie ja noch besser aus, denkt Peer, Wespentaille, feste Brüste, scharfe Figur.

»Ich bin der Peer. Darf ich der Prinz auf deinem Sofa sein?«, spricht er sie charmant an.

Damit scheint Peer den richtigen Ton getroffen zu haben.

Die Angesprochene schaut ihn mit ihren grossen, dezent geschminkten Augen etwas verlegen an, und mit einer einladenden Handbewegung zum Sofa antwortet sie leise: »Bitte.«

»Danke. Wie heisst du denn?«, will Peer wissen.

»Sybille.«

»Bist du von der Ingenbohl-Schule?«, und im selben Moment, da ja allgemein bekannt ist, dass die Schule Ingenbohl und das Kollegium Schwyz nie zusammen Ausgang haben, wird sich Peer der Einfältigkeit seiner Frage bewusst. Hastig versucht er die Peinlichkeit zu überspielen, indem er fortfährt: »Ich meine natürlich: Gehst du als Externe in die Ingenbohl-Schule?«

»Externe? Was ist das?«, fragt Sybille leicht irritiert.

Hoppla, denkt Peer überrascht. Das Vorurteil scheint sich zu bestätigen: Blond und blöd.

In diesem Moment steht Sybille ruckartig auf und flötet: »Ich muss rasch auf die Toilette. Bin gleich zurück.«

Ganz Gentleman, steht Peer auch auf, und mit einem kleinen Hofknicks schleimt er: »Bitte die Dame. Ich kann deine Rückkehr kaum erwarten.«

Jedes andere Mädchen hätte Peers Ironie in der Stimme bemerkt und ihn zum Teufel geschickt. Nicht so Sybille. Diese fühlt sich geehrt und stöckelt mit einem Lächeln elegant davon. Wow, denkt Peer begeistert, dieses kurze, enganliegende Kleidchen und diese Beine, was doch der Herrgott immer wieder für schöne Sachen macht.

Rasch geht Peer hinüber zur Theke, wo Alfredo und Thomas immer noch am Überlegen sind, welche denn für sie heute die Richtige ist.

»Habt ihr diesen Body gesehen?«, sprudelt es voller Begeisterung aus Peer heraus.

»Und dieses Röckchen! Einen Zentimeter kürzer, und du hast freie Sicht auf den Hügel der Erleuchtung«, pflichtet ihm Alfredo ebenso begeistert bei.

»Bist du damit nicht hoffnungslos überfordert?«, meldet sich nun auch noch Thomas. »Selbstverständlich opfere ich mich für dich! Bin doch dein Freund!«

»Das sagst gerade du«, lacht Peer, und übermütig täuscht er einen rechten Hacken an Thomas' Kinn an.

Doch der hinter der Theke stehende Kellner scheint das in den falschen Hals zu bekommt.

»Wenn ihr Probleme machen wollt, fliegt ihr raus«, schnauzt er die Jungs an.

»Keine Probleme. Alles klar«, besänftigt ihn Alfredo. Und leise fügt er an: »Hijo de burro«, was soviel wie Sohn eines Esels heisst.

Zum Glück versteht der Kellner kein Spanisch und lässt es bei einem mahnenden Blick bewenden.

»Ich muss wieder aufs Sofa. Die kann jeden Augenblick zurückkommen«, meint Peer nervös, und mit »Sie ist zwar nicht die Hellste, aber wen interessiert das unter den gegebenen Umständen schon« huscht er wieder zurück auf sein Sofa.

Und wie sich herausstellt, keine Sekunde zu früh! Denn kaum hat er sich hingesetzt, schwebt Sybille auch schon durch den Raum auf ihn zu. Peer schnellt hoch, und nachdem sich Sybille würdevoll niedergelassen hat, nimmt auch Peer möglichst nah an ihrer Seite Platz.

Sybille ist sich ihrer Reize bewusst und setzt diese gezielt für das Erreichen ihrer geheimen Wünsche ein. Dabei müsste sie Peer nur sagen, was sie will, und sie könnten gleich ohne das übliche Gesülze zur Sache kommen. Doch so muss Peer weiter leiden. Seine »Männlichkeit« drückt ihn gewaltig in der Hose. Am liebsten würde er seinen heftig pochenden »Freund« herausholen und ihm etwas Freiheit gönnen. Doch das geht natürlich nicht. Jetzt nur nicht zu viel daran denken, schiesst es ihm durch den Kopf, sonst geht das Ganze womöglich doch noch plötzlich sprichwörtlich in die Hosen.

Doch bei Sybilles Rocksaum, der zudem immer höher rutscht, ist das fast ein Ding der Unmöglichkeit. Peer kann nicht anders und legt seine Hand zögerlich auf Sybilles Oberschenkel. Er tut das möglichst beiläufig und sicherheitshalber in der Nähe des Knies. Ein leichtes Zucken durchfährt ihren Körper. Die von Peer erwartete Reaktion, nämlich, dass sie ihm Eine schmiert, bleibt aber aus. Aha, die mag das, ist Peer überzeugt, und ermuntert durch diesen kleinen Erfolg beginnt er Sybilles Oberschenkel behutsam zu streicheln. Immer höher Richtung Rocksaum wandert seine Hand. Sybille geniesst das sichtlich. Entspannt lehnt sie sich zurück und unterbricht die eh schon harzige Konversation zusätzlich immer wieder durch leichtes Stöhnen.

Peers Blick geht hinüber zur Theke, und er stellt fest, dass Alfredo ebenfalls weg ist. Nur Thomas sitzt weiterhin dort und tauscht etwas verlegen ein paar Worte mit einem neben ihm stehenden Mädchen aus. Die junge Dame zeigt auf einen Tisch in der Ecke gegenüber Peer, wo zwei weitere Girls sitzen und Thomas zu sich winken. Dieser steht auf, zögert kurz, folgt dann aber, das Glas in der Hand, selbstbewusst der Schönen an ihren Tisch mit den zwei Kolleginnen.

Was für ein Schwerenöter, denkt Peer erstaunt. Da gibt er sich, als könnte er kein Wässerchen trüben, und nun sitzt er da, mit drei Frauen, alle schlank, sexy und mit Oberweiten, in die ich mich auch mal gerne vertiefen würde.

Thomas sucht Peers Augenkontakt und platzt beinahe vor Stolz über seine Eroberungen. Peer nickt ihm anerkennend zu und wünscht ihm in Gedanken Gutes Gelingen.

Aber wo ist Alfredo? Peer kann ihn nirgendwo sehen. Der wird doch nicht etwa »in die Vollen« gegangen sein. So kenne ich ihn ja gar nicht, denkt Peer etwas ratlos. Und ein leichtes Unwohlsein befällt ihn. In diesem Moment öffnet sich die Tür, und Alfredo betritt mit finsterer Miene das Dancing. Er geht direkt auf Peer zu.

»Mierda hombre. Ich habe den Dünnpfiff. Muss alle fünf Minuten auf die Toilette«, knurrt er sichtlich wütend. »Ich gehe schon mal zurück ins Kollegi.«

Peer versucht sich zu beherrschen, kann sich aber ein Lachen nicht ganz verkneifen.

»Entschuldige bitte. Es ist nicht böse gemeint. Aber wie willst du das machen?« Doch dann kann sich Peer nicht mehr zurückhalten und prustet los: »Du wirst dir in die Hosen scheissen!« Und nachdem er sich wieder etwas gefasst hat, fährt er fort: »Von hier ins Kollegi ist's fast eine Stunde zu Fuss. Du musst dir Windeln montieren«, und bei Peer geht die nächste Lachsalve los.

»Du bist ein Arsch! Aber ist ja gut, du hast Recht«, gibt sich Alfredo versöhnlich. »Allerdings, wenn ich es mir recht überlege, wird es keine fünf Minuten dauern, und der Burri fährt vorbei. Der wird mich sicher mitnehmen, wenn ich ihm sage, was los ist.«

»Denke ich auch«, meint Peer wieder gefasst.

»Ok, dann gehe ich jetzt noch mal aufs ›Stille Örtchen‹ und mache mich anschliessend direkt auf den Weg nach Schwyz.«

Bevor Alfredo das Dancing verlässt informiert er noch Thomas. Dann ist er weg.

Sybilles Puls hat sich durch die kurze Diskussion zwischen Peer und Alfredo wieder ziemlich normalisiert. Auch die Spannung in Peers Hose hat sich sprichwörtlich gelegt. Für Peer heisst das: Auf ein Neues mit Sybille! Da er aber jetzt weiss, dass sie seine Streicheleinheiten nicht nur geniesst, sondern förmlich danach dürstet, beginnt er mit diesen nicht mehr unten beim Knie, sondern direkt unterhalb des Rocksaumes. Es dauert dann auch keine halbe Minute, und Sybille lehnt sich wieder entspannt zurück und geniesst Peers Berührungen. Im Gegensatz zu Sybilles *Ent*spannung steigt in Peers Hose die *Ver*spannung. Die beiden geben sich betont gleichgültig, so dass ihre eindeutig zweideutigen Aktivitäten nicht weiter auffallen.

Peer führt seine streichelnde Hand langsam zu Sybilles Oberschenkelinnenseite, was diese auch gleich kurz etwas heftiger aufstöhnen und ihre bis jetzt zusammengepressten

Beine leicht öffnen lässt. Der »kleine Peer« in seiner Hose scheint jeden Augenblick zu explodieren.

Jetzt nur keine Schussabgabe bevor sie fertig ist, denkt Peer und stellt den Daumen seiner streichelnden Hand rechtwinklig aus.

Als er so mit der Hand wieder nach oben fährt, kann er aus den Augenwinkeln beobachten, wie er mit dem ausgestellten Daumen leicht an Sybilles Venushügel stösst. Sybille atmet schwer und spreizt ihre Beine unweigerlich ein bisschen weiter auseinander.

Daumen etwas mehr nach unten, resümiert Peer in Gedanken, und führt das auch sofort aus.

Bei der nächsten Berührung sitzt der Daumen genau dort, wo Peer ihn haben will. Sybilles genüsslicher Seufzer und ein heftiges Schaudern ihres Körpers bestätigen ihm, dass er genau den richtigen Punkt getroffen hat. Sanft fährt er mit seinen Streichelbewegungen fort, stets darauf erpicht, dass sein Daumen immer kurz Sybilles Lust spendende Stelle berührt.

Der Erfolg lässt dann auch nicht lange auf sich warten. Peers Daumen drückt wieder sanft genau auf den neuralgischen Punkt, als Sybille mit einem kurzen, spitzen Schrei und einem unkontrollierten Zittern ihres Körpers heftig explodiert. Unweigerlich öffnet sie ihre Beine weiter, und während sie sich nach hinten fallen lässt, kann Peer sehen, wie sich ihr hellblaues Höschen langsam dunkelblau färbt.

Schwer atmend richtet sich Sybille wieder auf, immer wieder von »Nachbeben« durchgeschüttelt. Auch Peer ist am Anschlag. Krampfhaft versucht er, sich gedanklich abzulenken. Das gelingt ihm auch recht gut, bis ihm Sybille im Affekt eines »Nachbebens« unverhofft zwischen die Beine fasst. Jetzt ist es auch um Peer geschehen. Mit pulsierenden Bewegungen entleert sich sein bestes Stück schlagartig in seinen Slip. Mehr schlecht als recht kann er einen Lustschrei unterdrücken, was ihm aber im Moment absolut gleichgültig ist.

Peer und Sybille fallen entkräftet in die weichen Sofakissen zurück. Mit geschlossenen Augen versuchen sie, den Zustand der Ekstase möglichst lange aufrecht zu erhalten. Als sie nach einiger Zeit plötzlich realisieren, dass sich zwischen ihren Beinen immer noch die Hand des anderen befindet, ziehen sie diese erschrocken zurück. Zum Glück ist die Musik laut, und alle Gäste sind mit sich selber beschäftigt. So hat, wie es scheint, niemand im Dancing etwas von den heissen Aktivitäten der beiden mitbekommen.

Als Erste steht Sybille auf und verlässt wortlos den Raum. Die geht wohl auf die Toilette, denkt Peer und macht sich selber dorthin auf den Weg. Er muss unbedingt etwas gegen das nasse und kalte Gefühl in seiner Hose unternehmen. Noch sieht man nichts. Aber wenn er noch länger wartet, wird sich seine Hose unten herum auch langsam dunkel färben, wie Sybilles Slip.

Auf der Toilette versucht er die neuralgische Stelle in seiner Unterhose so gut wie möglich mit WC-Papier zu trocknen. Das gelingt ihm nicht schlecht. Das Papier ist mehrlagig und recht saugfähig. Vorsichtshalber steckt er noch ein paar Blätter davon in die Unterhose bevor er zurück ins Dancing geht.

Thomas sitzt immer noch bei seinen drei Girls. Er scheint sich blendend zu unterhalten. Peer winkt ihn zu sich und geht ihm ein paar Schritte entgegen.

»Wir sollten langsam gehen, wenn wir nicht zu spät kommen wollen«, mahnt Peer.

»Ok. Treffen wir uns in fünf Minuten draussen«, pflichtet ihm Thomas bei und huscht zurück zu seinen Eroberungen.

Der scheint es ebenfalls zu geniessen. Wenn auch etwas anders als ich, denkt Peer, und ein verschmitztes Lächeln huscht über sein Gesicht.

Die fünf Minuten sind um, und Sybille ist noch immer nicht zurück. Peer wird leicht nervös. Was macht die denn bloss so lange auf der Toilette, fragt er sich. Ich gehe wohl besser mal nachschauen.

Die Damentoilette befindet sich hinten im Gang.

Peer öffnet die Tür einen Spalt breit und ruft verhalten: »Sybille, bist du da?«

Keine Antwort. Peer öffnet die Tür etwas weiter und versucht es erneut, dieses Mal etwas lauter: »Sybille. Ich muss gehen.«

Wieder keine Antwort.

»Na gut. Dann halt nicht«, murmelt Peer vor sich hin und verlässt das »Eden«.

Draussen wartet bereits Thomas.

Etwas ungeduldig fragt er: »Wo warst du denn? Ich habe dich gesucht?!«

»Meine ist einfach abgehauen. Ohne sich zu verabschieden«, erwidert Peer leicht enttäuscht.

»Kein Problem«, erwidert Thomas aufgekratzt. »Ich habe die Telefonnummern meiner drei Frauen. Die rufen wir einfach bei unserem nächsten Ausgang an. Du wirst sehen, die sind ganz lässig und werden dir auch gefallen.«

»Ja, klar. Machen wir«, pflichtet ihm Peer bei, und schnellen Schrittes machen sie sich auf den Weg nach Schwyz.

Zurück im Kollegi bleiben ihnen noch gut zehn Minuten, bis das Studium beginnt. Umringt von Alfredo, Mike und ein paar anderen Freunden geben sie ihre erotischen Erlebnisse im Dancing Eden zum Besten. Natürlich nicht ohne da und dort etwas zu übertreiben. Fasziniert, und nur unterbrochen durch gelegentliche Bemerkungen wie »Unglaublich«, »Super« oder »Echt scharf«, hängen die Jungs an den Lippen von Peer und Thomas und nehmen sich vor, sich beim nächsten Ausgang den beiden anzuschliessen.

Doch die Girls im Dancing Eden werden sich noch etwas gedulden müssen. In wenigen Tagen geht das Schuljahr 1966/1967 zu Ende, und die Jungs werden sich für rund zwei Monate in die Sommerferien verabschieden.

14

Peers Eltern sind in der Zwischenzeit in die Nähe von Bern gezogen. Der Vater betreibt in Bern selber seit einiger Zeit eine Autoreparaturwerkstatt.

Eine Stadt wie Bern bietet jungen Menschen eine Fülle an Möglichkeiten, sich zu vergnügen, oder einfach nur rumzuhängen und nichts zu tun. Für Peer eine ganz neue Erfahrung. Zudem wohnt Thomas, sein Freund aus dem Kollegi, in Bern.

Peers neue Wohngemeinde ist ab Bern mit den öffentlichen Verkehrsmitteln sehr gut erschlossen. Daher verbringt Peer die meiste Zeit seiner Ferien in der Stadt, zusammen mit Thomas. Dieser verfügt über vielfältige Insiderinformationen, und es wird den beiden nie langweilig. Peer ist überaus glücklich, so den ewigen Nörgeleien seines Vaters etwas entfliehen zu können. Er lernt viele neue Jungs und Mädchen in seinem Alter kennen und verbringt zum ersten Mal richtig erholsame Ferien.

Bei so viel Neuem vergehen die zwei Ferienmonate im Eilzugtempo. Ehe sich Peer versieht, ist September, und im Kollegium Schwyz beginnt schon wieder das neue Schuljahr.

Peer und Thomas reisen mit dem Zug nach Schwyz, respektive nach Seewen. In Luzern steigt mit grossem »Hallo« Alfredo zu. Klar, dass die beiden – Peer und Alfredo – ihre Gitarren hervor holen und einen Hauch Lagerfeuer-Romantik ins Zugsabteil zaubern.

In Seewen angekommen, nehmen die Jungs für die restlichen drei Kilometer bis zum Kollegium Maria Hilf ein Taxi. Nun stehen sie wieder hier, vor diesem mit Türmen bestückten, riesigen Gebäudekomplex und hoffen, dass Maria ihnen auch wirklich ab und zu hilft.

»Auf zu neuen Taten«, versucht Peer die aufkommende Wehmut etwas herunterzuspielen.

»Vielleicht haben wir ja morgen als Erstes gleich Mathe mit der sexy Baierl«, doppelt Alfredo nach. Und bewusst zweideutig meint er, auf die Slip-Blitzer anspielend: »Etwas für die Hosen!«

Damit ist die gute Stimmung gerettet. Die Jungs suchen den Schlafsaal auf und räumen ihre Kleider in die Kästen. Sie können dieselben Kojen beziehen, die sie schon letztes Schuljahr hatten.

Im Schlafsaal ist Präfekt Burri bereits wieder auf Kontrollgang. Er selber versucht zwar sein »Durch-die-Gänge-Defilieren« als »Begrüssungsgang« auszugeben, doch bei den Jungs kommt er damit nicht durch. Diese kennen ihn bereits zu gut. Sie wissen, dass Burri die christliche Nächstenliebe leicht anders definiert. Und wer das noch nicht realisiert hat, muss bloss auf Burris Umgangston und darauf achten, wie er für jede Unachtsamkeit der Studenten gleich Strafe androht.

Aber selber immer andächtig in der Bibel lesen …! Burri eben.

Heute fällt das Abendstudium aus. Stattdessen dürfen die Jungs nach dem Nachtessen eine halbe Stunde länger ihren Abendspaziergang geniessen.

Peer, Alfredo und Thomas wollen noch rasch zu einem Schlummertrunk ins Restaurant Sonne. Es ist schon dunkel, und sie nehmen daher eine vom Kollegium her nicht einsehbare Abkürzung abseits der beleuchteten Strasse. Dieser schmale Naturweg führt über eine längere Strecke zwischen zwei schulterhohen Mauern hindurch. Gleich beim Einbiegen in dieses Strässchen sehen sie, dass ihnen von der anderen Seite jemand mit Hund entgegenkommt. Um einander passieren zu können, müssen sie hintereinander gehen.

Peer ist an hinterster Stelle. Weil es ziemlich dunkel ist, achtet er auf den Boden, um bei den vielen Unebenheiten keinen Fehltritt zu machen. Erst als die entgegenkommende Person an ihm vorbeigeht, schaut er auf – direkt in die Augen der blonden Schönen, die ihn seit jener Begegnung auf dem Rathausplatz nicht mehr loslässt.

Ein erschrockenes »Oh«, entfährt ihm.

Offensichtlich so laut, dass sich Alfredo und Thomas umdrehen und erstaunt fragen: »Alles klar da hinten?«

Peer macht den Mund auf und zu, wie ein Fisch, der nach Luft schnappt und bringt im ersten Moment keinen Ton heraus.

Alfredo schaut Peer überrascht an, um dann neckisch kichernd festzustellen: »¡Hombre! Das war doch die vom Rathausplatz?!«

Doch Peer hört gar nicht zu. Er steckt nur die Nase in die Luft und wiederholt immer wieder total entrückt: »Mmhh! Dieser Duft! Was für ein himmlischer Duft! Was für ein Parfüm! Klasse!«

Thomas packt ihn an den Schultern, dreht ihn um, und indem er ihm einen kleinen Schubs gibt flüstert er ihm zu: »Geh ihr nach, Junge. Das ist *die* Gelegenheit.«

Peer aber steht wie angewurzelt da. Unfähig, auch nur einen Schritt zu machen.

»Ich kann doch nicht«, wehrt er sich. »Der Hund frisst mich sofort, wenn ich ihr zu nahe komme.«

»Ist ja klar«, mischt sich nun auch Alfredo ein. »Schiss hast du. Einfach nur Schiss.«

In der Zwischenzeit haben die drei Freunde das Restaurant Sonne erreicht. Und sie haben nur ein Thema: Peers blonde Schöne.

»Die hat mich so angeschaut! Die kommt morgen wieder«, ist sich Peer sicher.

»Du hast sie ja auch gleich mit deinem unwiderstehlichen Charme total betört«, foppt ihn Alfredo.

»Die ist anders. Die kannst du nicht einfach so anquatschen«, ist Peer überzeugt. Und selbstsicher fährt er fort: »Ihr werdet sehen. Morgen mache ich sie klar.«

Peer schläft unruhig, in dieser Nacht. Immer wieder hat er das hübsche Mädchen vor Augen. Die blonden, bis auf die Schultern reichenden Haare. Die zierliche Stupsnase. Die schlanken, wohlgeformten Beine. Ihre schönen, nicht zu grossen, aber auch nicht zu kleinen Brüste. Es sind diese Brüste, die bei Peer immer wieder das Blut in die Lendengegend dirigieren. Mehrmals muss er sich in dieser Nacht Erleichterung verschaffen. Das geht beim Gedanken an seine schöne Blonde zwar schnell und problemlos, ist aber jeweils ungewohnt heftig. Peer muss gewaltig aufpassen, dass die anderen nichts von seinen Aktivitäten mitbekommen und vergräbt daher im entscheidenden Moment sein Gesicht im Kopfkissen. Zum Glück, denkt Peer, habe ich immer ein paar Nastücher im Nachtischchen. Ich kann sie ja morgen auswaschen …

Alfredo ist der Erste, der Peer bei der Morgentoilette anspricht: »So wie ich gehört habe, hast du gestern dein Zelt mehrmals auf- und abgebaut.«

»Kannst es ja gleich Burri erzählen, damit er über die Lautsprecheranlage verkündet ›Peer Nickels hat die ganze Nacht gewixt‹«, erwidert Peer genervt.

Es ist ihm peinlich, dass ihn Alfredo voll erwischt hat, obwohl sicher nichts zu hören war. Peer weiss natürlich, dass seine eben gemachte Aussage für Alfredo wie ein Geständnis ist und diesen erst recht anstachelt, weiter zu bohren.

Und wirklich: »Ich habe eine Wundcrème. Falls du irgendetwas kühlen musst, helfe ich dir damit selbstverständlich gerne aus«, hänselt Alfredo weiter und kann sich eines schelmischen Lachens nicht erwehren.

In diesem Augenblick betreten andere Studenten den Waschraum, und Peer und Alfredo wenden sich unverfänglicheren Themen zu.

Der Tag verläuft in gewohntem Trott. Für Peer allerdings viel zu langsam. Er denkt nur an das Mädchen, das er heute

Abend unbedingt näher kennen lernen will. Immer wieder geht er verschiedene Varianten durch, wie er sie denn ansprechen soll. »Hallo du. Ist der Vierbeiner dein einziger Begleiter?« – zu machomässig. »Guten Abend schöne Frau. Darf ich sie beschützen in dieser dunklen Nacht?« – zu einfältig. »Oh, welch holdes Geschöpf! Lasse sie mich ihr Bewunderer sein!« – absolut daneben.

Ich sage doch einfach nur: »Hallo. Ich bin der Peer. Darf ich dich ein bisschen begleiten?«, und je länger Peer darüber nachdenkt, desto sicherer scheint ihm diese Version die einzig richtige zu sein.

Dann endlich, Zeit für den Abendspaziergang.

Peer entschuldigt sich bei Alfredo und Thomas: »Jungs. Tut mir Leid. Ich kann heute leider nicht mit euch gehen. Ihr wisst ja: Meine Neue.«

»So schnell wirst du uns nicht los«, sticheln die zwei. »Wir schleichen dir einfach nach.«

»Dann hetzen wir den Hund auf euch«, nimmt Peer die Kampfansage mit einem Augenzwinkern an und verabschiedet sich von den beiden.

Peer wählt wieder die vom Kollegium her nicht einsehbare Abkürzung ohne Beleuchtung. Sein Herz rast, als er betont langsam auf dem schmalen Naturweg zwischen den zwei schulterhohen Mauern hindurchschlendert. Sein Blick ist gespannt auf jenen Punkt gerichtet, wo er jeden Moment die Silhouette einer Person mit Hund erwartet.

Bereits hat Peer die Hälfte des schmalen Natursträsschens durchschritten, und noch immer ist keine Person mit Hund in Sicht.

Kommt sie womöglich heute gar nicht, schiesst es ihm durch den Kopf. Hat sie vielleicht schon einen Freund und kommt gar nicht mehr hier durch, weil sie kein Interesse an anderen Jungs hat?

Tausend negative Gedanken zermartern Peers Gehirn.

Doch dann plötzlich sieht er am anderen Ende des Strässchens jemanden einbiegen und verhalten auf ihn zukommen. Aber wo ist der Hund? Weit und breit kein Hund! Wer mag das sein? So sehr sich Peer auch anstrengt, in der Dunkelheit kann er auf diese Distanz keine Einzelheiten erkennen. Am liebsten würde er jetzt rennen, um sofort Klarheit zu haben. Aber er reisst sich zusammen und zwingt sich eisern seinen bisherigen, gemächlichen Schritt beizubehalten.

Der Weg zwischen der Silhouette und ihm wird immer kürzer. Er kann jetzt erkennen, dass die ihm entgegenkommende Person einen Schal als Kopftuch trägt.

»Eine Frau«, murmelt er erleichtert. »Das ist ja schon mal gut.«

Unmerklich beschleunigt Peer seine Schritte.

Er will endlich Klarheit.

Die Spannung steigt ins Unerträgliche.

Ist es seine Angebetete?

Und wenn ja, wie wird sie reagieren?

Nur noch wenige Schritte.

Dann wird er es wissen.

Sein Herz klopft bis zum Hals.

Und plötzlich stehen sie sich wie von Geisterhand gestoppt gegenüber. Er schaut in ihr Gesicht …

Und …

Sie ist es!

Eine grosse Erleichterung durchdringt Peer. Seine Gesichtszüge entspannen sich schlagartig. Er versucht etwas zu sagen, hat aber all das, was er sich vorgenommen hat, vergessen.

Da steht sie endlich!

Peer kann es kaum fassen. Sein Traum ist wahr geworden. Sogar der dicke Wintermantel kann ihre grazile Figur nicht verunstalten.

Wie schön sie ist, denkt er. Und nach ihm unendlich scheinenden Minuten findet er seine Sprache wieder.

»Guten Abend. Ich bin der Peer. Hast du etwas dagegen, wenn ich dich ein bisschen begleite?«

»Guten Abend. Nein, ich habe nichts dagegen. Ich würde mich freuen«, antwortet sie mit warmer Stimme, und ihr scheues Lächeln zieht Peers Blicke unweigerlich auf ihre fein geschwungenen, vollen Lippen.

Was für ein Mund, schiesst es Peer voller Bewunderung durch den Kopf. Das muss der Himmel sein, diesen küssen zu dürfen.

»Ich heisse Rosalie«, unterbricht sie seine Gedanken.

»Hast du spanische Wurzeln«, will Peer sogleich wissen.

»Nein. Ich bin eine waschechte Schweizerin. Und eigentlich heisse ich Rosa. Aber die meisten nennen mich Rosalie.«

Der Name Rosalie brennt sich sogleich unauslöschlich in Peers Herz ein. Dort wird er für immer seinen Platz haben, ist sich Peer sicher.

»Gehen wir ein bisschen«, schlägt Peer vor, »am besten hier zurück, wo ich hergekommen bin, und dann links hinunter. Das Gässchen dort wird eigentlich nie von Studenten benutzt. Ideal, um uns in Ruhe zu unterhalten.«

Die ersten paar Meter gehen Peer und Rosalie wortlos nebeneinander. Die beiden schweben im siebten Himmel und bringen vor Aufregung kein Wort über die Lippen. Es ist Rosalie, die als Erste ihre Scheu überwindet.

»Bist du vom Kollegi?«, will sie zaghaft wissen.

»Ja«, erwidert Peer ebenfalls noch etwas verhalten, »ich bin jetzt schon das zweite Jahr hier.«

Damit ist der Damm gebrochen, und es entwickelt sich eine ungezwungene Konversation.

»Und ich bin als Au-pair bei einer Familie hier in Schwyz. Eigentlich wohne ich in Küssnacht.«

»Aha, am schönen Zürichsee.«

»Nein. In Küssnacht am Rigi. Am Vierwaldstättersee.«

»Das ist ja nicht so weit weg. Gehst du denn jeden Tag heim?«

»Das kann ich leider nicht. Meine Gasteltern verlassen bereits um sechs Uhr früh das Haus. Und ich bin für das Frühstück zuständig.«

»Dann musst du ja schon um fünf Uhr aufstehen?! Ist ja noch früher als wir!«

»Halb sechs reicht. Und nachher kann ich noch ein wenig schlafen. Meine Gasteltern haben keine Kinder.«

»Aber einen riesengrossen Hund.«

»Ja, der Prinz. Aber der ist lieb. Mit ihm muss ich um acht Uhr ein erstes Mal raus.«

»Und wo ist er denn heute?«

»Meine Gasteltern sind heute Abend bei Verwandten zum Essen eingeladen, und da haben sie Prinz mitgenommen.«

»Gut für uns. So können wir in Ruhe etwas plaudern.«

»Das könne wir auch, wenn er dabei ist. Der ist ganz ruhig.«

Plötzlich stoppt Rosalie. Wie sie so vor Peer steht, wird ihm erst bewusst, dass sie auch hinsichtlich Körpergrösse wunderbar zueinander passen. Rosalie ist nur etwa einen halben Kopf kleiner als er.

»So, da wären wir«, flüstert sie etwas wehmütig. »Gleich da hinten, im nächsten Haus, wohnt meine Gastfamilie.«

Es ist Peer gar nicht bewusst geworden, dass Rosalie mit ihm einen kleinen Rundgang gemacht hat, und sie gerade nur ein paar Schritte von der »Sonne« entfernt stehen.

»Oh, sind wir schon da?«, ist Peer etwas überrascht. »Schade. Ich könnte noch stundenlang mit dir reden.« Und etwas unsicher fragt er: »Sehen wir uns morgen?«

Rosalie schaut ihn lange schweigend an. Peer glaubt eine gewisse Traurigkeit in ihren grossen, blauen Augen zu erkennen.

»Ich weiss nicht«, sagt sie nachdenklich. »Ich habe erst vor zwei Monaten meine erste Beziehung beendet. Obwohl diese sehr kurz war, hat es doch sehr wehgetan. Ich möchte das nicht schon wieder erleben.«

Peer ist geschockt. Das hat er jetzt nicht erwartet. Alles, nur das nicht, schreit es in ihm, und stotternd antwortet er:

»A … aber, wi … wir … äh … haben uns doch eben erst … äh … kennengelernt. Wir wissen doch noch gar nichts voneinander … noch nichts voneinander.«

»Das ist es ja eben«, erwidert Rosalie und stochert mit der Schuhspitze verlegen im Kies des Zufahrtssträsschens zum Haus, wo sie wohnt. Und traurig fährt sie fort: »Ich möchte nicht wieder verletzt werden.«

»Das verstehe ich sehr gut, Rosalie. Doch weisst du, wir können uns einfach nur so sehen und ein bisschen miteinander plaudern, ohne etwas voneinander zu wollen.«

Im selben Moment weiss Peer aber auch, dass das eben Gesagte nicht der Wahrheit entspricht. Er hat sich bereits bei der ersten Begegnung auf dem Rathausplatz in Rosalie verliebt, ist jedoch überzeugt, wenn er ihr das jetzt gesteht, blockt sie erst recht ab.

»Ich weiss nicht«, ist Rosalie weiterhin verunsichert. Doch dann, nach langem Zögern, geht plötzlich ein Ruck durch ihren Körper. Überzeugt, das Richtige zu tun, öffnet sie Peer ihr Herz: »Also, ich vertraue dir und sage dir jetzt die Wahrheit. Weisst du noch? Unsere erste Begegnung auf dem Rathausplatz?«

»Als ob ich die je vergessen könnte«, erwidert Peer viel sagend.

»Du hast mir in die Augen geschaut und …«, Rosalie legt eine Pause ein, als müsste sie sich das Ganze noch mal überlegen. Doch dann sprudelt es unverhofft aus ihre heraus: »… und um mich war's geschehen.«

In diesem Moment kümmert es Peer nicht mehr, dass sie unter einer Strassenlampe wie auf dem Präsentierteller stehen. Er geht einen Schritt auf Rosalie zu, nimmt sie in den Arm und drückt sie fest an sich. Rosalie erwidert Peers Umarmung. Ein unbeschreiblich schönes Gefühl durchströmt ihre Körper, als sie sich zum ersten Mal lange und innig küssen. Peer spürt ihre festen Brüste und zieht verlegen seinen Hüftbereich etwas zurück, als er seine aufkommende Erektion spürt. Doch zu spät. Rosalie hat bereits realisiert, was bei Peer da unten los ist. Entschlossen öffnet sie ihren Mantel und drückt ihren Venushügel gegen Peers pulsierende »Männlichkeit«.

So stehen sie sicher fünf Minuten. Küssend und mit fest aneinander gepressten, leicht hin und her wiegenden Körpern flüstern sie sich Zärtlichkeiten ins Ohr. Peer hat grosse Mühe, seine Ejakulation unter Kontrolle zu halten. Rosalie lässt bewusst ihren Venushügel leicht auf Peers Penisschaft kreisen.

Und dann ist es doch so weit. Peer kann sich nicht mehr zurückhalten. Mit kaum unterdrückbarem Stöhnen und zwei, drei unkontrollierten Kopulationsbewegungen zwingt ihn ein gewaltiger Orgasmus kurz leicht in die Knie.

»Entschuldige bitte. Das ist mir jetzt peinlich«, presst er hervor. Und mit einem verlegenen Lächeln fährt er fort: »Aber bei dir bin ich halt machtlos.«

Rosalie küsst ihn zärtlich und haucht: »Ist doch kein Problem. Sei froh, dass alles so gut funktioniert.« Und indem sie Peer in den Schatten des nachbarlichen Gartenhäuschens zieht, reicht sie ihm ihr Taschentuch und flüstert verlegen: »Aber putzen musst du selber.«

Peers Ohren glühen. Nur gut, dass es dunkel ist, denkt er und streicht ihr zärtlich über die Wange.

»Danke. Ich nehme meins«, und umständlich stopft er sich sein eigenes Taschentuch vorne in die Hose, um einem sichtbaren Fleck so gut wie möglich vorzubeugen.

Pubertät kann manchmal so unkontrollierbar fies sein …

Peer geht mit Rosalie noch die wenigen Schritte bis zu ihrem Haus. Bei einem langen Abschiedskuss verabreden sie sich für den morgigen Abend um dieselbe Zeit. Jetzt erst schaut Peer zum ersten Mal auf die Uhr und erschrickt gewaltig: Vor drei Minuten hat das Studium begonnen!

»Ich bin zu spät«, jappst er, und mit einem: »Dann bis morgen! Ich freue mich auf dich«, rauscht er um die Ecke davon.

Rosalies »Ja, bis morgen. Ich liebe dich«, hört er bereits nicht mehr.

Im Stile eines Hundertmeterläufers sprintet Peer Richtung Kollegium. Zum Glück ist die Tür noch nicht verschlossen, sonst hätte er wirklich ein grosses Problem. Ausser Atem eilt er die Treppe hoch und legt vor dem Betreten des Studiums eine kurze Pause ein.

Was sage ich bloss Burri, zermartert er sich das Gehirn.

Er sieht schon Burris rotes Gesicht. Schlagartig packt ihn wieder seine Autoritätsangst, und im Hinterkopf hört er bereits wieder Vaters Beschimpfungen, zu nichts zu gebrauchen zu sein.

Peer atmet tief durch, drückt die Türklinke runter und betritt selbstbewusst, denkt er jedenfalls, das Studium. Alle Köpfe drehen sich nach ihm um. Als Ersten nimmt Peer Alfredo wahr. Dieser grinst schelmisch und scheint sich göttlich zu amüsieren, dass Peer zu spät kommt. Vorne am Aufsichtspult sitzt Präfekt Burri und liest in der Bibel. Auch er hebt den Kopf und fixiert Peer mit seinem stechenden

Blick. Die Lippen wie immer zu einem schmalen Strich zusammengekniffen, winkt er Peer zu sich.

»Und? Was hast du zu sagen?«, fragt er mürrisch.

Im Studium könnte man eine Nadel fallen hören. An arbeiten ist nicht mehr zu denken. Alle schauen auf Peer, teils mitfühlend, teils schadenfreudig, und harren gespannt der Dinge, die da kommen werden.

Peers Hirn arbeitet auf Hochtouren. Jetzt nur nichts Falsches sagen, schiesst es ihm durch den Kopf.

Doch dann, wie durch göttliche Fügung, erinnert Peer sich plötzlich an Alfredos Problem letzten Sonntag im Dancing Eden, und er greift zur Notlüge: »Ich habe wohl etwas Schlechtes gegessen und habe Bauchschmerzen und Durchfall.«

Burri schaut ihn eine Ewigkeit, so jedenfalls scheint es Peer, mit zusammengekniffenen Augen an.

Die Spannung im Studium ist auf dem Siedepunkt, als Burri plötzlich Entwarnung gibt: »Ist gut. Geh an deinen Platz.«

Ein Raunen geht durch den Saal. Die Studenten wenden sich wieder ihrem Studium zu. Die einen enttäuscht, die anderen erleichtert. Peer fällt eine zentnerschwere Last von den Schultern. Auf dem Weg zu seinem Platz blinzelt er Alfredo zu, und, mit dem Rücken zum Präfekten, macht er mit der rechten Hand jene Schüttelbewegung vor dem Körper, die »Noch mal gut gegangen« symbolisiert.

Alfredo ist neugierig und möchte wissen, wie es auf dem Spaziergang gelaufen ist. Unauffällig steckt er Peer einen Zettel mit einem grossen Fragezeichen zu.

Peer flüster, ohne die Lippen zu bewegen: »Unten alles verklebt. Mehr nach Lichterlöschen im Waschraum.«

Verschmitzt schaut ihn Alfredo an und zeigt ihm hinter dem hochgeklappten Pultdeckel den »Ok«-Daumen.

Wie vereinbart treffen sich Peer, Alfredo und Thomas, der von Alfredo noch informiert wurde, im Waschraum, nachdem Burri seine Kontrollgänge im Schlafsaal beendet hat. Ausführlich und voller Enthusiasmus erzählt Peer von seinem Spaziergang mit Rosalie, den leidenschaftlichen Küssen und dem daraus resultierenden Fleck in seiner Hose. Alfredo und Thomas wollen alles wissen und löchern Peer mit Fragen. Immer wieder kommen sie auf jenen Punkt zurück, als Rosalie Peer ihr Taschentuch reicht und ihm sagt, dass er aber selber putzen müsse. Und immer wieder muss Peer ihnen versichern, dass er selber, und nicht Rosalie, sich um den Fleck gekümmert hat. Klar, dass solche Ereignisse die Fantasie pubertierender Jugendlichen ganz speziell beflügeln.

»¡Hombre! Jetzt hast du dann wohl keine Zeit mehr für uns«, stellt Alfredo mit leichter Enttäuschung in der Stimme fest. »Ich freue mich aber trotzdem für dich.«

»Nur keine Angst«, beruhigt Peer. »Für meine besten Freunde habe ich immer Zeit.« Und mit einem Gähnen fügt er an: »Genug für heute. Ich gehe jetzt schlafen.«

Die drei wünschen sich eine gute Nacht und verschwinden geräuschlos in ihren Kojen.

15

Ein neuer Tag bricht an. Marschieren ist angesagt. Alle Kollegiums-Präfekten haben sich heute der Körperertüchtigung, wie sie so schön sagen, verschrieben und gehen mit ihren Studenten wandern. Präfekt Burri stellt seinen Wandertag unter das Moto »Kloster Einsiedeln – Geschichte der schwarzen Madonna«.

Die Studenten der Abteilung Don Bosco müssen bereits um vier Uhr aus den Federn. Eine halbe Stunde später ist Morgenessen. Um fünf Uhr geht's dann los, Richtung Haggenegg, und von dort nach Einsiedeln. Fünfeinhalb Stunden Marsch sind geplant. In zügigem Tempo. Zuerst zwei Stunden hoch zur Haggenegg. Dann auf der anderen Seite wieder dreieinhalb Stunden runter nach Einsiedeln.

Los geht's vom Kollegi die kurvenreiche Strasse hinauf Richtung Haggenegg. Vorne gibt Vize-Präfekt Gasser das Tempo an. Der kleine, schmächtige Vize scheint von Flügeln getragen den Berg hinauf zu schweben. Die Jungs haben Mühe, mitzuhalten. Hinten treibt Burri die weniger guten Wanderer erbarmungslos an, damit diese den Anschluss an die Gruppe nicht verlieren.

Es scheint ein schöner Herbsttag zu werden. Der Himmel ist wolkenlos, und die Temperatur noch angenehm morgendlich frisch. Ideal zum Wandern. Zu dieser frühen Stunde herrscht noch nicht viel Verkehr auf der Bergstrasse zur Haggenegg. Ab und zu fährt ein Bauer mit seinem klapprigen Traktor Milch hinunter nach Schwyz in die Käserei. Sonst ist es, abgesehen von ein paar muhenden Kühen im hügeligen Gelände, ruhig. Selbst von den Studenten hört man wenig. Sei es, dass diese noch nicht ganz wach sind, oder aber, dass ihnen die steile Strasse doch mehr zu schaffen macht, als man im Hinblick auf ihr jugendliches Alter vermuten könnte.

Nach rund einer Stunde verlässt Vize Gasser vor einer Haarnadelkurve die Teerstrasse und folgt rechts einem als Wanderweg markierten Trampelpfad. »Haggenegg 1 Std., Einsiedeln 4,5 Std.« steht in schwarzen Lettern auf dem kleinen, gelben Wegweiser.

»Uah«, stöhnt Thomas, »wir haben noch nicht einmal die halbe Hälfte.«

Eine typische Thomas-Aussage. Er liebt Ausdrücke wie »Ich nehme die kürzere Länge« oder »Ich stehe in der wärmeren Kälte«. Gerade in Belastungssituationen purzeln ihm solche vermeintliche Divergenzen aus dem Mund.

»Bist du schon müde? Du warst wohl gestern nach Peers Aufklärungsstunde noch zu lange mit dir selber unter der Bettdecke beschäftigt. Gib's nur zu!«, grinst Alfredo.

»Das möchtest du jetzt gerne wissen um dich scharfzumachen. Sonst steht er dir ja nicht mehr«, zahlt Thomas, der sich bei solchen Gesprächen bis jetzt stets zurückgehalten hat, mit gleicher Münze heim.

»Hört, hört«, hänselt Alfredo weiter, »der Thomas kann langsam mitreden.«

Nach und nach schalten sich auch die übrigen Jungs rund um Thomas und Alfredo ein.

Das Ganze scheint wieder in eine jener beliebten Pubertäts-Diskussionen unter der Gürtellinie auszuarten, wäre da nicht Vize Gasser, der plötzlich nach hinten ruft: »In fünf Minuten sind wir oben! Dann gibt's Tee auf der Terrasse des Restaurants!«

»Super«, freut sich Alfredo. »Hoffentlich ist die schöne Annabelle auch da. Eine kleine Massage …«

»Hoffentlich nicht«, fällt ihm Thomas ins Wort. »Wenn der Burri sie sieht, ist es vorbei mit ›Strafmarsch Haggenegg‹. Dann schickt er uns jeweils sonst wohin.«

Wo er Recht hat, hat er Recht, der Thomas.

»Habe ich nicht dran gedacht«, gibt Alfredo klein bei. »Hoffentlich ist sie nicht da. Wäre ja schade um unsere Belohnung nach einem Strafmarsch.«

Annabelle ist die Serviertochter im Restaurant auf der Haggenegg. Zwar schon etwas älter, dafür aber umso erfahrener im Umgang mit jungen Burschen. Sie sieht immer noch gut aus. Schlank, langbeinig und immer für einen Scherz zu haben. Die Jungs schätzen vor allem ihre Nackenmassage, wenn sie, von ihrem Strafmarsch müde, hier oben eintreffen.

Die letzten Meter bis zum Kulminationspunkt haben es in sich. Hier liegt der Wanderweg im Schattenbereich der Mythen und ist tagsüber nur wenig von der Sonne beschienen. Entsprechend rutschig gestaltet sich der restliche Aufstieg.

Dann endlich erreichen die Ersten die Terrasse des Restaurants und stürzen sich auf den Tee. Annabelle ist, zur Erleichterung von Thomas und Alfredo, nicht da.

Alfredo kann's natürlich nicht lassen: »Hinter welchem Fenster schläft sie wohl, die holde Annabelle? Nicht, dass ich wollte, aber ich hätte grad alles bei mir.«

»Klar doch«, mischt sich Peer ein, »und wir dürfen dich nachher nach Einsiedeln tragen.«

Mittlerweile sind auch Burri und seine Lieblingsstudenten, die bei den übrigen Jungs nicht gerade beliebten »Denunzianten«, eingetroffen. In ihrem Schlepptau, respektive vor ihnen hergetrieben, schweissgebadet, der dicke Sepp und drei, als absolut unsportlich bekannte Schöngeister. Der dicke Sepp wird an die hundertzwanzig Kilo wiegen. Für sein jugendliches Alter eine höchst ungewöhnliche Leibesfülle. Er kann einem Leid tun, wenn man ihn so mit hochrotem Kopf, schnaubend wie ein Walross, vornübergebeugt am Geländer der Restaurantterrasse stehen sieht. Auch die drei Schöngeister sehen nicht minder mitgenommen aus. Mit ihren philosophischen Sprüchen und ihrem weltmännischen Gehabe gehen sie den übrigen Jungs ziemlich auf die Nerven. Burri hingegen schätzt sie sehr. Sie seien äusserst gebildet, meint er. Entsprechend haben er und seine »Denunzianten« sie beim Aufstieg auch tatkräftig unterstützt.

Anders erging es dem dicken Sepp. Dieser bedauernswerte Fleischkloss wurde von den »Schergen« des Präfekten regelrecht gedemütigt. Immer wieder hörte man während der letzten zwei Stunden vom Ende der Wandergruppe Sätze wie »Schweinchen Dick, schlaf nicht ein«, oder »Rollmops, ist das Schweiss oder Fett auf deiner Stirn?« und Ähnliches. Burri hat nicht interveniert und liess sie gewähren. Christliche Nächstenliebe eben – im Zeichen der Soutane …

Kaum sind die Letzten auf der Terrasse des Haggenegg Restaurants eingetroffen, geht's auch schon wieder weiter. Der dicke Sepp kann gerade noch einen Becher Tee hinunterstürzen, als er von Burris »Leibgarde« schon wieder vorwärts getrieben wird. Burri hingegen bleibt mit seinen drei Schöngeistern noch etwas länger sitzen. Wie schon erwähnt: Christliche Nächstenliebe. Oder: Hinter Klostermauern sieht's anders aus, als vor den Mauern gepredigt wird. In jeder Hinsicht …

»Alfredo, Thomas kommt! Wir holen den dicken Sepp zu uns. Jetzt geht's nur noch bergab. Da kann er mit uns schon mithalten.« Peer sagt's und bleibt stehen. Ebenfalls Thomas und Alfredo. Sie warten, bis der dicke Sepp zu ihnen aufgeschlossen hat.

»He ihr da! Ihr könnt zurück zu eurem Chef«, raunzt Peer Burris »Privatpolizisten« an und stellt sich ihnen in den Weg.

»Wir haben den Auftrag, den dicken Sepp nach Einsiedeln zu bringen. Geh aus dem Weg«, motzen diese zurück und gehen mit aufgeblasener Brust auf Peer zu.

Peer verschränkt die Arme vor der Brust und klemmt seine Hände links und rechts so unter die Oberarme, dass sich der jeweilige Bizeps zur bedrohlichen Kugel formt. Durch das sechsmonatige Gehen an Krücken hat sich bei Peer eine beachtliche Arm- und Oberkörpermuskulatur entwickelt. In seinem ärmellosen T-Shirt zeigt das nun Wirkung. Jedenfalls ziehen sich Burris »Denunzianten« zurück und lassen den dicken Sepp mit Peer und den anderen Jungs weitermarschieren. Sepp ist äusserst erleichtert darüber, seine Bewacher los zu sein.

»Ich danke euch, Jungs«, prustet er noch etwas ausser Atem. »Ihr habt in Einsiedeln etwas zu gut.«

»Das wird aber teuer«, frotzelt Peer.

»Und wir sind vier und haben immer grossen Durst«, mischt sich Alfredo augenzwinkernd ein.

»Gut, für Thomas wird's nicht so teuer. Der trinkt ja eh nur Wasser«, meint Peer schelmisch und gibt Thomas einen freundschaftlichen Klaps auf die Schulter.

»Ihr werdet euch noch wundern«, wehrt sich dieser viel sagend.

Burris »Denunzianten« sind mittlerweile nicht mehr zu sehen. Sie haben sich ans Ende der Wandergruppe zurückgezogen. Dort bleiben sie auch für den Rest des Weges.

Peer findet in Sepp einen neuen Verbündeten. Sepps Selbstvertrauen imponiert ihm. Peer fällt auf, dass Sepp immer wieder sehr liebevoll und wohlwollend von seinem Vater spricht. Egal, über was sie reden. Sepp nimmt mit »Mein Vater meint …«, oder »Mein Vater hat Recht, wenn er sagt …«, oder »Mein Vater sieht es so wie ich …« beinahe in jedem Satz Bezug auf seinen Vater. Sepp kommt ins Schwärmen, wenn er erzählt, was sein Vater und er alles zusammen unternehmen. Sie besuchen zusammen Fussballspiele. Sie gehen zusammen ins Kino. Ja sogar an Rock-Konzerte begleitet ihn sein Vater. Und immer, wenn sie sich verabschieden, drücken sie sich gegenseitig und geben sich einen Kuss auf die Wange. Auch wenn sie nur kurzzeitig das Haus verlassen.

Für einmal vergisst Peer Alfredo und seine anderen Freunde. Fasziniert hört er Sepp zu. Er ist erstaunt, wenn er hört, was eine richtige Vater-Sohn-Beziehung eigentlich ist.

Verwirrt stellt Peer fest, dass er die Normalität offenbar nicht kennt, ja nie kennen lernen konnte, da sie in seiner Familie nicht gelebt wird. Peer ahnt zum ersten Mal, dass ihn sein Vater da mit einem gewaltigen Verhaltensnotstand ins Leben entlässt.

Wenn Peer Sepp so selbstbewusst reden hört, wird ihm schlagartig klar, wo sein mangelndes Selbstwertgefühl herrührt: Sein Vater gibt ihm nie Recht. Ist der Besserwisser. Sein Vater nimmt ihn nie in den Arm. Gibt ihm schon gar keinen Kuss auf die Wange. Geschweige denn eine respektvolle Antwort auf seine Fragen. Sein Vater hat ihm noch nie gesagt, dass er wertvoll sei. Dass er ihn liebe. Intuitiv weiss Peer, warum ihn oft diese grosse Leere, diese unendliche Traurigkeit befällt, die ihm die Freude am Leben nimmt. Erschrocken realisiert er, dass es wohl noch ein weiter Weg sein wird, bis er an sich selber glaubt, seine Zukunftsängste in den Griff bekommt. Wenn überhaupt … Und Peer ist sich klar darüber, dass er die Versäumnisse seines Vaters selber aufarbeiten muss, dass er kein egomaner Selbstverwirklicher wird, dass er seinen Kindern ein besserer Vater, ein Freund, ein Vorbild sein wird.

»Endlich! Da vorne ist das Kloster«, reisst Sepps Stimme Peer aus seinen Grübeleien.

»Legen wir noch einen Zahn zu«, drängt Alfredo, »dann können wir im Kiosk dort noch rasch durch die entsprechenden ›Heftchen‹ blättern, bis der Burri eintrifft.«

Das ist ein Argument, das bei den Jungs die letzten Reserven mobilisiert. Sie nehmen jede Gelegenheit wahr, um in ihren »Heftchen« zu schnuppern. Schliesslich finden sie darin all das, was im Kollegi verboten ist: Verruchte Texte etwa, wie derjenige von Serge Gainsbourg und Jane Birkin. Oder vollbusige Oben-ohne-Girls. Zeitschriften eben, von den Patres verboten, aber selber konsumiert. Thomas hat mit eigenen Augen einen »Schwarz-Befrackten« mit gesenktem Haupt aus dem Kiosk beim Rathausplatz in Schwyz kommen sehen, der ein, dummerweise falsch gerolltes, »Heftchen« mit einer nackten Schönen – oder war es ein nackter Schöner? Egal! – in der Hand hielt.

Beim Kiosk angekommen, meint Sepp: »Ich bin euch ja noch was schuldig. Sucht aus! Ich spendiere jedem von euch ein ›Heftchen‹! Aber nur unter der Bedingung, dass ich diese auch durchblättern darf.«

»Ist doch klar, Sepp! Wir tauschen all unsere ›Entspannungsliteratur‹ untereinander aus. Ab heute gehörst auch du dazu«, verkündet Peer grosszügig, ohne die anderen zu fragen.

Natürlich muss, wie immer, Alfredo auch noch seinen »Senf« dazu geben: »Aber stets darauf achten, dass die Seiten nach Gebrauch nicht verklebt sind.«

Grosses Gelächter und gegenseitiges Abklatschen!

Die Freude im Kiosk dauert nicht lange. Schon ist Burri mit seiner persönlichen Entourage da. Sehr zum Verdruss der Jungs. Es reicht nicht mal für den Anflug eines Kribbelns in der Lendengegend. Geschweige denn, sich für eine Zeitschrift zu entscheiden.

»Kein Problem«, beruhigt Sepp. »Wir holen das in Schwyz nach.«

Mittlerweile hat sich Vize Gasser vor der grossen Klosterkirche aufgestellt und ruft mit lauter Stimme die Studenten zusammen. Nicht gerade überschäumend vor Begeisterung strömen diese aus den umliegenden Souvenirshops zu Gasser. Auch Präfekt Burri gesellt sich dazu.

Gasser erklärt den weiteren Verlauf des Tages: »Wir werden nun die Klosterkirche betreten. Drin gilt absolutes Silentium! Ihr kennt die Schwarze Madonna?«

Eine rein rhetorische Frage. Gasser erwartet keine Antwort darauf, denn Burri hat vor Abmarsch den Tarif für störendes Verhalten durchgegeben. Und die Jungs wissen nur zu gut, was Burri unter störendem Verhalten versteht. Also ziehen sie es vor, zu schweigen.

Ausser Alfredo!

»Schwarze Madonna?«, flüstert er Peer zu. »Ist diese Dame aus Afrika?«

»Halt die Klappe«, fährt ihn Peer leise an. »Oder willst du zu Fuss zurück ins Kollegi? Du weisst, was Burri angedroht hat.«

Der Gedanke daran, denselben Weg zu Fuss zurückgehen zu müssen, zeigt sogar bei Alfredo Wirkung.

Er murrt nur noch: »Ist ja gut, Hombre«, vor sich hin und schweigt dann eisern.

»Ich werde euch die Geschichte der Schwarzen Madonna erzählen. Und ich kann euch nur den Rat geben, gut aufzupassen. Morgen müsst ihr in der Deutschstunde einen Aufsatz darüber schreiben.«

»Hijo de …«, Alfredo kriegt sich noch rechtzeitig in den Griff, den Satz nicht fertig zu sprechen.

Peer wirft ihm einen giftigen Blick zu, und Alfredo legt den Kopf leicht zur Seite, hebt kurz die Schultern und macht auf Unschuldslamm.

»Nun, folgt mir«, fordert Gasser die Studenten auf.

Zügigen Schrittes geht der Vize zum rechten Seitenportal der Kirche, stets darauf bedacht, bei den unförmigen, rundlichen, nicht behauenen Pflastersteinen, mit denen der Klosterplatz ausgelegt ist, nicht zu stolpern. Die Jungs folgen ihm wortlos. Beim Betreten des grossen Kirchenschiffes schlägt den Besuchern eine angenehme Kühle entgegen. Der Vize weist alle seine Studenten nach links in die Bankreihen vor der Statue der Schwarzen Madonna. Ruhig und mit der nötigen Ehrfurcht setzen sich die Jungs dicht gedrängt in die sieben fünf bis sechs Meter langen Bankreihen.

Da ist sie also. Die schwarze Muttergottes. Das Jesuskind auf dem Arm, schwebt sie in einem roten, mit Rosen bestickten Kleid, in einer goldenen Wolke hinter einem kleinen Altar in der, mehrheitlich aus schwarzem Marmor bestehenden, Mausoleum ähnlichen Gnadenkapelle. Ihr schwarzes Antlitz ist umrahmt von einem ebenfalls roten, mit Rosenstickereien verzierten Schleier.

Auch das Jesuskind trägt dasselbe rote Kleid wie seine Mutter Maria. So sind von beiden nur ihr schwarzes Antlitz und ihre schwarzen Hände zu sehen. Je eine goldene Krone ziert das Haupt der Muttergottes und dasjenige des Jesuskindes.

»Die Schwarze Madonna ist die Schutzpatronin der Fahrenden«, beginnt Gasser mit dezenter Stimme seinen Vortrag. »Sie kam im Sommer 1466 in die Gnadenkapelle. 1465 zerstörte ein Klosterbrand das ältere Madonnenbild. Die neue Madonna wurde zwischen 1440 und 1465 im spätgotischen Stil aus Lindenholz geschnitzt. Man geht davon aus, dass sie im süddeutschen Raum geschaffen wurde und schreibt sie dem Maler und Bildhauer Hans Multscher zu, respektive seinem früherem Werkstattbereich im Umkreis von Hans Striegel dem Älteren. Ursprünglich waren die Madonna und das Jesuskind farbig. Im Laufe der Jahrzehnte wurden sie aber durch Rauch und Russ der vielen Kerzen und Öllampen, die ständig in der kleinen Kapelle brannten, dunkel und schliesslich schwarz. Schon im siebzehnten Jahrhundert sprach man daher von der ›Schwarzen Madonna von Einsiedeln‹.«

Gasser erzählt dann, wie die französischen Revolutionstruppen 1798 Einsiedeln besetzten und die alte Gnadenkapelle niederrissen, wie die Madonna im letzten Augenblick noch in Sicherheit gebracht und auf der Haggenegg im Boden vergraben werden konnte, und wie sie in Sankt Gerold vom Maler Johann Adam Fuetscher restauriert und wieder mit den ursprünglichen Farben versehen wurde.

»Seit dem Sommer 1799 ist die Haut von Mutter und Kind aber vollends schwarz«, fährt Vize Gasser leise fort. »1803 konnte die Schwarze Madonna nach Einsiedeln zurückkehren und steht seither in der neu errichteten Gnadenkapelle, so wie ihr sie heute sehen könnt.«

Den Jungs fällt es schon länger schwer, still dazusitzen und Gassers Vortrag zu folgen. Immer wieder nickt der eine oder andere kurz ein und wird vom Banknachbar mit einem Ellbogenstoss in die Rippen zurück in die Realität geholt. Wäre Burri an Gassers stelle, würde bestimmt die Hälfte der Wandergruppe die Rückreise nach Schwyz wieder zu Fuss antreten. Vize Gasser aber lebt die christliche Nächstenliebe und sieht jeweils mit einem sanften Lächeln verständnisvoll über die »Schwächen des Fleisches«, wie er es zu nennen pflegt, hinweg. Ohne ihn hätten die Jungs unter Präfekt Burri gar nichts mehr zu lachen.

»Geht das denn noch lange«, muckst Alfredo schliesslich sichtlich genervt auf und rutscht ungeduldig auf seinem Bank hin und her.

Gasser wirft ihm einen ermahnenden Blick zu und meint fast entschuldigend: »Jetzt nur noch ganz kurz etwas zu den Kleidern der Muttergottes, dann könnt ihr gehen. Also, man nimmt an, dass die Madonna anfänglich nur in einen Schleier ähnlichen Umhang gehüllt war. Seit dem siebzehnten Jahrhundert trägt sie aber immer eines ihrer siebenundzwanzig Kleider nach dem Vorbild der spanischen Hoftracht. Warum der spanische Hof als Vorbild diente, ist leider nicht bekannt.«

Und dann endlich sind sie da, die erlösenden Worte aus Gassers Mund, die in den Ohren der Studenten wohl ähnlich betörend klingen müssen, wie damals bei Odysseus der Gesang der Sirenen: »So! Nun treffen wir uns draussen vor der Kirche, wo ich euch sagen werde, wie es weitergeht.«

Ein Raunen geht durch die Reihen der Studenten vor der Madonna-Statue, als sie sich erleichtert auf den Weg nach draussen machen.

Beim Verlassen der Kirche müssen sich die Jungs im ersten Moment an das gleissende Licht der Sonne gewöhnen. Was für eine Erlösung! Schönster Sonnenschein! Gute Aussichten auf eine Stunde Ausgang hier in Einsiedeln. Die angenehme Wärme vertreibt auch das letzte Gähnen aus den Gesichtern der Studenten.

Vize Gasser hat sich unten in der Mitte des Klosterplatzes unmittelbar beim Brunnen mit den vierzehn Wasser speienden Löwenköpfen aufgestellt. Die Jungs scharen sich im Halbkreis um ihn. Keiner spricht ein Wort. Der Vize geniesst die angespannte Ruhe sichtlich. Auch für ihn sind solche Momente der Stille inmitten seiner rund neunzig Zöglinge eher selten. Mit einem süffisanten Lächeln und vor der Brust verschränkten Armen zögert er die von den Jungs sehnlichst erwartete Ankündigung des Ausgangs noch etwas hinaus.

»Ach, wie schön! Diese himmlische Ruhe«, gibt er sich entrückt, und mit leicht in den Nacken gelegtem Kopf führt er theatralisch den Handrücken zur Stirn.

Diese ihm eigene, liebevolle Art, stets ein bisschen zu provozieren, kommt bei den Studenten immer wieder gut an.

Und weil sie ihren Vize lieben, applaudieren sie ihm frenetisch und rufen im Chor: »Vize Gasser – keiner krasser!«

Gasser geniest solche Huldigungen. Er braucht diese. Sie geben ihm die Gewissheit, dass er seine christliche Nächstenliebe korrekt lebt, und seine Arbeit von Gott sicher wohlwollend beurteilt wird. Er kennt die Verlogenheit hinter Klostermauern aus eigener Erfahrung und will bewusst Gegensteuer geben, wenigstens da, wo es für ihn möglich ist.

»Also, meine Lieben. Es ist jetzt vier Uhr«, nimmt Gasser seine Ansage wieder bedächtig auf, um dann, nach einer

Kunstpause, plötzlich umso freudiger fortzufahren: »Wir sehen uns wieder hier um halb sechs! Und jetzt lauft!»

Das braucht der Vize den Jungs nicht zwei Mal zu sagen.

Mit einem euphorischen: »Jaaaa«, verstreuen sich diese in alle Richtungen.

Peer, Alfredo, Thomas und der dicke Sepp schlendern gemächlich Richtung Café Tulipan gegenüber dem Klosterplatz. Erst jetzt fällt ihnen auf, dass überall junge Mädchen in Zweier-, Dreier- oder grösseren Gruppen herumstehen. Es scheint, als habe es sich bei den einheimischen Schönheiten in Windeseile herumgesprochen, dass heute »Frischfleisch« aus dem Kollegium Schwyz eingetroffen ist. Jedenfalls schielen die Mädchen immer wieder betont uninteressiert Richtung Jungs, was diesen natürlich nicht verborgen bleibt.

»Caramba muchachos«, entfährt es Alfredo. Und mit dem Kopf Richtung Souvenirläden auf dem Klosterplatz zeigend meint er nervös: »Arbeit für uns!«

Tatsächlich stehen dort zwei speziell herausgeputzte, langbeinige, aufreizend laszive, hormongeschwängerte Blondinen.

»Mann! Diese beiden superscharfen Stuten bestehen den Daumentest aber bestimmt«, outet sich Thomas überraschend als Frauenkenner.

Der Daumentest ist eine Erfindung der Jungs und sagt per Definition: Wenn die Oberkante des gestreckten Zeigefingers so an den Saum des Minirocks gelegt wird, dass die Spitze des rechtwinklig zum Zeigefinger nach oben gestreckten Daumens unter dem Minirock an den Slip stösst, dann hat der Minirock die richtige Länge.

»Also komm«, fordert Alfredo Thomas ultimativ auf, »machen wir den Daumentest!«

Während Alfredo und Thomas auf die Mädchen zugehen, bleiben Peer und der dicke Sepp zurück.

»Gehen wir besser ein Stück Schwarzwäldertorte essen«, schlägt Sepp vor. »Ich lade dich ein.«

»Du musst nicht immer bezahlen. Du bist trotzdem mein Freund«, stellt Peer mit einem Klaps auf Sepps Schulter klar.

Sepp und Peer setzen sich im ersten Stock des Cafés Tulipan auf die Terrasse und bestellen ihre Schwarzwäldertorte. Von hier oben haben sie den gesamten Klosterplatz im Auge. Natürlich auch die beiden Frauenaufreisser Alfredo und Thomas. Sie sehen, wie sich Alfredo, wild gestikulierend, wie das seine Art ist, mit den beiden Girls unterhält. Leider können sie nicht hören, wovon sie sprechen. Doch plötzlich macht die Grössere einen Schritt nach vorn und verpasst Alfredo eine Ohrfeige. Thomas weicht erschrocken zurück.

»Jetzt hat er sie sicher gefragt, ob er den Daumentest machen darf, und dafür eine kassiert«, mutmasst Peer verdutzt und schlägt sich lachend auf die Oberschenkel.

»Ja, und wir dürfen nun sein angeschlagenes Ego wieder aufpäppeln«, meint Sepp belustigt.

»Schau! Sie kommen tatsächlich zu uns«, ist Peer erstaunt.

»Die haben wirklich keine Ahnung von Frauen«, erwidert Sepp ungläubig, und als Alfredo und Thomas das Café betreten, ruft er sie zu sich an den Tisch.

»He, ihr zwei Helden. Was ist denn bloss los mit euch?«, legt Peer los. »Die beiden Stuten haben euch doch eben zu verstehen gegeben, dass sie mit euch spielen wollen.«

Und Sepp doppelt nach: »Kennt ihr denn die Gesetzte des Flirtens nicht?«

Das kann Alfredo nicht auf sich sitzen lassen. Fühlt sich in seiner Ehre verletzt. Zuviel feuriges Spanierblut fliesst in seinen Adern. Er? Ein Versager vor den Frauen?

Verärgert verwirft Alfredo seine Hände und faucht Sepp mit blitzenden Augen an: »¡Mira! ¡Gordo! ¡Callate!«

Peer weiss aus Erfahrung, wenn Alfredo in solchen Situationen Spanisch spricht, wird's gefährlich.

»Oh, oh! Jetzt komm aber mal wieder runter«, versucht Peer die Wogen zu glätten. »Der Sepp hat's doch nicht böse gemeint. Das war nur ein Witz.«

Auch Alfredo sieht seine Überreaktion sofort ein und entschuldigt sich bei Sepp mit einer freundschaftlichen Umarmung. Lachend lenkt er mit »¡Hombre! Meine Arme sind zu kurz« die angespannte Situation wieder in geordnete Bahnen.

Sepp, von Natur aus ein gemütlicher Mensch und nicht nachtragend, gibt sich versöhnlich und meint verschmitzt: »Dafür bin ich weich gepolstert.«

Damit ist bei den Jungs das Thema Frauen für heute erledigt. Bei heisser Schokolade und leckerer Patisserie erzählen sie einander Geschichten aus ihrem Leben. Es wird viel geschäkert und gelacht. Eins aber stellt Peer nach und nach mit Befremden fest: Viele der angesprochenen Verhaltensmuster kennt er gar nicht.

Peer hört lange zu. Wirkt ratlos. Und es kostet ihn viel Überwindung, bis er unerwartet völlig konsterniert gesteht: »Jungs, es ist mir peinlich. Aber ihr sprecht da von Dingen, die ich selber noch nie, oder nicht so erlebt habe.«

Peinliche Stille.

Verlegenes Räuspern.

Sepp findet als Erster wieder Worte: »Wenn ich ehrlich sein will, ist mir dein mangelndes Selbstvertrauen sofort aufgefallen, als du dich oben auf der Haggenegg für mich eingesetzt hast.«

»Wie denn das?«, ist Peer überrascht. »Es war doch gut für dich und hat etwas gebracht.«

»Ja. Das war schon gut. Aber weisst du, die Mittel, die du dafür eingesetzt hast.«

»Von welchen Mitteln sprichst du jetzt?«

»Das mit den verschränkten Armen und den zur Schau gestellten Muskeln.«

»Was hätte ich den sonst machen sollen?«

»Du hast es offensichtlich eben nie anders gelernt, als Probleme mit Drohungen zu lösen.«

»Mein Vater macht es so – ich mache es so. Für mich eine völlig normale Reaktion in einem solchen Moment.«

»Ich mache dir ja keinen Vorwurf. Ich möchte dir nur helfen. Du bist ein lieber Kerl, und es tut mir weh, wenn ich sehe, was dein Vater aus dir gemacht hat.«

Nun haben sich auch Alfredo und Thomas wieder gefangen.

»Schau mal«, versucht Thomas Peers grosse Selbstzweifel etwas zu zerstreuen. »Mein Vater hat mir das mit den Vorbildern so erklärt: Die Natur hat ihre Gesetze. Dazu gehört auch, dass die Jungen von den Alten lernen. In der Tierwelt funktioniert das problemlos. Tiere werden von ihrem Instinkt geleitet. Sie können sich nicht bewusst entscheiden. Ihr Verhalten dient allein der Arterhaltung. Dementsprechend sind alte Tiere ausnahmslos Vorbilder für ihre Jungen. Bei den Menschen ist das etwas anders. Auch hier lernen die Kinder von den Erwachsenen. Das Verhalten vieler Erwachsener ist aber zunehmend geprägt von rücksichtslosem Egoismus, arrogantem Ausgrenzungsgehabe, kompromissloser Selbstverwirklichung oder einfach nur von penetranter Interesselosigkeit gegenüber uns Jungen. Und das nicht nur bei den eigenen Eltern, sondern vermehrt auch beim Lehrpersonal in den Schulen und bei den Vorgesetzten während der Lehre und im Beruf. So fehlen vielen Jugendlichen die Vorbilder. Und mein Vater ist überzeugt, dass unsere Gesellschaft grosse Probleme bekommen wird, wenn sich dieses Verhalten nicht ändert.«

»He, deinen Vater muss ich kennen lernen«, versucht Peer bereits wieder flapsig sein mangelndes Selbstwertgefühl zu überspielen.

»Nein, wirklich Peer«, insistiert Thomas. »Da hat mein Vater schon Recht, wenn er sagt, dass Vorbilder für junge Menschen unabdingbar sind.«

»Das sehe ich genau so«, bekräftigt Sepp. »Wie sollen wir Jungen uns denn zu reifen, ausgeglichenen und selbstbewussten Erwachsenen entwickeln, wenn wir keine Vorbilder haben?«

»Ihr habt ja Recht«, erwidert Peer mutlos. »Aber bei mir sieht es nun halt mal zu Hause etwas anders aus. Meine Mutter ist schon recht. Aber mein Vater ...«, und mit einem »Ich muss mal pinkeln« macht sich Peer überstürzt Richtung Toilette davon, damit die anderen seine Tränen nicht sehen.

»Mierda«, presst Alfredo zwischen den Lippen hervor. »Warum sind einige Väter auch nur so A …«, doch seine gute Erziehung verbietet ihm das Wort fertig auszusprechen.

Peer kehrt mit leicht geröteten Augen zurück, und Sepp versucht die unangenehme Situation mit einem lauten »Bezahlen bitte«, zu überspielen.

Von der Terrasse des Cafés aus, sehen die Jungs ihre Studienkollegen nach und nach beim Brunnen auf dem Klosterplatz eintreffen. Ein Blick auf die Uhr zeigt, dass bis zum vereinbarten Zeitpunkt noch rund zehn Minuten fehlen.

»Ich übernehme eine Runde Getränke«, meldet sich Sepp, als die Serviertochter, zum Glück nicht mehr die jüngste, sonst würde das Ganze bestimmt wieder in irgendwelche Anzüglichkeiten seitens Alfredo ausarten, eintrifft.

»Und du übernimmst den Rest«, hänselt Peer, wieder sichtlich gelöster, Alfredo.

»Kein Problem, wenn du mich deiner Rosalie vorstellst«, gibt dieser schlagfertig zurück.«

»Das würde dir so passen! Aber warum nicht?! Ich habe nichts zu befürchten. Rosalie würde dich sowieso keines Blickes würdigen«, gibt sich Peer selbstsicher. »Sie hat ja schliesslich mich. Und so einen schönen und potenten Mann findet man nicht alle Tage.«

So geht es weiter, bis die Vier beim vereinbarten Treffpunkt auf dem Klosterplatz ankommen. Inzwischen sind auch Vize Gasser und Präfekt Burri, dieser natürlich mit seinem Gefolge, eingetroffen. Entlang der Strasse beim Klosterplatz stehen drei Busse, welche die Studenten ins Kollegium zurückbringen werden. Punkt halb sechs fordert Gasser die Jungs auf, in die bereitstehenden Busse einzusteigen. Peer und Alfredo nehmen direkt hinter dem Chauffeur Platz. Hier ist die Beinfreiheit am grössten. Zudem wird es Peer hier vorne nicht so rasch schlecht, wie hinten im Bus. Dann wird durchgezählt. Zum Erstaunen aller fehlt niemand, und es kann losgehen.

Über Rothenthurm und Sattel führt die Reise gemütlich zurück nach Schwyz, wo die Busse mit den Studenten um zirka achtzehn Uhr fünfzehn beim Kollegi vorfahren. Das Wetter hat sich sehr gut gehalten. Der Himmel ist nach wie vor wolkenlos, und die Temperatur dürfte noch immer bei ungefähr fünfundzwanzig Grad liegen.

Ein langer, ereignisreicher Tag geht zu Ende. Peer hätte gerne noch rasch Rosalie gesehen. Aber leider wird es heute nichts mehr mit Ausgang. Es folgt das Nachtessen, anschliessend eine Stunde Studium, und dann ist Nachtruhe verordnet.

Peer liegt in seiner Koje und lässt den ganzen Tag Revue passieren. Immer wieder bleibt er bei den Worten von Sepp und Thomas hängen. Es erstaunt ihn, dass ihn Sepp so rasch durchschaut hat. Mit dem Überspielen seines fehlenden Selbstvertrauens ist es also nicht weit her. Und er weiss, wenn Sepp das sieht, dann sehen das andere auch. Dieses fehlende Selbstvertrauen und dieses mangelnde Selbstwertgefühl ist eine grosse Hypothek, die ihm sein Vater da mit auf den Lebensweg gibt. Mit diesen Gedanken schläft Peer schliesslich ein.

Es wird eine unruhige Nacht. Wiederholt wacht er schweissgebadet auf, weil sich seine traumatischen Kindheitserlebnisse immer wieder heftig und schmerzlich in seinen Träumen manifestieren.

Die restlichen Wochen bis zu den Weihnachtsferien nehmen ihren gewohnten Lauf. Allerdings fällt Peer des Öfteren in ein kleines Tief, schreibt diese depressive Stimmung aber der Jahreszeit und den bevorstehenden Feiertagen zu. Er ist froh, dass er Rosalie hat und sie bei fast jedem Abendspaziergang sehen kann. Ihre Liebe und ihr respektvoller Umgang mit ihm, lässt ihn, zumindest während sie zusammen sind, seine Minderwertigkeitsgefühle und Versagensängste vergessen und die vielen kleinen, schikanösen Verbote und Einschränkungen im Kollegium ertragen. Sie gibt ihm die Kraft, die er so nötig braucht, um überleben zu können.

16

Die Weihnachtsferien sind bereits wieder vorbei. Der Kollegi-Alltag hat die Jungs erneut in seinen unerbittlichen Klauen. Peer sitzt im Studium. Kann sich nicht aufs Lernen konzentrieren. Es geht ihm nicht gut. Beim Blick zum Fenster hinaus: Alles grau in grau. Seit Tagen kein Sonnenschein. Da hilft auch nicht, dass er gleich eine Stunde Gitarre üben geht. Peer ist in Gedanken immer noch in den Ferien. In Bern, bei seinen Kumpeln »in Freiheit«. Hinzu kommt, dass seine grosse Liebe, Rosalie, noch zu Hause in Küssnacht ist. Ihre Ferien gehen erst nächste Woche zu Ende. Sie fehlt ihm ungemein.

»Ich gehe gleich üben. Komm doch mit«, fordert Peer Alfredo am Nebenpult auf.

»Würde ja gerne. Geht aber nicht. Ich muss noch Vokabeln für das Dictée von morgen lernen«, antwortet Alfredo missmutig und blättert sichtlich gelangweilt im Französisch-Dictionnaire.

»Streber«, flappst Peer um seine Enttäuschung zu überspielen, und weg ist er, zu seiner Übungsstunde.

»Selber Streber«, raunzt Alfredo Peer leise nach.

Beim Gitarrespielen verfliegen Peers depressive Gedanken schnell, und gute Laune heitert sein Gemüt auf. Die Gitarre ist quasi sein Rettungsring in düsteren Stunden. Er ist seinen Grosseltern ewig dankbar, dass sie ihm den Kauf dieses Instrumentes ermöglicht haben. Immer, wenn es ihm nicht so gut geht, nimmt er seine Gitarre hervor und streichelt gedankenverloren ihre Saiten.

Peer macht grosse Fortschritte auf seinem geliebten Saiten-Instrument. Schon länger trägt er sich mit dem Gedanken, eine Band zu gründen. Zwei Gitarristen hätte er ja bereits – meint er. Alfredo und Mike. Die würden bestimmt mitmachen. Fehlen nur noch ein Bassist und ein Schlagzeuger. Aber auch die werde ich finden, ist Peer überzeugt.

Beim Nachtessen vereinbart Peer mit Mike und Alfredo, sich auf dem Abendspaziergang gemeinsam ins Restaurant Sonne zu »verabschieden«. Was Mike und Alfredo nicht wissen: Peer will sie für seine neue Band gewinnen. Den Namen hat er auch bereits. »The Greens« soll die Band heissen.

Im Restaurant Sonne angekommen, sitzen bereits Michi und Beat, zwei »Leidensgenossen« aus Peers Klasse, bei einem kleinen Bierchen.

Mit lautem »Hallo! Kommt, setzt euch zu uns« begrüssen die beiden Biertrinker die drei Neuankömmlinge.

Peer, Alfredo und Mike setzten sich zu ihnen an den Tisch, und schon geht's los.

»Wo ist denn unsere Brigitte?«, will Alfredo als Erstes wissen. »Ist sie denn schon wieder am Knutschen?«

In diesem Moment kommt Serviertochter Vreni, eine kleine, vollschlanke Frau um die fünfunddreissig, mit wallendem Haar, bereits leicht ergraut – eigentlich untypisch für ihr Alter – und meint schnippisch: »Ich weiss gar nicht, was die haben soll, was ich nicht habe.«

Doch die Studenten, die sich in der »Sonne« ihren Abendspaziergang etwas unterhaltsamer gestallten, wissen schon, warum sie Brigitte der Serviertochter vorziehen. Erstens ist Brigitte jünger und sieht viel besser aus, und zweitens kann sie verdammt gut küssen. Aber das Wichtigste ist: Brigitte weiss genau, wo sie mit ihren sanft streichelnden Händen bei den Geniessern am meisten Erfolg hat. Alles nicht zu unterschätzende Argumente. Natürlich können die Jungs Vreni das nicht einfach so sagen. Es wäre nicht nur äusserst unhöflich, vielmehr würden sie hier ab sofort mit grosser Wahrscheinlichkeit nicht mehr bedient. Und das wollen sie nicht riskieren.

Daher, Notlüge: »Dich hätten wir doch viel lieber. Aber du hast ja keine Zeit für uns. Du musst bedienen.« Und mit einem provozierenden Blick in ihren Ausschnitt geht's deftig weiter: »Du scharfes Luder, du!«

Solche Worte braucht Vreni für ihr durch die etwas unbedarften Bergler leicht ramponiertes Ego. Sie gehen ihr wie Öl runter.

»Oh! Ihr Schlingel! Ihr macht mich verlegen«, jappst sie, nervös an ihrem Servierschürzchen zupfend.

Nicht im Entferntesten denkt sie daran, sie könnte veräppelt werden. Ausgesprochen höflich nimmt sie die Bestellung der drei Neuen entgegen und stöckelt stolz davon.

Kaum ist die Serviertochter ausser Hörweite, prusten die Jungs auch schon los.

»Ihr Schlingel!«, äfft Alfredo mit dem Kopf wackelnd Vreni nach.

»Ihr macht mich nervös!«, setzt Mike mit verdrehten Augen noch Einen drauf.

Und Beat meint trocken: »Die hat jetzt aber bestimmt ein feuchtes Höschen.«

Worauf Alfredo, in bewährter Sherlock-Holms-Manier den Boden absuchend, meint: »Da muss doch eine Feuchtspur sein.«

Vreni kommt mit den bestellten Getränken zurück, und die Jungs benehmen sich wieder wie Gentlemen.

»Muchas gracias, querida Dulcinea«, gibt sich Alfredo, Don Quijote als Vorbild, mit einer Verbeugung äusserst schmeichelhaft.

Und jetzt kommt der Knaller, der sogar Alfredo die Sprache verschlägt!

In beinahe akzentfreiem Spanisch flötet Vreni galant: »¡De nada, cariño!«

Alfredos Kinnlade klappt nach unten, und dort bleibt sie eine ganze Weile.

Alfredo, der grosse Macker, sprachlos!

Äusserlich völlig unbeeindruckt, kostet Vreni ihren Triumph voll aus. Ruhig schenkt sie die eben gebrachten Getränke ein.

Man spürt sichtlich die Spannung in der Luft, als Vreni zum finalen K.O.-Schlag ansetzt: »¿Quieres algo mas, querido?«, beugt sie sich betont erotisch zu Alfredo runter und streicht ihm aufreizend durchs Haar.

Das sitzt! Wie ein Fisch, der nach Luft schnappt, bewegt Alfredo seinen Mund auf und zu, bringt aber keinen Ton heraus. Derweil schwebt Vreni erhobenen Hauptes Richtung Buffet davon und verschwindet in der Küche. Es dauert keine dreissig Sekunden, und schon sieht man die beiden Küchengehilfinnen verstohlen hinter der leicht geöffneten Küchentür hervor kibizen. Beim Anblick der Jungs schlagen sie sich kichernd die Hand vor den Mund und verschwinden gleich wieder in ihrem Reich.

Langsam erholt sich Alfredo von seinem Schreck.

»Caramba«, ist alles, was er zuerst über die Lippen bringt.

Man sieht ihm an, eben hat er etwas fürs Leben gelernt: Beurteile nie einen Menschen nach seinem Äusseren.

Das Erstaunen über die unerwartet guten Spanischkenntnisse der Serviertochter ist gross. Vreni hat die sonst so schlagfertigen Jungs »schachmatt« gesetzt. Niemand hätte ihr das zugetraut. Mit übereinander geschlagenen Beinen sitzt sie am Stammtisch beim Buffet und geniesst sichtlich ihren Erfolg. Diesen eingebildeten Studenten habe ich's aber gezeigt, triumphiert sie wohl innerlich. Endlich ist auch sie nicht länger nur die kleine, dicke Serviertochter, die niemand ernst nimmt. Denn sie ist überzeugt, das wird sich herumsprechen.

Derweil versucht Peer das Gespräch auf seine Idee mit der neuen Band zu lenken.

»Jungs, hört mir mal zu«, unterbricht er die wild durcheinander plappernde Tischgesellschaft. »Ich möchte eine Band gründen. Nun suche ich noch einen Bassisten und einen Schlagzeuger«, und zu Mike und Alfredo gewandt fährt er fort: »Gitarristen habe ich ja genug. Ihr beide macht doch mit, oder?«

Aber da hat Peer die Rechnung ohne die Bequemlichkeit der beiden Auslandschweizer gemacht.

»Ja, weisst du«, druckst Alfredo verlegen herum, »da brauchst du elektrische Gitarren, und die sind nicht so mein Ding.«

»Mein Ding auch nicht so«, versucht sich auch Mike nicht gerade überzeugend herauszureden.

»Was ist denn plötzlich los mit euch?«, fragt Peer verwundert. »Bis jetzt habt ihr doch immer so positiv vom Gitarrenspielen geredet?! Ich bin schon etwas enttäuscht«, und trotzig fügt er an: »Wenn ihr nicht wollt, suche ich mir halt andere.«

Michi und Beat haben sich bis jetzt zurückgehalten.

Unverhofft meldet sich nun aber Beat: »Würde mir passen, in deiner Band zu spielen. Ich spiele Bass.«

»Das ist ja super«, erwidert Peer erfreut. »Du bist dabei! Jetzt brauche ich nur noch einen Gitarristen und einen Schlagzeuger.«

»Mein Bruder Lory spielt Gitarre«, fährt Beat vielsagend fort. »Der würde bestimmt auch mitmachen.«

»Dein Bruder Lory?«, wiederholt Peer etwas überrascht. »Wo ist der denn?«

»Der ist auch hier im Kollegi. Bei den ›Latein-Fritzen‹. Der will Arzt werden.«

»Und der würde mitmachen?«

»Das denke ich schon.«

»Wann kannst du ihn denn fragen?«

»Ich sehe ihn immer nach dem Mittagessen. Morgen kann ich es dir sagen. Aber gehe schon mal davon aus, dass er dabei ist.«

»Wunderbar«, ist Peer höchst erfreut. »Nun fehlt mir nur noch ein Schlagzeuger.«

»Und den hast du mit mir«, klickt sich nun auch Michi ein. »Vorausgesetzt natürlich, dass du mich willst.«

»Warum sollte ich dich denn nicht wollen?«, hackt Peer etwas verunsichert nach.

»Nun, weisst du«, druckst Michi herum, »ich spiele erst seit einem halben Jahr Schlagzeug und bin noch nicht so gut.«

»He, ich spiele noch nicht viel länger Gitarre. Darum üben wir ja dann auch«, beruhigt ihn Peer.

»Ok! Dann rufe ich morgen zu Hause an, sie sollen mir mein Schlagzeug bringen«, erwidert Michi euphorisch, und man merkt ihm an, dass er sich auf die neue Band freut.

Peer ist vom unerwartet positiven Ergebnis des heutigen Abends selber ziemlich überrascht. So problemlos hat er sich die Bandgründung nun doch nicht vorgestellt.

»Seht ihr, meine Freunde«, wendet er sich spöttelnd an Mike und Alfredo, »es geht auch ohne euch.«

»Ja, wir sind zerstört. Wir fassen es nicht«, geben sich die beiden gespielt gebrochen, um dann umso freudiger nachzuschieben: »Aber wir sind eure ersten Fans!«

Für Peer soll der heutige Tag als Gründungstag in die Annalen der Band eingehen.

»Vreni! Fünf Stangen«, ruft er Richtung Buffet.

Umgehend bringt die Serviertochter das Gewünschte und stellt vor jeden der Jungs ein kühles, frisch gezapftes, fein perlendes Bier hin.

Peer erhebt sich und verkündet feierlich: »So taufen wir heute die neue Band auf den Namen ›The Greens‹.«

Obwohl er den Bandnamen mit den übrigen Bandmitgliedern nicht abgesprochen hat, findet der Name sogleich Anerkennung.

»Es lebe ›The Greens‹«, prosten sich die Jungs zu und fachsimpeln anschliessend über Stilrichtung und Repertoire der neuen Band.

Gleichzeitig legen sie den nächsten Termin fest, um das weitere Vorgehen zu besprechen. Mike und Alfredo sichern ihre Hilfe bei musikalischen Fragen zu und versprechen, auch sonst da zu sein, wenn sie gebraucht werden. Peer bedankt sich bei allen, und nachdem Vreni einkassiert hat, machen sie sich auf den Weg zurück ins Kollegi. Im anschliessenden fakultativen Studium eröffnet Peer in einem leeren Schreibheft die Bandgeschichte. Auf den Pappdeckel des Heftes schreibt er in grossen Buchstaben »Bandgeschichte The Greens«. Ein weiteres Heft beschriftet er mit »Repertoire The Greens« und ein drittes mit »Diverses The Greens«. Nun kann eigentlich nichts mehr schief gehen, ist sich Peer sicher und resümiert: Alles in allem, ein gelungener Start.

Am nächsten Tag teilt Beat wie versprochen Peer mit, dass Lory nicht nur gerne als Gitarrist bei »The Greens« mitmacht, sondern der Band auch gleich seine Dynacord-Anlage zur Verfügung stellt. Erst jetzt wird Peer bewusst, dass die Band auch noch Mikrofone und er selber so schnell wie möglich eine elektrische Gitarre benötigt. Er nimmt sich vor, diesbezüglich seiner Mutter zu schreiben und sie um das nötige Geld zu bitten.

Zum vereinbarten Zeitpunkt trifft sich Peer mit seinen drei Bandmitgliedern zur Festlegung der Verantwortlichkeiten. Sie erarbeiten einen Zeitplan für das gemeinsame und das individuelle Üben und reservieren dementsprechend ein

Musikzimmer für den Rest des laufenden Trimesters. Lory überlässt Peer eine seiner elektrischen Gitarren, bis Peer eine eigene hat.

Und dann startet die Band »The Greens«.

Die ersten Musikproben gestalten sich schwierig. Zu unterschiedlich ist das Können der einzelnen Bandmitglieder. Doch das regelmässige Üben zeitigt bald positive Resultate. Mit zunehmender Fertigkeit steigen auch die Ansprüche. Beat will unbedingt einen seiner Lieblingstitel »If I only had a dollar« ins Repertoire aufnehmen, kennt aber weder den Komponisten noch den Text. Ihm sind nur die erste Zeile der ersten und die erste und zweite Zeile der dritten Strophe bekannt. Er weiss aber, dass Peer verschiedentlich schon Schnitzelbänke verfasst hat und bittet ihn daher, einen Text zu seiner Lieblingsmelodie zu schreiben.

So schreibt Peer seinen ersten Songtext, und Beat ist glücklich, seine gesanglichen Qualitäten zeigen zu können:

If I only had a dollar

1. *Just about a year ago*
   My Mama and my Dad had gone
   I've been waiting for a long time
   But they did not return back home
   So I took old Dady's banjo
   Went singing down to New Orleans
   Oh Lord, I'm tired of strolling round

2. *Everybody in the city*
   Does know already all my songs
   Not a singel one feels pity
   All they say to me is hello
   That's the way I get some money
   Well, just enough to buy some bread
   Oh Lord, I'm tired of strolling round

3. *If I only had a dollar*
   For every song I sing
   Soon there would be no more troubles
   The sun would shine for me again
   I could do all what I like to
   'cos money rules the world
   Oh Lord, these only are dreams you know

17

Das Leben im Kollegium besteht leider nicht nur aus musikalischer Betätigung. All die kleinen, schikanösen Verbote machen den Studenten das Leben schwer. Es fehlt ihnen an persönlicher Freiheit und an Lebensqualität. Hinzu kommt, dass Burris »Spitzel« Peer zusammen mit Rosalie erwischt haben und das, wie könnte es auch anders sein, natürlich sofort dem Präfekten gemeldet haben. Für Peer heisst das: Strafmarsch auf die Haggenegg.

Doch Peer lässt sich dadurch nicht von seinem allabendlichen Treffen mit seiner Freundin abbringen. Er und seine Rosalie haben einen geschützten Ort gefunden, von dem aus sie alle, die sich ihnen nähern, schon von weitem sehen und so rechtzeitig, ohne selbst gesehen zu werden, das Weite suchen können.

Auch heute Abend stehen Peer und Rosalie wieder an ihrem »Liebesort«. Hier, im Schatten eines alten Wirtschaftsgebäudes, das Teil einer hohen Mauer um ein bäuerliches Gehöft ist, fühlen sich die beiden geborgen. Peer, mit dem Rücken an die bestimmt über hundert Jahre alte Hausmauer gelehnt, drückt Rosalie fest an sich. Es ist bitter kalt. Der Atem von Peer und Rosalie verlieren sich als kleine Wolke im Dunkel der Nacht.

»Komm, ich wärme dich«, flüstert Peer seiner Rosalie ins Ohr, knöpft seinen und ihren Mantel auf und drückt sie fest an sich.

Sie geniessen diese intime Nähe. Peer mag den Druck ihrer festen Brüste, und sie erfreut sich seiner Erektion, was sie ihm mit sanften Bewegungen ihres Unterleibs zu verstehen gibt.

Peer gerät ob seiner unkontrollierbaren »Männlichkeit« längst nicht mehr in Verlegenheit, muss aber heute wieder mal mit »Entschuldige bitte, aber sonst geht mir ›Einer‹ ab«, Rosalie kurz etwas auf Distanz halten.

Sie aber legt verschmitzt ihre Hand auf Peers neuralgische Stelle und schaut ihn mit schelmischem Blick an.

»Und das wollen wir doch nicht. Oder?«, haucht sie in die kalte Nacht.

»Nun ja«, meint Peer etwas verlegen, »es ist nachher halt immer so kalt da unten.«

Rosalie fackelt nicht lange und öffnet Peers Hose. Vorsichtig holt sie den »kleinen Hitzkopf« an die frische Luft, und es dauert keine halbe Minute, bis Peer erleichtert aufstöhnt. Leider hat er selber nicht die Möglichkeit, sich entsprechend bei Rosalie revanchieren zu können. Für sie allerdings kein Problem. Sie weiss, die Zeit wird kommen, wo sie sich Peer ganz hingeben kann.

Nachts in seiner Koje denkt Peer zum ersten Mal über eine mögliche Zukunft mit Rosalie nach. Er kann sich diesbezüglich noch gar keine konkreten Vorstellungen machen. Was ihm aber klar ist: Ohne Rosalie würde er diesen Albtraum hier mit Sicherheit nicht überstehen. Denn, obwohl Peer den Druck der verlogenen Kollegi-Moral kaum mehr aushält, getraut er sich nicht, einfach abzuhauen. Zu lähmend ist die Angst vor seinem Vater. In solchen Momenten voller Selbstzweifel wünscht sich der junge Peer oft, einfach einen Schalter kippen und so sein Leben beenden zu können. Das sind die grossen, schwarzen Löcher, in die Peer immer wieder fällt, und die ihn jeweils die halbe Nacht in seiner Koje ins Kopfkissen weinen lassen, bis er schliesslich erschöpft einschläft. Niemand ahnt etwas von seinem grossen Lebensfrust. Und obwohl er in vielen Briefen seine Eltern immer wieder bittet, ihn aus dem Kollegium zu holen, scheinen diese nicht im Geringsten an seiner grossen Verzweiflung interessiert zu sein. Doch die Gedanken an seine Freundin lassen Peer immer wieder neuen Mut fassen, und es ist ihm dann, als habe ihm Gott Rosalie als Schutzengel geschickt.

Am Morgen ist Peer einer der Ersten im Waschraum.

Heute ist Sonntag – Tag des Strafmarschs.

Für Peer heisst das: Nach dem Mittagessen, Haggenegg retour. Bei Sonnenschein und an der frischen Luft ist das für ihn Erholung pur. Und heute scheint die Sonne, als wäre es Hochsommer. Dabei liegen draussen gut fünfzig Zentimeter Schnee.

Peer ist gerade beim Zähneputzen, als Alfredo den Waschraum betritt.

»Buenos«, grüsst dieser etwas verschlafen.

»Buenos«, grüsst Peer gut gelaunt zurück. »¿Qué tal?«

»Hört, hört! Unser Spanier», witzelt Alfredo und klopft Peer auf die Schuler. »Bei mir, alles klar. Und bei dir?«

»Ich darf heute auf die Haggenegg. Strafmarsch.«

»Was hast du denn angestellt?«

»Burris Schergen haben mich Vorgestern mit Rosalie erwischt.«

»Und jetzt ist der Burri eifersüchtig, dass er keine hat, die ihm ab und zu seinen ›kleinen Freund‹ poliert, und du musst dafür büssen?«

Grosses Gelächter im Waschraum. Doch mit einem Schlag wird es mucksmäuschenstill. Präfekt Burri steht mit hochrotem Kopf im Türrahmen.

»Alfredo! Sofort zu mir«, poltert er durch den Waschraum.

»¡Caramba! Este hijo de puta«, entfährt es Alfredo halb unterdrückt.

Gut nur, dass Burri kein Spanisch spricht, sonst hätte er ihn sicher gleich nach Hause geschickt. So verdonnert er Alfredo lediglich dazu, mit Peer heute auf die Haggenegg zu marschieren.

Zurück in der Koje freuen sich Peer und Alfredo spitzbübisch über Burris Strafe, denn von Strafe kann keine Rede sein. Alfredo würde heute auch ohne Burris Dazutun mit Peer auf die Haggenegg marschieren.

Die verhasste Sonntagsmesse in der grossen Kollegi-Kirche zieht sich wieder mal endlos dahin. Immer wieder sackt der eine oder andere Studenten-Kopf auf die Brust, wo er so lange bleibt, bis der Banknachbar darauf aufmerksam wird und den Betreffenden mit einem kleinen Stups wieder weckt. Unermüdlich schleicht Präfekt Burri oben auf den kleinen Emporen hin und her und schreibt jeden auf, der vom Schlaf übermannt wird. Alles Kandidaten für einen Haggenegg-Strafmarsch. Burris sonntägliche Selbstbefriedigung. Man könnte meinen, er wäre am Berg-Restaurant beteiligt.

Böse Zungen munkeln auch, dass er sich mit seinen Strafmärschen erfolgreich bei Annabelle, der Serviertochter dort oben, eingeschleimt hat, trägt er doch damit nicht unerheblich zu ihrem Umsatz bei.

Nun denn, besser so, als dass er sich an den Jungs vergreift. In der Klosterschule Einsiedeln sollen sich da ja einige Patres immer wieder sexuelle Entgleisungen mit Internatsschülern leisten, wie hinter vorgehaltener Hand gemunkelt wird. Im Kollegium Schwyz ist bis jetzt nichts Derartiges bekannt geworden, obwohl der eine oder andere Pater hier sicher auch mit solchen abartigen Fantasievorstellungen zu kämpfen hat.

Der heutige Strafmarsch auf die Haggenegg ist für Peer und Alfredo Erholung pur: Die Sonne! Die frische Luft! Die wundervolle Aussicht auf den Vierwaldstättersee und die umliegenden Berge! Und nicht zu vergessen, die kleinen Schnapsfläschchen, deren Inhalt den beiden nach und nach gehörig in die Knochen fährt. Oben im Restaurant trägt Annabelle dann schliesslich mit ihrer beliebten Schulter-Nacken-Massage noch das Ihre zum vollkommenen Wohlbefinden der beiden Jungs bei.

»So könnte es immer sein«, seufzt Alfredo, seinen Stuhl in die Sonne gedreht, die Beine lässig übereinander geschlagen auf dem Terrassengeländer hoch gelagert, und bestellt noch zwei Stangen Bier.

»Ja, wenn jetzt noch Rosalie da wäre«, sinniert Peer gedankenverloren und ebenfalls mehr im Stuhl liegend als sitzend, »dann wär's perfekt. Aber auch so lässt sich's leben.«

Die Jungs haben keine Eile, denn hinunter ins Tal geht's mit den mitgebrachten Schlitten. So geniessen sie noch das eine oder andere Bierchen, und nachdem sie sich ihre Anwesenheit für Burri vom Wirt auf einer Postkarte haben bestätigen lassen, nehmen sie schliesslich die rasante Schlittenfahrt hinunter ins Tal unter die Kufen. Übermütig versuchen sie sich gegenseitig immer wieder zu überholen, was auf der schmalen Bergstrasse gar nicht so einfach ist. Der Schnee stiebt, und in regelmässigen Abständen landet einer der beiden links oder rechts in der hohen Schneemauer, welche die Strasse begrenzt.

Was für ein Gaudi!

Die Bierchen, vor allem die letzten, tragen das ihre dazu bei, denn es scheint so, als haben gerade diese das Fass sprichwörtlich zum Überlaufen gebracht. Zuerst übergibt sich Alfredo lautstark und hinterlässt ein gelb-braunes »Kunstwerk« im weissen Schnee. Nicht minder ausgiebig tut es ihm Peer wenig später gleich. Das wiederholt sich innerhalb der nächsten halben Stunde noch zwei Mal, und dann sind die Jungs wieder so weit hergestellt, dass sie sich beim Präfekten zurückmelden können.

Der Kater am nächsten Morgen ist gewaltig. Beide Jungs suchen bereits vor dem Morgenessen die Krankenabteilung auf und bitten um Kopfwehtabletten. Zum Glück hat Gott Schwester Theodosia, eine Ordensfrau im Alter von Peers Grossmutter, und genau so lieb und verständnisvoll, hier ins Kollegi berufen. Schwester Theodosia sieht gleich, was mit den Jungs los ist.

»Man sagt, man müsse am nächsten Morgen so weitermachen, wie man am Abend vorher aufgehört hat«, beginnt sie mit sanfter, ruhiger Stimme, um dann, nach kurzer Pause, mit einem entwaffnenden Lächeln zu fragen: »Möchtet ihr noch ein Bierchen?«

Das verfehlt die beabsichtigte Wirkung nicht. Nur schon der Gedanke an Bier, löst bei den Jungs einen Brechreiz aus. Doch zum Glück haben sie nichts mehr im Magen, so dass es bei einem kurzen Würgen bleibt. Schwester Theodosia hingegen begnügt sich nicht mit Kopfwehtabletten. Sie behält die Jungs gleich im Krankenzimmer und verordnet ihnen Bettruhe.

»Frühestens zum Mittagessen lasse ich euch wieder gehen«, stellt sie fürsorglich aber bestimmt fest. »Wer ist euer Präfekt? Ich rufe ihn gleich an und informiere ihn.«

»Unser Präfekt ist Pater Burri. Sie dürfen ihm aber nicht sagen, dass wir zuviel Alkohol getrunken haben. Sonst haben wir wieder ein neues Problem«, entgegnet Peer ängstlich.

»Wenn der Liebe Gott will, dass Pater Burri das weiss, dann wird er es ihm selber sagen. Ich bin ans Arztgeheimnis gebunden«, beruhigt Schwester Theodosia Peer mit einem Augenzwinkern und streicht ihm mütterlich über die Wange.

Peer und Alfredo geniessen die Ruhe im Krankenzimmer und lassen sich gerne von Schwester Theodosia mit Schleimsüppchen und magenberuhigendem Tee wieder aufpäppeln. Pünktlich zum Mittagessen werden sie mit einem entsprechenden Arztzeugnis aus der Krankenabteilung entlassen. Vorsorglich hat Schwester Theodosia im Arztzeugnis vermerkt, dass die Jungs heute nicht aktiv am Turnunterricht teilnehmen dürfen, was einer rascheren Erholung entgegenkommt.

So sind Peer und Alfredo beim Abendspaziergang dann auch wieder fit.

»Ich schaue rasch in der ›Sonne‹ vorbei. Kommst du mit?«, fragt Alfredo.

»Heute nicht«, entschuldigt sich Peer. »Meine Rosalie wartet auf mich.«

»¡Bueno! Dann bis später«, verabschiedet sich Alfredo. »Und grüsse sie von mir!«

»Ok, alles klar«, ruft ihm Peer nach und macht sich schnellen Schrittes auf zum ihrem Versteck, wo Rosalie bestimmt schon auf ihn wartet.

Als Peer in das schmale Gässchen, das zu ihrem Treffpunkt führt, einbiegt, sieht er aber schon von weitem, dass Rosalie noch nicht bei der alten Mauer eingetroffen ist. Ungeduldig wartet er zwanzig lange Minuten und macht sich dann enttäuscht auf, Richtung »Sonne«, in der Hoffnung, dort noch den einen oder anderen Kollegen anzutreffen.

Als Peer die Gaststube betritt, wird er von Alfredo gleich lautstark begrüsst: »¡He amigo! Hat sie schon genug von dir?«

»Nein, sie war nicht da. Ihr muss etwas dazwischen gekommen sein«, erwidert Peer leicht frustriert.

»Ja zwischen ihre Beine«, nimmt ihn Alfredo hoch.

»Deine Gedanken bewegen sich immer nur unter der Gürtellinie«, faucht Peer genervt und setzt sich an den Tisch.

»Muchacho«, versucht Alfredo nun Peer zu beruhigen, »da ist schon nichts passiert. Morgen triffst du sie wieder, dann klärt sich alles auf.«

»Hoffentlich«, erwidert Peer nachdenklich, und ein ängstlicher Unterton in seiner Stimme ist nicht zu überhören.

Peer schläft schlecht, diese Nacht. Seine Gedanken drehen sich um Rosalie und warum sie nicht gekommen ist.

Doch auch am anderen Abend kommt Rosalie nicht zum vereinbarten Treffpunkt. Und am Abend darauf auch nicht. Und zwei Tage später auch nicht. Peer kann sie nicht mal kontaktieren. Er kennt weder ihre Telefonnummer noch ihre Adresse. Erst jetzt wird ihm bewusst, dass sie beide gegenseitig überhaupt keine Kontaktdaten ausgetauscht haben. Ein beklemmendes Gefühl beschleicht ihn. Was, wenn sie nicht mehr kommt? Er kann sie nicht mal anrufen, geschweige denn aufsuchen. Er hat nicht mal ein Foto von ihr, kann so nicht mal nach Küssnacht fahren und die Leute dort fragen, ob jemand seine Freundin kennt.

Die Tage vergehen, und Peer wartet jeden Abend voller Ungeduld am Treffpunkt bei der alten Mauer auf Rosalie. Vergebens. Verzweifelt durchwachte Nächte zerren an seiner Gesundheit. Die Hoffnung auf ein Wiedersehen mit Rosalie schwindet von Tag zu Tag. Wie ein geprügelter Hund schleicht Peer durch die Gänge zum Unterricht und sitzt dort völlig abwesend Stunde um Stunde ab. Seine geliebte Gitarre, immerhin sein bisheriger Trost in schweren Stunden, hat er seit Tagen nicht mehr hervorgeholt.

Seine Freunde beginnen sich ernsthaft Sorgen zu machen. Vor allem Alfredo trägt sich zunehmend mit dem Gedanken, Präfekt Burri, oder zumindest Vize Gasser zu informieren.

Doch dann, Peer steht wieder, wie all die Abende davor, mit geschlossenen Augen an die alte Mauer bei ihrem Treffpunkt gelehnt, den Kopf gesenkt und voller schwarzer Gedanken, als er das leise Knirschen von Schritten im Schnee hört, die sich rasch nähern. Wird wohl wieder einer von Burris »Schergen« sein, denkt er emotionslos und hebt langsam den Kopf in Richtung, woher die Schritte kommen.

Was er dann sieht, lässt das Blut aus seinem Gesicht weichen und seine Knie zusammensacken. Wie ein Häufchen weinendes Elend kauert er da, die Hände in seinem Schoss vergraben, als Rosalie bei ihm eintrifft. Wortlos zieht sie ihn zu sich hoch und hält seinen zitternden Körper minutenlang eng umschlungen. Nun kann auch sie sich der Tränen nicht mehr erwehren und lässt ihren Gefühlen ebenfalls freien Lauf. Immer und immer wieder küssen sie sich innig, und ihre Tränen vereinen sich zu einem kleinen Rinnsal, das tröpfchenweise in den Schnee zu ihren Füssen fällt und dort kleine Löcher hinterlässt.

Es vergehen lange Minuten, die wie Stunden scheinen, bis sich die beiden wieder gefangen haben und Peer langsam seine Stimme wieder findet.

»Mensch, Rosalie. Wo warst du denn? Ich bin fast verrückt geworden, weil ich nicht wusste, was passiert ist.«

»Beruhige dich, Liebster. Das ist eine lange Geschichte«, und Rosalie berichtet Peer vom Tod ihres Grossvaters. Immer wieder wird sie von Weinkrämpfen geschüttelt. Peer hält sie fest in seinen Armen und streichelt ihre Wange. Mehr kann er im Moment nicht tun. Er ist von der ganzen Situation selber ziemlich überfordert. Bis jetzt ist er in seiner Familie noch nie mit dem Tod konfrontiert worden.

Rosalie fängt sich langsam wieder. Peer küsst ihr die letzten Tränen vom Gesicht, und dann stehen sie eine gefühlte Ewigkeit einfach nur da. Dicht aneinander gedrängt. Ruhig.

Ohne ein weiteres Wort zu wechseln. Sie sind sich beide sicher, dass Gott sie einander gegeben hat, damit sie in dieser ersten schwierigen Lebensphase ihres jungen Lebens nicht zerbrechen.

Peer schaut auf die Uhr. Er braucht nichts zu sagen.

Rosalie sieht ihm in die Augen und flüstert: »Ich weiss. Du musst gehen.«

Schweren Schrittes mühen sie sich langsam das leicht ansteigende Gässchen zwischen den mannshohen Mauern hoch. Am Punkt, wo sie sich trennen müssen, fällt ihnen heute der Abschied besonders schwer.

»Schlaf gut mein Schatz«, haucht Rosalie Peer ins Ohr.

»Danke, du auch«, flüstert Peer. Und dann sagt er diese Worte, die er noch zu keinem Mädchen gesagt hat: »Ich liebe dich.«

Rosalie schlingt ihre Arme fest um ihn. Ein erlösendes Lächeln huscht über ihr Gesicht.

»Danke. Ich dich auch«, erwidert sie leise.

Und beide gehen zurück an den Ort, den sie sofort aufgeben würden, könnten sie zusammen sein – Peer ins Kollegi, und Rosalie zu ihrer Au-pair-Familie.

18

Der letzte Schnee im Schatten der Mythen ist auch hier in Schwyz endlich geschmolzen. Der Frühling ist da. Neues Leben erwacht. Nicht nur in der Natur, sondern auch in den Köpfen der Studenten. Überall kommt es zu Unruhen. Man spricht vom Frühling '68. Hier im Kollegium Schwyz merkt man allerdings nichts davon. Umso mehr aber in Zürich, im Tessin und in Genf. Dort schliessen sich Angehörige der Jazz- und Rockkultur den jungen radikalen Studentenorganisationen an. Sie bilden die lokalen 68er-Bewegungen und fühlen sich als Hüter der »wahren« revolutionären Linie.

In der Deutschschweiz beginnt sich die POCH, die Progressiven Organisationen Schweiz, und in der Westschweiz die RML, die Revolutionäre Marxistische Liga, zu formieren. Das Herz der 68er-Unruhen ist die Universitätsstadt Zürich. Erst ist es hier noch relativ ruhig. Doch dann liest man in den Zeitungen vom »Globuskrawall«, einer Krawallnacht in Zürich, bei der es mehr als vierzig Verletzte gibt, und die zu den ersten Massenverhaftungen führt. Die Studentenunruhen in der Schweiz entwickeln sich ähnlich, wie in den grossen deutschen Städten: Demonstrationen mit bis zu zweitausend Teilnehmern, Krawalle, abweisende Haltung der Behörden, unverhältnismässig harte Polizeimassnahen und Verhaftungen im grossen Stil.

Im Zürcher Hallenstadion ist ein Monsterkonzert angesagt. Jimi Hendrix kommt in die Schweiz. Peer, Alfredo und Thomas haben Eintrittskarten. Doch Präfekt Burri bewilligt den Konzertbesuch nicht. Er meint, das Risiko sei aufgrund der Studentenunruhen zu gross. Und er soll damit Recht haben. Beim Eingang zum Konzert werden Tausende von Flugblättern verteilt, eines mit dem Porträt von Jimi Hendrix und ein zweites mit dem Bild Fritz Teufels von der Berliner Kommune 1. In den Flugblättern steht, warum, nach Mao, Widerstand gerechtfertigt ist. Nach dem Konzert kommt es zu Tumulten. Stühle gehen in die Brüche. Die Polizei löst die Krawalle auf besonders brutale Art und Weise auf. Wieder gibt es Verletzte und Verhaftete.

Peer ist von den Studentenunruhen fasziniert. Gerne wäre er dabei. Hier könnte er im Kreise Gleichgesinnter seine aufgestaute Wut über das verhasste Establishment abreagieren. Das wäre für ihn die ideale Plattform, um gegen Autoritäten im Allgemeinen und seinen Vater im Besonderen zu rebellieren.

Als Rosalie wieder ein paar Tage bei ihren Eltern in Küssnacht verbringt, geniesst Peer seinen Abendspaziergang, wie meistens in Rosalies Abwesenheit, mit seinen Band-Kollegen und Alfredo in der »Sonne«. Und wie so oft, versucht er auch heute seinen Frust und seine Selbstzweifel mit ein paar Bierchen hinunter zu spülen. Meistens gelingt ihm das auch. Dann ist er jemand! Will die Welt verändern!

Wie eben jetzt wieder. Ein, zwei Bierchen zu viel, und Peer fühlt sich stark und selbstbewusst. Getrieben vom

Wunsch, das ihm von seinem Vater eingepflanzte Verliererimage loszuwerden, bringt er dann Vorschläge, die für ihn ohne Frage innovativ, für sein Umfeld aber nur schwer nachvollziehbar sind. Peer fehlen die Richtlinien, die wahren Werte, für ein funktionierendes, ausgewogenes Zusammenleben in der Gesellschaft. Werte, die er von seinem ersten Vorbild, dem cholerischen Familienvorsteher eben, auf seinen Lebensweg hätte mitbekommen sollen. Werte, die er aber nicht kennt, weil sie ihm nie vermittelt wurden. So verliert sich Peer immer wieder in Provokationen, von denen er tief in seinem Inneren selber weiss, dass sie nicht richtig sind. In solchen Momenten siegt aber sein unterdrücktes Ego. Es muss einfach raus. Auch jetzt wieder.

»Eigentlich sollten wir hier im Kollegi auch eine Bewegung wie in Zürich aufziehen und mal zeigen, dass wir uns nicht mehr alles gefallen lassen«, wirft Peer mit bereits ziemlich schwerer Zunge in den Raum.

Die Jungs schauen sich leicht genervt an. Da ist er also wieder. Einer dieser selbstzerstörerischen Gedanken eines von Minderwertigkeitskomplexen geplagten Menschen. Eigentlich haben sie schon darauf gewartet. Schliesslich kennen sie Peer lange genug und wissen über sein emotionales Defizit Bescheid. Entsprechend behutsam reagieren sie darauf.

»Und was versprichst du dir davon?«, will Alfredo wissen.

»Mehr Freiheit und mehr Lebensqualität«, antwortet Peer selbstsicher.

»Und du denkst, die da oben spuren einfach so, wenn wir uns quer stellen?«, klinkt sich nun auch Beat ein.

»Sicher nicht gleich zu Beginn«, ist sich Peer bewusst. »Es ist eine Frage der Zeit, bis sie schlussendlich einlenken müssen.«

»Die müssen überhaupt nichts. Die schmeissen dich einfach raus«, gibt Lory zu bedenken.

»Wenn alle mitmachen, haben die keine Chance. Die können nicht alle nach Hause schicken«, ist Peer überzeugt.

»Da werden die wenigsten mitmachen«, ist sich Lory sicher. »Die meisten sind doch freiwillig hier und wollen nichts anderes, als ihren Maturitätsausweis so rasch wie möglich in der Tasche. Von diesen wird sich keiner freiwillig in die Nesseln setzen.«

»Ihr seid alles Banausen«, lallt Peer schon leicht weggetreten und mit »Vreni, noch fünf Stangen« ist das Kapitel »Auflehnung gegen die Obrigkeit« für ihn erledigt – bis zum nächsten Mal.

Lory annulliert die Bierbestellung gleich wieder: »Nein, nein Vreni! Nichts mehr zu trinken! Aber zahlen, bitte!«

Die Serviertochter kassiert ein, und die Jungs kehren ins Kollegium zurück. Alfredo sucht mit Peer als Erstes die Toilette auf und bringt ihn dazu, sich den Finger in den Hals zu stecken. Peer übergibt sich ausgiebig und fühlt sich anschliessend soweit hergestellt, dass er das heutige Abendstudium ohne gross aufzufallen doch noch hinter sich bringen kann.

Endlich im Bett, fällt Peer in einen betäubungsähnlichen Tiefschlaf, noch bevor sein Kopf das Kopfkissen erreicht hat.

Zum Glück ist heute Sonntag. Peers Kopf brummt gewaltig. Immer wieder nickt er während der Messe ein. Thomas neben ihm hat alle Hände voll zu tun, Peer einigermassen wach zu halten. Burri, wie immer auf den Emporen hin und her tigernd, darf nichts davon mitbekommen. Schliesslich ist für nächsten Sonntag wieder freier Ausgang angesagt, und da wollen die Jungs zusammen nach Brunnen ins »Eden«.

»Verdammt, da war gestern wohl das eine oder andere Bierchen zu viel, mein Kopf explodiert gleich«, zischt Peer Thomas beim Verlassen der Kirche zu.

Thomas meint nur leise: »Psst. Da kommt der Burri«, und mit gesenktem Kopf geht er übertrieben andächtig und zügig am Präfekten vorbei.

Peer, infolge des gestrigen Absturzes und der latenten Kopfschmerzen· übel gelaunt, meint wieder den Macker raushängen zu müssen und sucht die Provokation. Mit einem angedeuteten Hofknicks schaut er Burri beim Vorbeigehen abschätzig lächelnd ins Gesicht.

»Ist etwas nicht in Ordnung?«, herrscht ihn Burri gehässig an.

»Was soll denn nicht in Ordnung sein?«, fragt Peer ebenso gehässig zurück.

In diesem Moment mischt sich Thomas ein: »Entschuldigen sie bitte, Herr Präfekt. Peer hat schlechte Nachrichten von zu Hause und fühlt sich nicht so gut.«

Diese Notlüge rettet Peers Kopf.

Burri gibt sich plötzlich äusserst fürsorglich: »Wenn du reden möchtest Peer, meine Tür steht immer für dich offen.«

In Peers Kopf kippt ein Schalter und er realisiert erstaunt: Der Burri, der ist ja gar nicht so schlimm!

»Danke Herr Präfekt. Ich möchte im Moment nicht darüber reden«, antwortet er etwas verlegen, aber umso freundlicher.

»Ist schon in Ordnung«, erwidert Burri verständnisvoll. »Einfach, dass du's weisst.«

Draussen auf dem Pausenplatz angekommen, herrscht Thomas Peer an: »Sag' mal, bist du noch besoffen?!«

»Ja! Ist ja gut«, ist Peer genervt. Er weiss selber, dass er seine diesbezüglichen »Blackouts« in den Griff bekommen muss. »Ich trinke ab sofort keinen Alkohol mehr«, zeigt er sich einsichtig.

»Nicht keinen mehr, aber einfach weniger«, versucht Thomas das Ganze auf den Punkt zu bringen. »Und dann solltest du wirklich mal mit Burri über deine Vaterprobleme reden.«

»Werd's mir überlegen. Und jetzt, genug davon«, beendet Peer abrupt die Diskussion.

Die beiden setzen sich zu ihren Freunden unter einen der grossen Lindenbäume beim Pausenplatz und schlagen die Zeit bis zum Mittagessen mit belanglosem Tratschen tot.

Peer zieht sich am Nachmittag an den Dorfbach oberhalb des »Narrendreiecks« zurück. Alleine – Alfredo und Thomas wollen lieber mit ein paar anderen Jungs Fussball spielen. Sie haben dafür bereits gestern den Rasenplatz reserviert. Träumen, nachdenken und dabei auf einer der vielen Beton-Bachverbauungen sonnenbaden. Vielleicht ein bisschen lesen. Oder einfach nur die Seele baumeln lassen. So will Peer den heutigen Sonntagnachmittag hier am Bach verbringen. Doch die Sturm- und Drangzeit der Pubertät holt ihn auch hier ein. Kaum hat er »Le Petit Prince« von Antoine de Saint-Exupéry aufgeschlagen, lassen sich auf der nächsten Bachverbauung Richtung Dorf auch schon zwei Schönheiten nieder. Beide wasserstoffblond und stark, aber nicht unvorteilhaft, geschminkt. Und ihr Kokettieren lässt keine Zweifel offen – die wollen hier und heute etwas erleben!

Müssen Coiffeusen oder so was Ähnliches sein, denkt Peer, denn Frisur und Make-up scheinen wirklich von professioneller Hand gerichtet zu sein.

Peer gibt sich demonstrativ uninteressiert und blättert geschäftig in seinem »Petit Prince«. Er lässt die beiden aber keine Sekunde aus den Augen. Mit aufgesetzter Sonnenbrille ist das auch problemlos möglich, ohne aufzufallen. Ab und zu hebt er den Kopf, dreht ihn leicht zur Seite und erweckt so den Eindruck, als schaue er irgendwohin, nur nicht zu den beiden jungen Damen. Doch in den Augenwinkeln hat er sie jeder Zeit voll im Visier.

Und was er sieht, gefällt ihm sehr gut!

Langsam und betont lasziv beginnen sich die beiden Girls zu entblättern. Immer wieder schauen sie zu Peer hoch. Sie scheinen ganz genau zu wissen, dass dieser sie beobachtet. Nach und nach fallen Bluse, Unterleibchen, Jupe und Unterrock.

Und plötzlich stehen sie da!

Schlank, langbeinig und beide nur noch mit einem knappen, roten Bikini und hellen Strümpfen bekleidet. Natürlich fehlt auch der obligate Strumpfhalter nicht. Reich bestickt und rosafarben hebt er sich vom dunkelroten Bikiniunterteil ab.

Was für scharfe Katzen, denkt Peer, und als sich die beiden aufreizend ihrer Strümpfe und des Strumpfhalters entledigen, zieht er unbewusst seine Beine leicht an, um die Beule in der Badehose so gut wie möglich zu verbergen. Doch nicht nur die Beule macht ihm zu schaffen. Da ist noch der dunkle Fleck des Lusttropfens auf seiner Hose. Zu Peers Ärger wird dieser mit zunehmender Dauer der Erektion immer grösser.

»Bis das Zeug wieder trocken ist«, murmelt er vor sich hin. »Aber ich habe ja Zeit.«

Je mehr Peer die beiden jungen Damen beobachtet, desto sehnlicher wünscht er sich Rosalie herbei. Seine Dauererektion beginnt ihn schon langsam zu schmerzen. Rosalie würde da sofort Abhilfe schaffen, ist sich Peer sicher. Doch Rosalie ist nicht da, und der Druck zwischen seinen Beinen will einfach nicht abnehmen. Zu allem Unglück schicken sich die beiden Dorfschönheiten auch noch an, Peer einen Besuch abzustatten.

Verdammt! Was mach ich nun?, schiesst es ihm durch den Kopf, als er die beiden auf sich zukommen sieht. Da gibt's nur eins: Auf den Bauch!

Wie der Blitz dreht sich Peer um und schafft es gerade noch, seine Erektion bäuchlings zu verstrecken, bevor die beiden jungen Damen vor ihm stehen. Nun liegt er da, und die Glut des heissen Betons der Bachverbauung dringt durch das Frottiertuch an seine eh schon überstrapazierte »Männlichkeit«.

Dabei bräuchte diese jetzt dringend eine Abkühlung!

Das geht nicht gut! Da passiert gleich ein Unglück, denkt Peer nervös. Doch dann beruhigt er sich wieder: Kein Problem. Ich liege ja auf dem Bauch. Und was da zwischen Bauch und Bachverbauung ab geht, kann niemand sehen.

Wenn er sich da nur nicht täuscht …!

Peer blättert immer noch nervös in der Novelle von Saint-Exupéry, als die beiden Girls bei ihm ankommen.

»Hallo! Dürfen wir uns zu dir setzen?«, hört Peer die melodiöse Stimme der Schönen mit den grösseren Brüsten wie aus weiter Ferne an sein Ohr dringen. Er hat im Moment nur Augen für die beiden Oberweiten, die da vor seinem Gesicht behutsam hin und her schwingen. Und er kann sich nur schwer von diesen perfekten Kurven losreissen.

Entschuldige Rosalie, denkt er beschämt, doch das hat nichts zu bedeuten. Wenn aber der liebe Gott so was Schönes gemacht hat, dann muss man einfach hinschauen dürfen, ohne ein schlechtes Gewissen haben zu müssen.

»Ja sicher! Setzt euch!«, lädt Peer nach seiner kurzen, gedanklichen Abwesenheit die beiden Besucherinnen ein.

Diese setzen sich mit züchtig zur Seite angewinkelten Beinen neben der Bachverbauung ins Grass. Peer muss sich zwingen, nicht ständig auf ihre Brüste zu starren. Das fällt ihm ungemein schwer. Umso mehr, da er aus Anstandsgründen seine Sonnenbrille zur Seite gelegt hat.

»Ich heisse Peer. Wie heisst ihr denn?«, versucht Peer die Konversation in Gang zu bringen.

»Ich bin die Yvonne«, antwortet die mit den grösseren Brüsten mit einem Touch Erotik in der Stimme.

»Und isch eisse Lucie«, haucht die andere mit umwerfendem, französischem Akzent. »Et comme je vois, tu parle aussi français.«

»Oh«, erwidert Peer etwas verlegen. »Weil ich ›Le Petit Prince‹ lese, heisst das noch lange nicht, dass ich auch Französisch sprechen kann.«

»Abör, wenn du nischt kann spreschen Fransösisch, du nischt kann lesen ›Le Petit Prince‹«.

»Nun ja. Etwas Französisch kann ich schon. Schulfranzösisch halt. Aber du sprichst besser Deutsch als ich Französisch«, und Peer muss sich zurückhalten, um nicht einen zotigen Witz über das andere »Französisch« zu machen.

Doch Lucie, eine echte Französin eben, kennt da keine Berührungsängste: »Abör, isch denke schon, du kannst sehr gut in Fransösisch«, und mit einem entwaffnenden Lächeln, das Mona Lisa in nichts nachsteht, lässt sie keine Zweifel offen, was sie in diesem Zusammenhang unter »Französisch« versteht.

»Luuuciiie!«, mahnt Yvonne, mehr gespielt, als ernst, und wirft Peer gleichzeitig einen feurigen Blick zu.

Erotik pur liegt in der Luft!

Oh, oh, denkt Peer, jetzt wird's gefährlich. Jetzt sollte Alfredo da sein.

Aber Alfredo ist nicht da, und Peer muss alleine mit dieser »sexplosiven« Situation zu Recht kommen. Zu allem Unglück setzen sich Yvonne und Lucie nun auch noch aufrecht hin und ziehen ihre Knie gegen die Brust. Ihre Füsse jedoch stellen sie, wie zufällig, nicht ganz zusammen und gewähren Peer so einen unmissverständlichen Blick auf ihre Schamgegend, wohl wissend, dass dort das eine oder andere Schamhaar vorwitzig unter dem Bikinihöschen hervorblitzt. Natürlich weiss Peer sofort, dass das Absicht ist.

Und er braucht jetzt schnellstens eine Abkühlung!

Beule und Fleck hin oder her!

Wenn er jetzt nichts unternimmt, ist es zu spät. Und er möchte seiner Rosalie auf keinen Fall untreu werden – also besser selber Hand anlegen!

Peer steht auf, und es ist ihm egal, dass Yvonne und Lucie gebannt auf sein »bestes Stück« starren. Die beiden jungen Damen kichern verlegen und flüstern aufgeregt miteinander. Derweil setzt sich Peer in das rund vierzig Zentimeter tiefe Wasser unterhalb der Bachverbauung. Von hier aus sieht er nur die Köpfe der beiden Girls. Also können diese auch nur seinen Kopf sehen. Rasch holt er seinen »kleinen Freund« aus der Badehose, und kaum berührt er ihn, schüttelt auch schon eine wohlige Entspannung seinen Körper. Das bleibt den beiden Mädchen, die immer noch oben sitzen und jede Bewegung von Peer beobachten, offensichtlich nicht verborgen, obwohl sie nur seinen Kopf sehen.

»Ist recht kalt hier«, versucht Peer sein kurzes Schaudern zu entschuldigen.

»Genau! Das denken wir auch«, gibt sich Yvonne verständnisvoll und zwinkert Peer schelmisch zu.

Noch zwei, drei Minuten sitzen bleiben, denkt Peer, dann kann ich mich wieder zeigen.

Aus den zwei, drei Minuten wird dann eine halbe Stunde, da sich auch Yvonne und Lucie zu Peer ins Wasser setzten. Die drei unterhalten sich über Gott und die Welt. Und obwohl sich die ob des kalten Wassers harten Brustwarzen der Girls unübersehbar in ihren Bikinioberteilen abzeichnen, hat Peer seinen »aufmüpfigen kleinen Freund« erstaunlicherweise gut im Griff. Nun, das kalte Wasser trägt wohl das Seine dazu bei …

Zurück im Kollegi ärgern sich Alfredo und Thomas gewaltig, als ihnen Peer von seinem Nachmittag am Bach erzählt. Mit witzigen Bemerkungen versuchen die beiden, ihre Enttäuschung herunterzuspielen. Das gelingt ihnen allerdings mehr schlecht, als recht.

»Ohne mich warst du natürlich schön im ›Seich‹«, beginnt Alfredo den verbalen Schlagabtausch.

»Da muss ich dir Recht geben«, nimmt ihm Peer gleich wieder den Wind aus den Segeln.

»Da wird deine Rosalie keine Freude haben, wenn ich ihr erzähle, dass du mit anderen Weibern rummachst«, mischt sich nun auch Thomas grinsend ein.

»Doch, die mag das«, kontert Peer. »Die wird dich sofort fragen, ob du mit uns einen ›Dreier‹ machen willst.«

So fliegen die Zoten hin und her. Jeder der Drei will der lässigere Macker sein. Sogar noch beim Abendspaziergang, der natürlich auch heute wieder unter dem Motto »Umtrunk im Restaurant Sonne« steht, ist Peers erlebnisreicher Nachmittag das Gesprächsthema Nummer eins. Und hier kommen auch Alfredo und Thomas kurz auf ihre Kosten, denn Brigitte wartet wieder im dunklen Hausflur darauf, ein paar »Streicheleinheiten« verteilen zu dürfen.

Drei Wochen sind seit Peers »Kampf am Bach«, wie er die Herausforderungen jenes Sonntagnachmittags nur noch nennt, vergangen. Mit Rosalie hat er längst darüber gesprochen. Für sie war das kein Problem. Sie weiss, dass sie sich hundertprozentig auf Peer verlassen kann. Und Peer wird sie nie mit einer anderen Frau betrügen. Das entspricht nicht seinem Charakter.

Peer, Alfredo, Thomas und Mike, sowie Beat und Michi aus Peers Band, Lory ist nicht dabei, er studiert nicht in der Abteilung Don Bosco, haben sich für heute Samstagabend, neun Uhr dreissig, verabredet. Sie wollen den Schulschluss und die bevorstehenden Sommerferien feiern. Mike hat per Zufall entdeckt, dass zwar der Schlüssel in der Tür zum von ihrem Schlafsaal aus erreichbaren Turmzimmer nicht steckt, die Tür aber auch nicht abgeschlossen ist. Und dort, im Turmzimmer, wollen sie heute Abend feiern. Jeder soll eine Flasche Rotwein und sein eigenes Zahnglas mitbringt.

Mittlerweile liegen die Jungs im Bett. Fiebernd warten sie in ihren Kojen darauf, dass sich der Präfekt endlich in sein Zimmer zurückzieht. Doch noch immer sind Burris quietschende Schritte im Schlafsaal zu hören. Die Gutenachtmusik ist längst verklungen. Aber der Präfekt zeigt keine Eile. Er marschiert weiter durch die Gänge. Links, rechts, durch die Mitte. Manchmal durch einen der kurzen Quergänge. Und immer die Bibel vor den Augen. Wie der überhaupt noch etwas sehen kann, in dieser Dunkelheit?! Einzig das fahle Mondlicht, das durch die schmalen Fenster über den Wandschränken einfällt, erhellt den Schlafsaal spärlich.

Dann endlich, stoppt das Quietschen. Die Jungs kennen ihren Präfekten jedoch nur zu gut. Einer nach dem anderen der sechs »Festbrüder« steht leise in seinem Bett auf und kibizt vorsichtig über die Kojenwände. Belustigt zwinkern sie sich zu und zeigen Richtung Burris Schlafgemach. Und wie erwartet ist Burri noch immer nicht verschwunden. Dort steht er regungslos vor seiner Zimmertür und horcht in die Nacht hinaus. Mit seinen mehr als zwei Metern Körpergrösse überragt er die Kojenwände um zwei, drei Zentimeter und ist so stets gut auszumachen.

Es vergehen weitere gut fünf Minuten, bis sich Burri definitiv entschliesst, selber schlafen zu gehen. Die Jungs, immer noch über die Kojenwände äugend, geben sich gegenseitig mit erhobenem Daumen das Zeichen zum Aufbruch ins nahe Turmzimmer. Geräuschlos huschen sie durch den

Schlafsaal, in der einen Hand eine Flasche Wein und in der anderen ihr Zahnglas. Im Turm steigt Peer die Treppe zum oberen Raum hoch und findet zum Glück auch diese Tür unverschlossen.

»Kommt hier rauf«, flüstert er. »Hier oben sind wir sicher. Und wenn wir normal reden, hört man uns im Schlafsaal nicht.«

Mike hat eine Kerze mitgebracht. Er stellt sie in der Mitte des Raumes auf den Boden und zündet sie an. Die Jungs setzen sich im Kreise drum herum. Die erste Flasche wird entkorkt, und die sechs Freunde prosten sich auf die kommenden Sommerferien zu.

»Gehst du während der Ferien nach Peru?«, will Peer von Alfredo wissen.

»Ich habe keine andere Wahl! Meine Freundinnen dort vermissen ihren potenten Stecher schon lange!« Wie könnte Alfredos Antwort auch anders sein. Dieser Bursche scheint einfach zu viel Testosteron in den Adern zu haben. Nach einer kurzen Pause meint er aber etwas zerknirscht: »Nein. Alles Blödsinn. Ich würde gerne gehen, aber es liegt einfach nicht drin. Die Wohnung hier in Luzern für meine Geschwister und mich und der Flug nach Lima: Beides zusammen ist zu teuer.«

»Geht mir genau so«, gesteht nun auch Mike. »Ihr meint alle, meine Eltern gehören zu den ›oberen Zehntausend‹. Dem ist aber gar nicht so. Mein Vater arbeitet im Bergbau in Tennant Creek. Und ich bin nur im Kollegi, weil meine Schwester bei der UNO in Genf einen guten Job hat und das alles hier finanziert. Und bei ihr verbringe ich auch meine Ferien.«

Betretenes Schweigen. Die übrigen Jungs sehen sofort, dass Mike und Alfredo ziemlich unter ihrer jetzigen Situation leiden. Nun ist auch klar, warum die beiden bis heute selten bis nie über ihre Familien zu Hause gesprochen haben. Offensichtlich wollten sie so Fragen, die sie emotional wohl zu stark belasten würden, vorbeugen. In diesem Augenblick wünscht sich Peer den dicken Sepp in die Runde. Der würde die richtigen Worte finden. Da ist sich Peer sicher, und er ärgert sich darüber, Sepp nicht auch eingeladen zu haben. So aber, ohne den dicken Sepp, muss einer von ihnen das Gespräch wieder in Gang bringen.

Jedoch alle schweigen weiterhin.

Schliesslich setzt Peer der peinlichen Stille ein Ende.

»Schliessen wir heute einen Pakt«, bringt er seine Idee auf den Punkt. »Wir verbringen während der Ferien jede Woche einen Tag zusammen. Alle, die wir hier sind. Und zwar treffen wir uns jeweils in Luzern, Bern, Zürich und Genf. Und immer einer, der sich in der betreffenden Stadt auskennt, organisiert den Tag. Ist das was?«

»He, super!«

»Klar!«

»Ja, genau so machen wir das!«

Alle reden aufgeregt durcheinander und sind erleichtert, dass Peer das Gespräch in neue Bahnen lenkt. Sein Vorschlag gefällt ausnahmslos allen sehr gut.

»Also, machen wir uns einen Plan«, schlägt Peer vor. »Hat einer etwas zum Schreiben dabei?«

Fehlanzeige! Die Jungs schauen sich rasch im Turmzimmer um, finden aber nichts Brauchbares.

»Ich habe etwas zum Schreiben in meinem Nachttischchen«, wirft Beat ein, und weg ist er auch schon.

Es dauert keine Minute, und Beat erscheint wieder in der Tür zum oberen Turmzimmer. Er streckt Peer einen Schreibblock und einen Kugelschreiber entgegen. Peer dankt ihm und lässt sich wieder in der Mitte des Raumes nieder. Die anderen scharen sich im Halbkreis um ihn.

»Wir haben acht Wochen Ferien, vier Städte und sechs Jungs«, beginnt Peer und schreibt im flackernden Licht der Kerzen die Namen aller Anwesenden auf ein Blatt Papier.

Anschliessend werden den Namen Städte zugeordnet.

»Ich bin für Zürich zuständig«, stellt Michi klar.

»Ich für Luzern«, ergänzt Alfredo.

»Für mich ist natürlich Genf logisch«, ist sich Mike sicher.

»Und hinter meinen Namen schreibst du Bern«, wirft Beat ein.

»Bei mir ebenfalls Bern«, meldet sich Thomas.

»Dann bleibe nur noch ich«, stellt Peer fest, »und auch für mich gilt Bern.«

Peers Blatt füllt sich langsam mit Namen, Daten und Zeiten. Die acht Ferienwochen sind im Nu verplant, und alle sind mit dem Erreichten vollauf zufrieden.

Ob der ganzen Planerei haben die Jungs beinahe vergessen, warum sie ursprünglich eigentlich hierher gekommen sind. Umso mehr sprechen sie jetzt ihrem mitgebrachten Wein zu. Das Sprichwort »Je länger der Abend, desto lauter die Gäste« hat natürlich, wie könnte es anders sein, auch hier seine Gültigkeit. Denn Jungs fällt nicht auf, dass sie schon seit geraumer Zeit beobachtet werden. Viel zu tief sind sie in ihre Ferienplanung vertieft. Im Schein der Kerze sind nur glückliche Gesichter zu sehen.

Das bleibt auch dem stillen Beobachter nicht verborgen. Dieser hadert mit sich selber. Einerseits würde er am liebsten wieder einen stillen und heimlichen Abgang machen, andererseits hat er aber auch eine gewisse pädagogische Verantwortung wahrzunehmen. Schweren Herzens räuspert er sich. Wie vom Blitz getroffen verharren die sechs Jungs in ihrer letzten Pose und schauen sich mit weit aufgerissenen Augen an.

Das kann nur der Burri sein! Jetzt fliegen wir, schiesst es durch ihre Köpfe, und dieser Gedanke treibt ihnen im Bruchteil einer Sekunde den Angstschweiss aus den Poren.

Keiner getraut sich, zur Tür zu schauen, als wäre dort der Leibhaftige persönlich.

»Habe ich euch erwischt«, tönt es ruhig aber bestimmt aus Richtung eben dieser Tür.

Aber das ist doch …! Das ist doch nicht der Burri …! Das ist doch die Stimme von …!

Die Last, die den Jungs in diesem Augenblick von den Schultern fällt, hätte dem Bergsturz von Goldau in nichts nachgestanden. Wie auf Kommando drehen sie ihre Köpfe Richtung Tür und erblicken zu ihrer grossen Freude nicht Burri, wie zuerst befürchtet, sondern den Menschenfreund Pater Gasser!

»Es gibt doch einen Gott«, haucht Michi voller Erleichterung, und in Anwandlung einer »Invocatio Dei« hebt er die Hände zum Himmel und flüstert: »Danke, danke, danke.«

»Ja, und er hat mich euch geschickt«, fährt Gasser verhalten fort, um dann etwas forscher, aber nicht weniger liebevoll, zu Michi zu sagen: »Obwohl du an ihm gezweifelt hast.«

Die Jungs erheben sich, als Vize Gasser auf sie zukommt. Als Erstes wollen sie wissen, wie er denn drauf gekommen ist, sie hier im Turm zu suchen.

»Der Liebe Gott hat mich geweckt und zu euch geführt«, beginnt Gasser mit einem demütigen Lächeln, den Kopf leicht zur Seite geneigt und die Hände wie zum Gebet vor der Brust gefaltet. Doch dann erzählt er, warum er wirklich hier ist: »Ich mache jeden Morgen um zwei Uhr einen Rundgang durch den Schlafsaal, und da habe ich euch gehört.«

»Waren wir denn so laut?«, fragt Peer überrascht und peinlich berührt.

»Und wie«, versucht Gasser seriös zu bleiben. »Wenn der Liebe Gott euren Präfekten Burri nicht mit einem derart gesunden Schlaf ausgestattet hätte, wäre dieser jetzt hier, und nicht ich. Und ihr wisst, was dann passieren würde.«

Die Jungs wissen nur zu gut, dass sie grosses Glück gehabt haben, nicht von Burri erwischt worden zu sein. Und Gasser, davon sind sie überzeugt, wird sie nicht verraten. Der Vize ist für sie die Nächstenliebe in Person. Er ist quasi der ihnen von Gott immer wieder entgegengestreckte Strohhalm, der sie vor einem langsamen Untergang im Kollegi-Sumpf der Intrigen und Widerwärtigkeiten bewahrt.

»Was macht ihr denn eigentlich hier im Turm? Und wie seid ihr überhaupt da reingekommen?«, will Gasser nun wissen.

Während Peer und seine Freunde ihren Vize über ihre Ferienpläne und den Grund ihrer Festivitäten ins Bild setzen, organisiert Beat rasch ein weiteres Zahnglas. Gasser, dem Weine auch nicht abgeneigt, hört gespannt zu, stellt die eine oder andere Frage und erteilt seine höchst willkommenen Ratschläge.

Der Wein geht zur Neige, und die Zeiger der grossen Uhr am Glockenturm der Kollegiumskirche rücken unaufhaltsam Richtung vier Uhr.

»So, meine Lieben, jetzt ist aber Feierabend«, beendet Gasser mit einem Blick auf seine Armbanduhr, eine »Stewag«, wie die Uhr an Peers Handgelenk, die dieser von seinem Firmgötti erhalten hat, die angeregte Diskussion. Und mit erhobenem Zeigefinger fügt er an: »Dass mir keiner zu spät zum Morgenessen erscheint!«

»Auf keinen Fall«, versprechen die Jungs im Chor und verabschieden sich, jeder eine leere Weinflasche unter den Arm geklemmt, mit einem kräftigen Händedruck und aufrichtig dankbar von ihrem Vize.

Es wird eine kurze Nacht. Am Morgen schaut jeder der gestrigen »Festbrüder«, dass keiner von ihnen liegen bleibt. Das haben sie Vize Gasser versprochen, und dieses Versprechen ist ihnen heilig. Einzig das Entsorgen der leeren Weinflaschen beschert ihnen Kopfzerbrechen.

Wohin damit?

Burri darf diese nicht zu Gesicht bekommen!

Beim Morgenessen macht Peer den Vorschlag, nach der Messe einen Spaziergang in die »Sonne« zu machen. Vreni ist seit der letzten »Bauchpinselei« ja voll auf ihrer Seite und wird die Flaschen bestimmt entsorgen.

So kommt es dann auch. Vorsichtig die leeren Weinflaschen vor neugierigen Blicken schützend, machen sich die Jungs nach der nicht enden wollenden, sonntäglichen Messe auf den Weg ins Restaurant Sonne und genehmigen sich dort auch gleich noch ihren wohlverdienten Frühschoppen.

Alfredo trägt mit seinem südländischen Charme auch noch das Seine dazu bei, und Vreni ist wieder mal hin und weg – und die Flaschen sind entsorgt!

Die ganze »Turmparty« bleibt so, dank Vize Gasser, ohne Folgen. Peer und die übrigen »Partyjungs« können die letzten Tage bis zu den Sommerferien stressfrei und ohne Schikanen seitens Burri in Angriff nehmen.

19

Wie beschlossen verbringen Peer und seine Freunde während der Sommerferien jeweils einen Tag pro Woche zusammen in der vereinbarten Stadt. Jeder gibt sich Mühe, seinen ihm zugeteilten Tag so interessant wie möglich zu gestallten.

Michi stellt seinen Tag unter das Moto »Fun im Niederdörfli«.

Alfredo überrascht Peer mit Rosalie und die andern mit »Chicas und Pedalos«.

In Bern trifft sich Peer fast jeden Tag mit Thomas und Beat. Sind beide nicht abkömmlich, hängt er alleine in der Stadt rum. Hauptsache, weg von zu Hause. Ihm genügt schon das tägliche »Aufsteh-Theater«. Sein Vater ist der Meinung, wer um halb zehn Uhr noch im Bett liegt, ist ein fauler Hund. Ferien hin oder her.

So trifft sich Peer auch heute wieder mit Thomas. Wie immer bei Berns Kulttreffpunkt »Loebegge«. Auch Beat ist da, und nachdem sich die drei mit abklatschen und dem ganzen pubertären Drum und Dran begrüsst haben, schlendern sie gemütlich Richtung Käfigturm an die »Front«. Hier, auf der Flaniermeile von Bern zwischen Bundesplatz und Waisenhausplatz, ist immer viel los. Ein Restaurant reiht sich an das andere, jedes mit zahlreichen, kleinen Tischen unter Schatten spendenden, farbigen Sonnenschirmen. Überall sitzen sommerlich gekleidete Menschen jeglichen Alters. Immer wieder zeigen Musikanten, Gaukler und andere Strassenkünstler ihr Können und lassen anschliessend ein Körbchen, eine Büchse, oder einfach einen Hut unter den Restaurantgästen zirkulieren. Von den Einnahmen scheinen sie recht gut leben zu können, jedenfalls sieht man sie anschliessend nicht nur Münzen, sondern auch den einen oder anderen Geldschein zählen.

Freie Tische sind Mangelware an der Front. Die drei Jungs müssen sich gedulden, bis endlich etwas frei wird. Zudem stehen etliche andere Leute alleine oder in kleinen Gruppen herum und warten ebenfalls auf einen freien Platz.

Peer und seine beiden Freunde haben Glück. Unmittelbar in ihrer Nähe wird ein Tischen frei. Schnell setzen sie sich, und nachdem sie ihr Getränk bestellt haben, können sie sich endlich ihrem liebsten Ferien-Hobby widmen: Den schönen Mädchen nachschauen.

»He, wie heisst du denn? Komm mal hierher«, quatscht Beat eine schlanke Grazie mit halblangen, braunen Haaren an, die mit einem aufreizenden Augenaufschlag Hüfte schwingend am Tisch der drei Freunde vorbei schwebt.

»Meinst du mich?«, flötet die Angesprochene und bleibt zaghaft stehen.

»Wen denn sonst. Ist ja keine andere da«, murmelt Peer vor sich hin.

»Ja dich«, bekräftigt Beat. »Komm! Setzt dich zu uns an den Tisch!«

Die schlanke Grazie ziert sich: »Warum denn?«

»Lass uns einfach ein bisschen reden«, versucht Beat sie zu überzeugen.

»Jungs – und nur reden?«, ziert sich die Schöne weiter.

»Was denn sonst, hier an der Front?«, ist Beat bereits leicht genervt.

Endlich setzt sich die fleischgewordene Verführung doch noch, legt ihre wohlgeformten Beine frech übereinander und lässt den Saum ihres eh schon kurzen Röckchens gefährlich nah Richtung ihr »Feuchtgebiet« rutschen. Nervöses Stühlerücken bei den Jungs, die unweigerlich ein leichtes Kribbeln in ihrer Lendengegend spüren.

»Ich bin der Beat, das ist der Peer und das der Thomas«, stellt Beat sich und seine beiden Freunde vor.

»Und ich bin die Vivienne«, gibt sich nun auch die schöne Brünette zu erkennen.

»Kommst du aus Bern?«, will Beat weiter wissen.

»Nein, aus Köniz«, erwidert Vivienne.

»He, ich auch! Das trifft sich ja gut«, ist Beat erfreut.

Peer und Thomas sehen sofort, dass sich zwischen Beat und Vivienne etwas anbahnt. Beat und Vivienne haben nur noch Augen füreinander. Unauffällig stösst Peer Thomas mit dem Fuss an und gibt ihm mit einem kleinen Kopfnicken zu erkennen, dass sie wohl besser das Feld räumen und die beiden allein lassen.

Unter dem Vorwand »Ich muss noch zum Musik-Müller. Neue Saiten für meine Gitarre kaufen. Kommst du mit Thomas?« steht Peer auf und verabschiedet sich von Beat und Vivienne.

Auch Thomas verabschiedet sich, und bevor die beiden im Käfigturmbogen verschwinden, ruft Peer zurück: »Und nicht vergessen: Morgen um zehn Uhr wieder beim ›Löbegge‹.«

Peer und Thomas schlendern im kühlen Schatten der Lauben, soweit das geht, zum »Bäregrabe«. Hier hängen die Touristen wie immer traubenweise an den Geländern der Anlage und begaffen die verhaltensgestört hin und her trampelnden Bären.

»Das triste Dasein dieser Tiere ist wirklich nicht gerade schön anzusehen«, meint Peer konsterniert.

»Du weisst ja«, entgegnet Thomas kühl, »das ist hier wie überall. So lange die Kohle stimmt, sehen die Herren da oben keinen Handlungsbedarf. Man liest es ja nach jeder Demo von Tierschützern in der Zeitung. ›Die Bären sind hier geboren und wissen nichts anderes‹, heisst es dann lapidar.«

»Diese Beamtenköpfe sollte man alle selber mal für eine Woche hier unten einsperren und mit ›Rüebli‹ füttern«, sinniert Peer. »Vielleicht würde sich dann etwas ändern.«

»Das glaubst du ja selber nicht«, lächelt Thomas, und zynisch führt er an: »Diese Sesselfurzer würden das Ganze noch für eine Überlebensübung halten und umgehend ein entsprechendes Zertifikat ins Leben rufen.«

Peer und Thomas lassen den Bärengraben und die internationale Touristenschar hinter sich. Über die Strasse, beim »Chlöschterlistutz«, informieren sie sich in dem eben erst neu eröffneten Jazzclub »Mahogany-Hall« noch kurz über die nächsten Konzerte und flanieren dann, über Gott und die Welt diskutierend, zum Bahnhof, wo Thomas das nächste Tram und Peer das nächste Postauto nach Hause nimmt.

Tags darauf treffen sich die Jungs wie vereinbart wieder beim »Löbegge«. Und es war vorauszusehen: Auch Vivienne ist da. Händchenhaltend mit Beat.

»He, ihr zwei Turteltäubchen«, begrüsst Peer die beiden herzlich. Und Thomas foppt: »Das ist aber flott gegangen, bei euch! Schon zusammengezogen?«

Beat revanchiert sich mit einem angedeuteten Kinnhacken und meint verschmitzt: »Ich bin eben keiner dieser langsamen Berner. Die sitzen alle im Bundeshaus oder in den Amtsstuben.«

Lachend macht sich die kleine Gruppe Richtung »Front« davon. Zufall oder Fügung: Aber als warte es auf sie, steht das gestrige Tischchen leer da – und rund herum ist alles besetzt! Rasch setzen sich Vivienne und die drei Jungs und bestellen vorerst mal je ein kühles Coca-Cola. Beat und seine neue Freundin haben nur Augen füreinander. Peer kommt sich etwas deplaziert vor. Thomas scheint es nicht anders zu gehen, bohrt er doch verlegen in der Nase oder nestelt umständlich an seinen Schnürsenkeln.

»Wie geht es eigentlich mit deiner Band?«, versucht Thomas die Unterhaltung anzukurbeln. »Wie heisst sie auch schon wieder, The …?«

»Du hast eine eigene Band?«, fährt Vivienne überrascht dazwischen.

»Ja, ›The Greens‹. Und dein Beat ist auch dabei«, antwortet Peer, und ein verlegenes Lächeln huscht über sein Gesicht.

Vivienne legt leidenschaftlich ihre Arme um Beats Hals, schaut ihm tief in die Augen und schmachtet: »Ein Musiker! Ich habe einen Musiker!«

Mit Genugtuung stellt Thomas fest, dass sein Ablenkungsmanöver Früchte trägt, und er doppelt gleich nach: »Und die vier Kerle spielen gut!«

»Nun ja«, meint Peer, von Thomas' Lob leicht überrumpelt, »wie man halt so spielt, nach einem halben Jahr.«

»Sei nicht so bescheiden«, gibt sich Thomas forsch. »Ihr seid wirklich gut! Und wenn ich singen oder ein Instrument spielen könnte, würde ich mich sofort bei euch bewerben.«

»Also, klemm dich sofort dahinter! Wir suchen noch einen Mundharmonikaspieler! Einen, der Blues spielen kann! Das wäre doch was für dich?«, witzelt Peer.

»Pass nur auf! Sonst mache ich das noch«, entgegnet Thomas mit einem Augenzwinkern.

»Braucht ihr denn keine Sängerin?«, versucht nun Vivienne ihr Glück.

Jetzt ist es Beat, der überrascht ist: »Was, du kannst singen?«

»Ja, kann ich. Aber ich singe hier sicher nichts vor, wenn du das meinst«, ziert sich Vivienne.

»Doch«, insistiert Peer mit gespielter Ernsthaftigkeit. »Wir legen einen Hut auf den Boden und du singst. Wer Karriere machen will, muss sich auch was trauen!«

»Ja, und das Geld versaufen wir dann zusammen«, fährt Beat nicht minder ernst fort.

Vivienne schaut die drei Freunde betreten an.

»Meint ihr das jetzt ernst, oder verarscht ihr mich?«, fragt sie ziemlich verwirrt in die Runde.

Eisernen Blickes schweigen die Jungs. Doch nach einer kurzen Pause prusten sie plötzlich los und klatschen sich gegenseitig ab. Natürlich will keiner im Ernst, dass Vivienne hier etwas vorsingt. Ob sie es nun kann, oder nicht.

Den weiteren Tag verbringen die vier ungezwungen mit anderen Leuten in ihrem Alter, zuerst beim »Löbegge« und dann auf der grossen Schanze. Beat und Vivienne sind hoffnungslos ineinander verliebt und geniessen ihre Zeit zusammen sichtlich.

Bereits sind die ersten vier Wochen Sommerferien vorbei. Halbzeit. Heute will Peer seine Rosalie besuchen. Die beiden haben noch zusammen telefoniert, und Rosalie will Peer am Bahnhof in Küssnacht am Rigi abholen.

»Ich werde ein paar Tage bleiben«, sagt Peer zu seiner Mutter, als er sich anschickt, das Haus zu verlassen.

»Hast du deinen Vater gefragt?«, will sie wissen. »Du weisst, er hält nichts davon, dass du bereits eine Freundin hast. Er will, dass du für die Schule lernst und nicht deine Zeit mit Mädchen vertrödelst.«

»Was soll das jetzt wieder heissen: Meine Zeit mit Mädchen vertrödeln«, begehrt Peer auf. »Ich bin doch kein Kind mehr!«

»Das weiss ich doch, Peer«, versucht ihn seine Mutter zu beruhigen. »Ich mag dir doch deine Rosalie gönnen. Sie ist so ein liebes Mädchen.«

»Warum kannst du dann den Stuss, den mein Vater laufend von sich gibt, nicht einfach für dich behalten?«, motzt Peer gehässig weiter.

»Mich musst du jetzt nicht beschimpfen«, schmollt nun Peers Mutter. »Ich bin doch auf deiner Seite.«

»Weiss ich doch! Dafür liebe ich dich ja auch. Entschuldige bitte! Aber weisst du, dieses tägliche ›Steh nicht wieder erst um zehn Uhr auf! Heute gehst du nicht in die Stadt, heute lernst du mal! Und überhaupt, wann wirst du endlich vernünftig?!‹ und Vaters übriges Gemotze nervt auf die Dauer schon gewaltig«, und Peer schliesst seine Mutter in die Arme und drückt sie fest.

Es ist neun Uhr fünfundvierzig. Zeit für Peer, sich auf den Weg zu machen.

»Pass gut auf dich auf! Und grüsse Rosalie von mir«, ruft ihm seine Mutter noch nach, als Peer das Haus verlässt.

Bis zur Postautohaltestelle unten im Dorf beim Gemeindehaus sind es höchstens zehn Minuten. Und alles bergab! Als Peer bei der Haltestelle eintrifft, wartet da bereits die »Staldere«. Die »Dorfzeitung«, wie sie auch genannt wird. Ein altes, alleinstehendes Weib, das immer über alles Bescheid weiss. Wenn sie am Keifen ist, und das ist sie fast ausschliesslich, stechen sofort die zwei, drei gelben Stummeln in ihrem sonst zahnlosen Mund ins Auge. Ihre langen Haare sind schneeweiss und zu einem Zopf geflochten. Am Kinn prangt eine Warze mit drei, ebenfalls weissen, Haaren. Jahr ein Jahr aus trägt sie denselben grauen, von Flecken übersähten Rock und ein rosarotes Strickjäckchen mit aufgenähten Ellbogenschützern, das auch schon bessere Tage gesehen hat. Unter dem ausgefransten Rocksaum sind ihre ausgelatschten Stiefeletten – zweifellos früher mal sehr elegant – nicht zu übersehen. Genau so hat man sich in seinen Kindheitsträumen die böse Hexe vorgestellt. Aber die »Staldere« ist harmlos. Ausser keifend der Welt mit ihrem Gehstock zu drohen, tut sie niemandem etwas.

»Na, gehst du zu deiner Freundin?«, will sie nach ein paar Minuten vom überraschten Peer wissen. Und ein krächzendes Lachen entfährt ihrem weit aufgerissenen, einem grossen, schwarzen Loch ähnelnden Mund, als sie mit den Hüften jene obszöne Vor- und Zurückbewegung macht, unter der man landläufig »ficken« versteht.

In diesem Moment fährt das Postauto mit quietschenden Bremsen vor. Peer lässt der »Staldere« beim Einsteigen den Vortritt. Doch anstatt sich zu setzen, bleibt diese beim Chauffeur stehen, stemmt die Hände in die Hüfte und meint, wieder mit dieser obszönen Vor- und Zurückbewegung: »Hat deine Frau Spass gehabt?«

»Das möchtest du jetzt wissen«, antwortet der Chauffeur lächelnd, steht auf und begleitet die »Staldere« liebevoll aber bestimmt zum nächsten freien Sitzplatz.

Die Leute im Postauto scheinen längst über diese schrullige, alte Frau und ihre Marotte Bescheid zu wissen. Jedenfalls zollt niemand dem Geschehen auch nur die kleinste Beachtung.

Peer nimmt zuhinderst bei einem Fenster platz. Auf der Fahrt in die Stadt, malt er sich bereits aus, wie er Rosalie am Bahnhof in Küssnacht in die Arme schliesst, wie er ihre weichen Lippen küsst, wie er sie an sich drückt und dabei ihre festen Brüste spürt. Diese Brüste, die er so gerne jeden Tag streicheln und liebkosen möchte. Und in seiner Hose ist bereits wieder der Teufel los. Das Vibrieren seines Sitzes, hervorgerufen durch die leichte Unwucht der starren Hinterachse des Postautos, trägt das seine dazu bei.

Ich muss auf andere Gedanken kommen, sonst kann ich nicht aussteigen, fiebert Peer.

Er schaut nach vorn aus dem Fenster und versucht die Nummernschilder der entgegenkommenden Autos möglichst früh zu lesen. Zum Glück zeigt dieses Ablenkungsmanöver Wirkung. Nach und nach legt sich seine »Verspannung«, und Peer kann schliesslich das Postauto in Bern gelöst und frohgelaunt verlassen.

Peer schlendert zum Bahnhof und hinunter in die kühle Bahnhofhalle im Untergeschoss. Plötzlich hört er ein Gekeife, das ihm bekannt vorkommt. Die »Staldere«, schiesst es ihm durch den Kopf. Peer beschleunigt seinen Gang in Richtung Lärm.

Und da sieht er sie, die »Staldere«!

Wild mit ihrem Gehstock fuchtelnd hält sie zwei Polizeibeamte auf Distanz. Als sie Peer erblickt, stampft sie hinkend auf ihn zu. Die beiden Polizisten ihr nach.

Bei Peer angekommen faucht sie die Polizisten wütend an: »Fragt den! Der kennt mich! Der geht jetzt seiner Freundin eine Freude machen«, und dabei führt sie wieder jene bereits bekannten Vor- und Zurückbewegungen aus, die sie bei jeder Gelegenheit an den Mann, respektive an die Frau bringt.

»Kennen sie diese Frau?«, fragt der ältere der beiden Polizisten.

»Nun, kennen ist wohl etwas übertrieben. Aber ich weiss, wo sie herkommt, und dort kennen alle ihre Hüftbewegungen. Niemand stört sich daran.«

»Wissen sie denn, wie sie heisst?«

»Leider nein. Man nennt sie nur die ›Staldere‹.«

»Also Staldere«, wendet sich der Polizist nun an die »Hexe aus den Kinderträumen«. »Sie können jetzt gehen! Aber lassen sie ihr ›Hüftgeschaukel‹ in Zukunft sein! Haben sie mich verstanden?«

Wüst fluchend, macht sich die »Staldere« von dannen. Was genau sie da vor sich her wettert, ist nicht zu verstehen, bis sie dann schliesslich aus sicherer Entfernung den beiden Polizisten zuruft: »Wenn euer Vater und eure Mutter nicht so gemacht hätten«, und sie lässt mit in die Seiten gestützten Händen ihr Becken zwei, drei Mal vor und zurück gleiten, »dann wärt ihr jetzt nicht da!«

Doch die Polizisten gehen nicht mehr darauf ein.

Mit einem: »Nichts für Ungut«, verabschieden sie sich, und Peer sucht den Bahnsteig mit dem Zug nach Luzern auf.

Die Zugsfahrt nach Luzern verläuft ohne weitere Zwischenfälle. Im Luzerner Sackbahnhof angekommen, wechselt Peer vom Perron sechs, auf dem sein Zug eben eingefahren ist, zum Perron drei, wo der Zug nach Küssnacht bereits wartet. Peer schaut auf die Uhr. Eigentlich wäre die Abfahrtszeit erreicht. Doch der Zug bewegt sich nicht.

Dann plötzlich tönt es aus den Lautsprechern: »Achtung! Achtung! Die Abfahrt des Zuges nach Küssnacht auf Perron drei verzögert sich um fünf Minuten. Wir müssen noch den Zug aus Zürich abwarten. Danke für ihr Verständnis.«

Super, denkt Peer, hoffentlich wird die Verspätung nicht noch grösser.

Doch Peers Befürchtungen sind unbegründet. Pünktlich fünf Minuten später ruckelt sein Zug los.

Rosalie ich komme, jauchzt er innerlich und sieht vor seinem geistigen Auge bereits das strahlende Gesicht seiner Angebeteten.

Mit geschlossenen Augen sitzt Peer am Fenster und lässt sich die heisse Augustsonne auf »den Pelz« brennen.

Dann endlich: »Nächster Halt: Küssnacht«, tönt es aus den kleinen Wagonlautsprechern.

Peer steht auf und wartet ungeduldig bei der Klapptüre im Wagonvorraum. Quietschend kommt der Zug zum Stillstand, und Peer öffnet die Türe. Er steigt die zwei Tritte hinunter auf den Bahnsteig.

Aber wo ist Rosalie?

Sie hat es vergessen! Ich hätte vorher nochmals anrufen sollen, sind Peers erste Gedanken.

Doch Peer kennt seine Rosalie noch nicht. Wie könnte sie ihre Abmachung vergessen. Stattdessen versteckt sie sich hinter einer Reklametafel und beobachtet verschmitzt Peers verzweifeltes Suchen. Erst als der Zug ausser Sichtweite ist, tritt sie aus ihrem Versteck und läuft mit offenen Armen und einem hinreissenden Lächeln auf Peer zu. Jetzt sieht auch Peer seine Rosalie, und schlagartig hellt sich sein Gesicht auf, als er ihr entgegenläuft. Endlich liegen sie sich wieder in den Armen. Ein gewaltiger Orkan der Gefühle bringt ihr Blut zum kochen. Minutenlang kleben ihre Lippen aneinander. Ihre Zungen liebkosen sich zaghaft und feinfühlig, als müssten sie aufpassen, sich nicht gegenseitig zu verletzen. Die Bewegungen ihrer Körper steigern die Lust aufeinander ins Unerträgliche.

»Schön dich wieder zu haben, mein Schatz«, flüstert Rosalie Peer schwer atmend ins Ohr.

»Ich habe dich vermisst«, stammelt dieser, nicht minder nach Luft ringend.

Und wieder verschmelzen ihre Lippen lustvoll in einem minutenlangen Kuss.

»Komm! Wir setzen uns dort ein wenig«, schlägt Rosalie vor und zeigt auf eine verträumte, von Büschen umgebene, kleine Bank hinter dem Bahnhof.

»Ja, da sind wir etwas ungestörter, als hier auf dem Bahnhofplatz«, pflichtet Peer ihr bei und legt seinen Arm liebevoll um die Taille seiner hübschen Freundin.

Kichernd und mit ausdrucksreicher Mimik erzählen Peer und Rosalie einander, was sich in ihrem Umfeld seit ihrem letzten Wiedersehen so alles zugetragen hat. Immer wieder küssen und streicheln sie sich, um dann im entscheidenden Moment, wenn es ihnen zu stark einfährt, rasch für kurze Zeit voneinander abzulassen. Sie geniessen dieses Spiel sichtlich und werden zunehmend frecher. Rosalie nestelt an Peers Gurt und versucht, noch etwas ungelenk, den Reissverschluss seiner Hose zu öffnen. Sie hat so was noch nie gemacht. Entsprechend gelingt es ihr auch nicht auf Anhieb. Peer hat da mehr Glück. Rosalie trägt neckische, weisse Shorts mit weit geschnittenen Hosenbeinen. Und: Sie trägt keinen BH! Peer hat sich bis heute noch nie getraut, in Rosalies Schamgegend auf Erkundung zu gehen. Bis jetzt war er mit ihrem Busen immer voll ausgelastet. So bleibt es vorerst auch. Peer öffnet vorsichtig Knopf um Knopf von Rosalies Bluse, bis ihre wohlgeformten Brüste nackt und weiss im gleissenden Sonnelicht leuchten.

Jetzt will er es wissen!

Vorsichtig legt er seine rechte Hand wie zufällig auf Rosalies Oberschenkel.

»Du Schlingel«, jappst Rosalie leicht errötend und schaut Peer tief in die Augen.

Unwillkürlich presst sie ihre Beine zusammen, öffnet sie aber gleich wieder, als Peers Hand langsam in ihrem linken

Hosenbein verschwindet. Zärtlich küsst Peer ihre Brüste und lässt seine Zunge um ihre Brustwarzen kreisen, während seine Hand versucht seitlich unter ihren eng anliegenden Slip zu kommen. Rosalie stöhnt leise und geniesst Peers Zärtlichkeiten. Als sie bemerkt, dass Peer da unten Probleme mit ihrem Slip hat, zögert sie nicht, zieht Peers Hand aus ihrem Hosenbein und führt diese von oben in ihre Shorts, unter ihren Slip.

»Oh«, entfährt es Peer leise.

Mehr bringt er nicht hervor. Völlig überrascht ist er für einen Moment total von der Rolle. Sogar seine eben noch pralle »Männlichkeit« fällt vor Schreck in sich zusammen. Das ist das erste Mal, dass sich Rosalie aktiv für ihr eigenes Lustempfinden einsetzt! Peer ist überwältigt und glücklich zugleich. Heute will er sie zu einem Orgasmus führen – zum Ersten überhaupt, seit sie zusammen sind! Langsam lässt er seine Hand Millimeter für Millimeter durch Rosalies Schamhaare gleiten, bis er mit dem Mittelfinger ihre Klitoris erreicht.

Was dann geschieht, ist für Peer absolut neu!

Noch nie hat er einen weiblichen Orgasmus dieser Intensität erlebt!

Rosalie wirft den Kopf in den Nacken und stöhnt heftig. So heftig, dass Peer erschrocken links und rechts schaut, um sich zu vergewissern, dass niemand in der Nähe ist. Bei jeder Bewegung seines Mittelfingers wird sie lauter und lauter, bis sie sich schliesslich mit einem kurzen, spitzen Schrei ihrem gewaltigen Orgasmus hingibt. Peer lässt seine mittlerweile nasse Hand noch ein paar Minuten in Rosalies Slip und krault verspielt in ihren Schamhaaren. Für einmal ist es ihm völlig egal, dass er selber nicht zum Abschluss gekommen ist. In diesem Moment ist für ihn einzig Rosalie wichtig. Während er die leicht geöffneten Lippen seiner immer noch halb entrückte Freundin behutsam mit seiner Zunge liebkost, schliesst er mit seiner freien Hand langsam wieder Knopf für Knopf ihrer Bluse.

Es scheint eine Ewigkeit zu vergehen, bis Rosalie ihre Augen öffnet und zurück in die Realität findet.

Verliebt schaut sie Peer an und sagt leise: »Danke.«

»Warum danke?«, ist Peer etwas irritiert. »Es war doch für beide wunderbar, und ich habe dir nichts gegeben, wofür du dich bedanken müsstest?«

»Trotzdem. Ich habe so etwas noch nie erlebt«, und entspannt lehnt Rosalie ihren Kopf an Peers Schulter.

Peer fährt ihr durchs leicht gelockte Haar. Immer wieder. Beide geniessen ihre Zweisamkeit. Eine tiefe Verbundenheit setzt sich in ihren Herzen fest, und sie wünschen sich, dass das ein Leben lang so bleiben wird.

Ein neuer Tag erwacht. Die ersten Sonnenstrahlen finden ihren Weg durch die Fensterläden in Rosalies Zimmer.

»Schläfst du noch, Liebster?«, fragt Rosalie leise und streicht Peer eine Haarsträhne aus dem Gesicht.

»Ja! Tief«, antwortet Peer schlaftrunken in bester Schauspielermanier, um sich dann aber unverhofft auf Rosalie zu werfen.

Rosalie schlingt ihre Arme um ihn, und sie küssen sich leidenschaftlich. Zärtlich knabbert Peer an Rosalies Ohrläppchen. Er weiss genau: Sie mag das ungemein!

»Wenn du so weiter machst, passiert dasselbe, wie gestern auf dem Bänkchen«, kichert Rosalie und geniesst Peers Knabbereien mit geschlossenen Augen ausgiebig.

»Dann los!«, scherzt Peer und nestelt geschäftig an Rosalies Pyjamaoberteil.

In diesem Moment klopft Rosalies Mutter an die Zimmertür.

»Darf ich reinkommen?«, fragt sie, wohl wissend, dass hier zwei verliebte, junge Menschen ihre Zweisamkeit geniessen. Schliesslich war sie selber auch mal jung und möchte die beiden nicht in Verlegenheit bringen.

Blitzartig legt sich Peer züchtig neben Rosalie und antwortet mit Unschuldsmiene: »Ja, bitte! Kommen sie nur rein!«

Rosalies Mutter öffnet die Tür und wünscht beiden einen Guten Morgen. Bei ihrem Anblick wird Peer unweigerlich an seine Grossmutter erinnert. Die gleichen weichen Gesichtszüge. Die gleiche hochgesteckte Frisur. Die gleiche fürsorgliche Art. Nur jünger ist sie. Rosalies Mutter.

»Danke! Auch ihnen wünsche ich einen Guten Morgen«, erwidert Peer höflich.

Rosalie steht auf und begrüsst ihre Mutter liebevoll mit einem Kuss auf die Wange.

»Wenn ihr wollt, könnt ihr gleich frühstücken. Es ist alles vorbereitet. Der Tisch ist gedeckt«, fährt Rosalies Mutter fort.

Das lassen sich die beiden nicht zwei Mal sagen und folgen der Mutter in die Küche. Rosalies Vater, ein stattlicher, äusserst sympathischer Mann mit offenem, einnehmendem Blick wartet bereits und begrüsst seine Tochter und Peer ebenfalls überaus herzlich.

Was für eine wunderbare Familie, denkt Peer, und wehmütig wird ihm bewusst, wie sehr ihm diese Offenheit, diese Aufgeschlossenheit zu Hause fehlt.

Keine kritischen Bemerkungen zu Rosalies Entscheid, Peer bereits bei seinem ersten Besuch bei ihr im Bett schlafen zu lassen. Kein Nachfragen bezüglich der Ernsthaftigkeit ihrer Beziehung. Welch grosses Vertrauen! Es scheint, als wissen Rosalies Eltern, dass sie – Peer und Rosalie – bis jetzt noch nicht miteinander geschlafen haben, und wenn sie es tun, die nötige Vorsicht walten lassen werden.

Bei Peers Zuhause ist das anders. Rosalie ist Peers Vater ein Dorn im Auge, obwohl er sie noch nie gesehen hat. Peer soll seine Ferien mit lernen verbringen! Damit sich sein Vater mal mit seinem »Ingenieur-Sohn« brüsten kann!

Und Rosalies Vater? Für den hat erste Priorität, dass seine Tochter glücklich ist! Sonst gar nichts!

Grösser könnten die Unterschiede nicht sein: Hier der weltoffene, fürsorgliche und dort der egoistische, cholerische Vater.

»Sie sind also der Peer«, unterbricht Rosalies Vater Peers Gedanken. »Der Traumprinz meiner Tochter!«

»Sie dürfen schon ›Du‹ zu mir sagen«, entgegnet Peer etwas verlegen, um dann aber umso selbstsicherer fortzufahren: »Ja, ihre wunderbare Tochter ist meine Prinzessin!«

»Also, wenn ich dir ›Du‹ sagen darf, dann darfst du mir auch ›Du‹ sagen. Ich bin der Sepp«, lächelt Rosalies Vater und streckt Peer die Hand entgegen.

»Und ich bin die Maria«, fügt Rosalies Mutter mit entwaffnender Herzlichkeit an.

»Du studierst also im Kollegi Schwyz«, fährt Sepp fort. »Welche Richtung denn?«

»Mathematisch-naturwissenschaftlich. Also Richtung Matura C«, erklärt Peer.

»Und was möchtest du mal werden?«

Am besten sage ich, wie's ist, denkt Peer. Doch es ist ihm peinlich, die Wahrheit zu sagen, und er weiss nicht, wie diese bei Sepp ankommt. Doch dann beginnt Peer zu erzählen: Wie ihn seine Mutter damals im April 1966 von der Schule abgeholt hat, um noch Kleider kaufen zu gehen, wie er dabei von Vaters Entscheidung, ihn ins Kollegium zu stecken, völlig überrumpelt wurde, wie er lieber Grafiker geworden wäre, wie ihm die verlogene Kleriker-Gemeinschaft im Kollegi zu schaffen macht, und wie wichtig Rosalie für seinen Aufenthalt in Schwyz geworden ist.

Sepp hört interessiert zu, stellt zwischendurch mal eine kurze Frage, und lässt Peer sich seinen Frust von der Seele reden. Keine Hektik, keine Ungeduld, nur Anteilname ist zu spüren. Peer hat die Aufmerksamkeit der ganzen Familie. Und trotzdem fühlt er sich phasenweise unwohl. Er ist es nicht gewohnt, dass ihm jemand zuhört und seine Probleme ernst nimmt. Beim ihm zu Hause heisst es höchstens »Blödsinn, was willst denn du schon vom Leben wissen!«, oder »Leiste du zuerst mal etwas im Leben, bevor du alles kritisierst!«. Solche Aussagen seines Vaters sind sein tägliches Brot! Aber Verständnis?

»Du bist für dein Alter bereits sehr verbittert«, stellt Sepp nachdenklich fest, nachdem Peer seine Geschichte beendet hat. »Das tut mir im Herzen weh. Kinder sind doch ein Geschenk Gottes. Man sollte sie bedingungslos annehmen und lieben. Niemals darf man seine eigenen, nicht realisierten Träume und Wünsche in ihnen zu verwirklichen versuchen.« Sepp schaut Peer lange an, und fährt dann einfühlsam fort: »Ich sehe vor mir einen jungen Menschen, der einen schlechten Start ins Leben erwischt hat. Du solltest Hilfe suchen. Menschen, welche dir die Welt erklären. Alles, was du jetzt in deinen jungen Jahren an zwischenmenschlichen Verhaltensweisen nicht lernst, wirst du nie mehr lernen. Darum sind reife, im Leben gefestigte Bezugspersonen so wichtig für unsere Jugend. Respektvoller Umgang ist für junge Menschen essentiell. Sonst geraten sie auf die schiefe Bahn. Leider geschehen diesbezüglich in Kirche und Staat viele Sünden. Und es werden immer mehr. Arrogante, despektierliche Behörden. Verlogene Männer der Kirche. Unreife Lehrer und Lehrmeister. All das sind höchst schlechte Voraussetzungen für eine verantwortungsbewusste, kritische und faire Jugend.«

Rosalies Vater legt eine Pause ein und nippt an seinem inzwischen kalten Kaffee. Peer ist beeindruckt von der Ruhe und vom Sachverstand dieses Mannes.

»Warum bist nicht du mein Vater«, stellt Peer nachdenklich in den Raum.

»Weisst du Peer«, erwidert Sepp und schaut Peer direkt in die Augen, »jeder Mensch hat seine eigene Vorstellung vom Leben. Und es ist sein gutes Recht. Es ist aber auch das gute Recht eines jeden, vom anderen nur das anzunehmen, was er für richtig hält. Niemand darf jemandem seinen Willen aufzwingen. Selbstbestimmung ist ein Menschenrecht. Ich möchte dir noch diese kleine Geschichte mit auf deinen Lebensweg geben:

Ein kleiner Indianerjunge unterhält sich mit seinem Grossvater.

›Wie denkst du über die Lage in der Welt?‹, fragt er seinen Grossvater.

Dieser antwortet: ›Ich habe ein Gefühl, als kämpften Wölfe in meinem Herzen. Einer ist voller Wut und Hass und der andere voller Liebe, Vergebung und Frieden.‹

›Wer wird siegen?‹, fragt der Junge.

Darauf antwortet ihm sein Grossvater: ›Derjenige, den ich füttere.‹

Das, mein lieber Junge«, fährt Sepp eindringlich fort, »ist das lebensverändernde Gesetzt. Du alleine hast es in der Hand, dein Leben so zu gestallten, wie du es haben willst. Gut, du musst vielleicht noch warten, bis du volljährig bist. Aber dann bist du dein eigener Herr und Meister. Denk daran!«

»So ihr zwei«, unterbricht Rosalie die beiden, »ich gehe jetzt duschen.«

»Ich komme mit«, schliesst sich Peer Rosalies Vorschlag an und bedankt sich bei Sepp für das aufschlussreiche Gespräch. Es war Balsam für seine Seele.

Peer und Rosalie verschwinden im Badezimmer und geniessen kichernd ihr Duschvergnügen.

Den Nachmittag verbringen die beiden Verliebten am See. Zusammen geniessen sie diesen wunderschönen Sommertag. Rosalie kennt die romantischen Orte an der Seepromenade von Küssnacht, und an so ein lauschiges Plätzchen ziehen sich die beiden zurück.

Peer verbringt eine ganze Woche bei Rosalie und ihrer Familie. Er wird im Haus ihrer Eltern wie ein eigener Sohn behandelt. Sepp nimmt sich Zeit, wann immer Peer Fragen hat.

Wie zu erwarten war, veranstaltet Peers Vater ein riesen Theater, als Peer wieder zu Hause eintrifft.

Peer kann noch nicht mal »Hallo« sagen, schon legt der Vater lauthals los: »Wo warst du denn die ganze Zeit? Eine Frechheit, einfach zu verschwinden, ohne etwas zu sagen!«

Peer fährt zusammen, obwohl er solche Situationen beständig erlebt. Er wird sich nie daran gewöhnen. Sein Herz beginnt zu rasen, und er verspürt den Drang, Wasser zu lösen. Früher hat er sich dabei oft in die Hosen gepinkelt. Das, wenigstens, hat er jetzt im Griff. Aber sonst: Die Angst vor den Wutausbrüchen seines Vaters ist geblieben. Wie als kleiner Bub, kann Peer sich auch heute nicht dagegen wehren. Und er wird es ein Leben lang nicht können.

»Aber ich bin doch nicht einfach verschwunden. Ihr habt doch gewusst, wo ich war«, versucht sich Peer zu rechtfertigen und denkt dabei: Wieder mal typisch, der biegt sich jedes Mal alles so hin, damit er ja Terror machen kann.

»Du hättest zuerst fragen können«, poltert der Vater mit zunehmender Lautstärke weiter.

Jetzt fasst sich Peer ein Herz und versucht selbstsicher aufzubegehren: »Ich darf doch wohl meine Ferien so verbringen, wie ich will. Schliesslich werde ich in ein paar Monaten achtzehn!«

Das hätte er wohl besser bleiben lassen! Wie eine Furie stapft sein Vater schnaubend auf ihn zu und schreit ihn an: »Schweig, du frecher Kerl! Was fällt dir eigentlich ein!«

Unwillkürlich macht Peer einen Schritt zurück. Und obwohl er seine Beine krampfhaft zusammenpresst kann er nicht verhindern, dass ihm ein paar Tröpfchen in die Unterhosen entwischen. Er schämt sich.

Was bin ich bloss für eine Memme, denkt er angewidert von sich selber, und eine depressive Leere steigt in ihm hoch. Sein Vater hat es wieder mal geschafft und sein aufkeimendes Selbstvertrauen erfolgreich niedergetreten. Wie ein geprügelter Hund wendet sich Peer ab und versteckt sich in seinem Zimmer. Für den Rest des Tages will er nieman-den mehr sehen.

20

»¡Hola amigo!« Alfredo begrüsst Peer überschwänglich, als dieser die letzten Stufen zum Schlafsaal erklimmt.

Die Sommerferien sind vorbei, und der Kollegi-Alltag hat die Jungs wieder.

»Grüss dich«, erwidert Peer erfreut. »Du bist schon da?«

»¡Hombre! Was für eine Frage! Ich musste fliehen! Meine Frauen, du weisst«, und die beiden umarmen sich, als hätten sie sich jahrelang nicht gesehen.

»Thomas ist auch schon eingetroffen«, fährt Alfredo fort. »Pack deine Koffer aus, dann schauen wir noch rasch in der ›Sonne‹ vorbei. Zeit haben wir genug. Ich warte unten im Studium.«

»Gute Idee«, pflichtet ihm Peer bei und sucht seine Koje auf.

Die Kleider sind rasch im Schrank verstaut und Peer trifft Alfredo und Thomas im Studium. Die drei machen sich unverzüglich auf ins Restaurant Sonne, wo bereits Michi und Beat am Bechern sind.

»He, meine Freunde«, begrüsst Beat mit hochgestrecktem Bierkrug und schon leicht schwerer Zunge die neuen Gäste. »Auch wieder zurück im Reich der Hochbegabten?«

Die Jungs begrüssen sich herzlich und bestellen ebenfalls je ein »Grosses«.

»Meinst du jetzt mit dem ›Reich der Hochbegabten‹ die ›Sonne‹ oder das Kollegi«, fragt Peer lachend.

Doch Beat scheint seine eigene Aussage von eben schon wieder vergessen zu haben. Jedenfalls reagiert er nicht mehr darauf.

Stattdessen hört man ihn fröhlich rufen: »Vreni, mein Schatz! Noch eine Runde!«

Ein böser Blick von der Theke ist die Antwort. Vreni ist gar nicht begeistert, wenn man sie so ruft. Doch die Jungs stört das nicht weiter. Sie geniessen es, nicht mehr unter der Kontrolle der Eltern zu stehen und bestellen ein Bier nach dem andern. Dementsprechend dauert es auch nicht lange, bis alle recht angetrunken in den Stühlen hängen. Zum Glück ist Vreni da. Die Serviertochter kümmert sich fürsorglich um die Studenten. Ihr ist es lieber, sie kommen morgen wieder, als dass sie Ausgehverbot haben. Eine Frage des Umsatzes. Vreni holt nach und nach jeden Einzelnen beim Tisch ab, begleitet ihn auf die Toilette, veranlasst ihn, einen seiner Finger in den Mund zu stecken und sich ausgiebig zu übergeben. Dann gibt es kein Bier mehr. Nur noch Kaffee. Quintessenz: Alle Jungs erscheinen rechtzeitig und einigermassen nüchtern zurück im Studium.

Die Nacht war viel zu kurz. Die fünf Trunkenbolde von gestern leiden. Einerseits ist heute der erste Tag nach den Ferien, und die Jungs sind es nicht mehr gewohnt, so früh aufzustehen, und andererseits haben sie noch den Absturz von gestern in den Knochen.

»Scheisse! Mir ist so was von schlecht«, jammert Thomas beim Zähneputzen. »Ich glaube, ich muss nochmals kotzen.«

Und kaum fertig gesprochen, übergibt er sich auch schon ins Waschbecken. Der arme Kerl würgt und würgt – und würgt! Es scheint, als habe er sich während der Nacht schon mehrmals übergeben müssen, findet doch schliesslich nur noch eine kleine Menge gelben Gallensaftes den Weg aus seinem Magen.

Als wäre der heutige Tag nicht schon lang genug, findet zu allem Übel heute auch noch die erste Lektion im Freikurs Maschinenschreiben statt. Peer, Alfredo und zwei weitere Studenten aus Peers Klasse haben sich vor den Ferien dafür angemeldet.

»Das war wohl keine gute Idee«, stellt Alfredo konsterniert fest.

»Da gebe ich dir recht«, pflichtet ihm Peer bei. »Wir hätten gestern nicht so viel saufen sollen.«

»¡Caramba hombre! Das meine ich nicht! Der Maschinenschreibkurs war nicht so eine gute Idee«, stellt Alfredo lautstark klar. »Das Saufen ist schon in Ordnung. Da sind wir einfach ein wenig aus der Übung. Aber heute Abend ›trainieren‹ wir wieder!«

»Ohne mich«, wehrt sich Peer. »Ich habe heute Abend was Besseres zu tun. Rosalie ist wieder da, und ich ziehe ihre Rundungen den Rundungen der Bierflasche vor.«

»Du bist mir ein Freund«, entgegnet Alfredo mit vorwurfsvollem Unterton, um dann aber gleich besänftigend weiterzufahren: »Nein, ist schon gut. Würde ich natürlich auch dem Handbetrieb vorziehen.«

Die erste Lektion Maschinenschreiben ist gar nicht so schlimm, wie zuerst gedacht. Den Teilnehmern wird eine

Schreibmaschine ausgehändigt, deren Tasten mit neutralen Kappen abgedeckt sind. Zweck: Erlernen des Blindschreibens. Diese Schreimaschine darf jeder bis zum Ende des Kurses behalten. Dazu gehört ein Übungsbuch mit Spiralbindung im Format A4. Nach ausführlichen Erklärungen des Kursleiters Lenzlinger, übrigens ein Weltlicher, über Sinn, Zweck und Geschichte der Schreibmaschine, ist die Stunde auch bereits um. Dass das Belegen des Freikurses Maschinenschreiben doch nicht so daneben ist, wie Alfredo zuerst gedacht hat, zeigt sich im Studium zwischen Unterrichtsschluss und Nachtessen. Da nämlich informiert Präfekt Burri die Teilnehmer darüber, dass sie pro Tag Anrecht auf eine Stunde üben während des Studiums haben.

»Habe ich doch immer gesagt«, frotzelt Alfredo beim Nachtessen. »Freikurs Maschinenschreiben: Eine gute Sache!«

»Ich gebe dir gleich«, ruft Peer, schnellt von seinem Stuhl hoch und geht seinem Freund spasseshalber an die Gurgel.

Solche Aktionen sehen die Patres vorne an ihren Tischen dagegen nicht so gerne. Bereits klingelt auch schon Burris kleines, gelbes Glöckchen. Allerdings ist nicht er derjenige, welcher das Glöckchen schwingt, sondern Vize Gasser. Zum Glück! Burri hätte den Jungs sicher wieder Abendspaziergang-Verbot erteilt.

Gasser hingegen meint nur mit süffisantem Lächeln, den Kopf leicht zur Seite geneigt, und die Händen wie immer vor der Brust gefaltet: »Wenn ihr noch zu viel Energie habt, dürft ihr nach dem Essen gerne unter meiner Leitung ein paar Hundertmetersprints absolvieren. Natürlich in voller Turnmontur. Ich nehme mir Zeit für euch. Möchtet ihr das?«

Das wollen Peer und Alfredo dann aber doch nicht. Dankend lehnen sie ab. Und Vize Gasser lässt es dabei bewenden. Damit ist für Peer der Weg zum Treffen mit Rosalie frei. Wie immer finden sie sich an ihrem Treffpunkt bei der alten Mauer im engen, finsteren Gässchen. Peer braucht die regelmässige, allabendliche Zweisamkeit mit seinem Mädchen, um diese ihm aufgezwungene Internatszeit, seine »Jahre der Nächstenhiebe«, wie er sie nennt, einigermassen unbeschadet zu überstehen. Nichts desto trotz hinterlassen diese Jahre tiefe Narben in seinem Herzen.

Heute ist Sonntag. Jedes zweite Wochenende verbringt Rosalie in Küssnacht bei ihren Eltern. So wie dieses. Peer schliesst sich daher nach dem Mittagessen Alfredo und Thomas an. Diesen Sonntag hat die Abteilung Don Bosco erweiterten Ausgang. Das hat den Vorteil, dass die Restaurants im erweiterten Ausgangsrayon nicht mit Studenten überfüllt sind, da sich die durstigen Kehlen auf eine grössere Anzahl Gaststätten verteilen. Peer und seine Freunde benützen die Gelegenheit und machen sich auf den Weg nach Rickenbach, ins Restaurant Schützenhaus. Normalerweise ein Fussmarsch von rund zwanzig Minuten. Doch über Nacht ist der erste Schnee gefallen. Beinahe einen halben Meter misst die weisse Pracht, die das ganze Tal wie Zuckerwatte überzieht. Die meisten kleinen Strässchen und Abkürzungen sind noch nicht vom Schnee befreit, und so dauert es auch etwas länger, bis die Jungs das »Schützenhaus« erreichen. Der Lohn für die Strapazen ist dann jedoch eine studentenfreie Gaststube.

»Ist Fränzi nicht da?«, will Alfredo von der Bedienung, einer Schabracke mittleren Alters, wissen, die sich anschickt, die Bestellung aufzunehmen.

Fränzi ist die Serviertochter des Hauses und normalerweise sonntags immer anwesend.

»Nein, Fränzi ist nicht da. Hat heute frei«, haucht die Schabracke lasziv mit rauchiger Stimme, bückt sich dabei zu Alfredo runter und schaut ihm tief in die Augen.

Dieser schreckt unweigerlich leicht zurück und stottert etwas verlegen: »A-aha, da-danke.«

»Was war denn das?«, flüstert Alfredo leise, nachdem die Bedienung den Tresen erreicht hat und ausser Hörweite ist. »Frau? Oder Mann? Oder beides?«

Die Jungs stecken ihre Köpfe zusammen und kichern verlegen.

»Das ist ein Mann«, meint Thomas.

»Das ist doch eine Frau. Die raucht einfach ein bisschen zu viel«, ist Peer überzeugt.

»¡Caramba hombres! Die hat Titten, so gross wie Melonen und in der Hose einen, der ist länger als unsere drei zusammen«, entgegnet Alfredo ungläubig und mit grossen Augen.

In diesem Moment kommt die Bedienung zurück, von den Jungs unauffällig – jedenfalls meinen die das – aber genau beobachtet. Doch sie können nichts Aussergewöhnliches feststellen. Der Gang: Weiblich. Die Gestik: Auch weiblich. Und trotzdem scheint es ihnen, als stimme hier etwas nicht.

Am Tisch angekommen, stellt die gewöhnungsbedürftige Bedienung die bestellten drei »Appenzeller« hin und versucht mit den Jungs ins Gespräch zu kommen.

»Ich bin die Moni. Mir gehört dieser Laden hier seit kurzem«, beginnt sie ihre Flirt-Attacke mit bereits bekannter, rauchiger Stimme. »Ihr dürft mir ›Du‹ sagen, wenn ihr mir verratet, wie ihr heisst.«

Ziemlich überrascht ob der Anmache stellen sich die Jungs vor.

»Ich bin der Peer.«

»Ich der Thomas.«

»Und ich heisse Alfredo.«

»Ah, schön! Ihr seid alle drei unverschämt attraktive Boys«, gurrt Moni übertrieben erotisch. »Ich stehe auf eure tollen Bodies.«

Die Jungs schlucken leer und gehen unweigerlich etwas auf Distanz, was Moni nicht verborgen bleibt.

»Ach Jungs, ich tu euch doch nichts«, winkt sie leicht konsterniert ab. »Vor mir braucht ihr doch keine Angst zu haben!«

»Nein, nein«, versucht Peer die Situation zu entschärfen. »Wir haben absolut nichts gegen dich. Aber ehrlich gesagt, und bitte versteh das jetzt nicht falsch, du bist halt für hiesige Verhältnisse schon etwas gewöhnungsbedürftig.«

Damit hat Peer den richtigen Ton getroffen. Positiv unterstützt durch die immer wieder auf dem Tisch stehenden »Appenzeller«, mittlerweile jeweils bereits doppelte, wird die zu Beginn etwas harzige Konversation immer unbeschwerter. Moni öffnet ihr Herz und erzählt den Jungs die Geschichte ihrer Geschlechtsumwandlung.

Was die drei Freunde lediglich vermutet haben, bestätigt ihnen Moni jetzt: »Ja, ich war früher ein Mann! So, nun wisst ihr's!«

Peng!

Die bis jetzt in sexuellen Dingen immer sehr aufgeklärt wirkenden Jungs sind plötzlich doch etwas sprachlos. Nur davon zu reden, oder einer betroffenen Person gegenüber zu sitzen, das sind zwei verschiedene Paar Schuhe!

»Nun habt ihr ein Problem mit mir! Ich sehe es doch! Das finde ich gar nicht schön«, zickt Moni und verwirft die Hände in übertriebener Tuntenmanier.

»Nein! Haben wir nicht«, versucht Thomas krampfhaft sich trotz unzähliger »Appenzeller« und schwerer Zunge noch einigermassen klar auszudrücken.

Alfredo denkt wieder mal praktisch und fragt, nicht minder zungenschwer: »Aber der da unten«, und er zeigt mit seinem Daumen zwischen seine Beine, »ist der – schnipp-schnapp – weg?«

Moni muss lachen: »Nein, der ist noch da, und der bleibt auch da. Alles andere ist mir zu riskant.«

Damit wäre auch das geklärt!

Peer, ebenfalls ziemlich betrunken, schaut auf die Uhr und meint, vergeblich um eine klare Aussprache bemüht, etwas, das so ähnlich tönt wie: »Jungs, es ist Zeit aufzubrechen.«

»Ja! Brechen«, lallt Alfredo und macht sich torkelnd auf zur Tür.

Moni schnappt sich Alfredos Jacke und kann sie ihm gerade noch anziehen, bevor er draussen vor der Tür Kopf vorüber in den Schnee fällt. Ebenfalls Peer und Thomas werden von Moni fürsorglich eingekleidet und vor die Tür begleitet.

Irgendwie erreichen die drei Freunde das Kollegium rechtzeitig und wieder einigermassen hergestellt. Wollte aber jemand wissen, wo sie waren, könnte er, wie bei einer

Schnitzeljagd, lediglich der hinterlassenen Spur folgen. Allerdings wurden hier nicht Papierschnitzel ausgelegt, sondern abwechslungsweise Kotz- und Pinkelflecken im Schnee hinterlassen.

In der Nacht fällt erneut Schnee und deckt die gestrige »Kampfspur« der drei Jungs lautlos zu. Die Felder und Wege zeigen sich am nächsten Morgen wieder jungfräulich und friedlich.

Und wieder einmal mehr schwören sich Peer, Alfredo und Thomas morgens beim Aufstehen: Nie mehr Alkohol!

21

Ein neuer Lebensabschnitt für Peer ist angebrochen. Vor ein paar Tagen konnte er seinen achtzehnten Geburtstag feiern. Zu Hause. Während der Ferien über Weihnachten und Neujahr. Peer mag diese Feste im Kreise der Familie nicht. Da sind immer alle so verlogen freundlich und zuvorkommend. Und immer nur die besten Wünsche für die Zukunft. Seit Peer im Kollegi ist, denkt er bei diesen »besten Wünschen für die Zukunft« jeweils unwillkürlich an seine »Jahre der Nächsten**h**iebe«.

Danke für diese beschissene Zeit, für meine gestohlene Jugend, rebelliert er innerlich.

Doch etwas Gutes hat dieser Geburtstag dennoch: Peer kann endlich die Fahrprüfung absolvieren. Und die will er so rasch wie möglich hinter sich bringen.

Nach den Ferien bestellt Peer in Schwyz umgehend seinen Lernfahrausweis. Er wollte das bereits zu Hause tun, konnte aber nicht, weil er im Kollegi wohnt und seine Schriften hier in Schwyz sind. Ebenfalls bucht Peer gleich zwei Stunden beim Fahrlehrer Imhof. Präfekt Burri hat im die Erlaubnis dafür erteilt.

Imhof ist bei den Studenten ein Geheimtipp und sehr beliebt. Er hat nicht nur eine überdurchschnittliche Erfolgsquote von nahezu hundert Prozent, sondern ist auch menschlich sehr zuvorkommend. So macht es ihm nichts aus, nach einer Fahrstunde nochmals fünfzehn Minuten anzuhängen, wenn es die Umstände erfordern – und das kostenlos!

Peer hätte gerne sofort mit dem Fahrunterricht begonnen. Imhof ist jedoch auf Grund seiner Beliebtheit so stark ausgebucht, dass Peer erst im April mit seinen Fahrstunden starten kann. Im Grunde ist er froh darüber, hat es doch in der Regel im April keinen Schnee mehr.

Ein weiteres einschneidendes Ereignis steht bevor: Rosalie wird bald ihre Gastfamilie verlassen und dann wieder bei ihren Eltern in Küssnacht wohnen. Ihr Haushaltsjahr war eigentlich bereits letztes Jahr zu Ende. Da Rosalie aber ihre Lehre als Coiffeuse in Luzern erst nach Ostern beginnen kann, bleibt sie bis dann weiterhin bei ihrer Gastfamilie hier in Schwyz. Peer darf gar nicht an seine Zeit hier ohne Rosalie denken, sonst dreht er durch. Doch es dauert ja noch ein paar Wochen.

Wichtig für Peer und Rosalie sind die Abende, die sie noch hier zusammen verbringen können. Sie geniessen ihre abendlichen Zusammenkünfte. Mag es regnen, schneien oder stürmen, nichts kann sie davon abhalten. Heute ist wieder einer dieser romantischen Abende. Peer und Rosalie kuscheln sich bei der alten Mauer in ihrem »Liebesgässchen« fest aneinander. Ihr Atem verliert sich leise in weissen Wölkchen in der kalten Winternacht. Die beiden schäkern verliebt miteinander. Sie suchen nach Lösungen für ihre Zukunft, für die Zeit, wenn Rosalie ihre Lehre beginnt und wieder bei ihren Eltern in Küssnacht wohnt. Optimistisch versuchen sie sich immer wieder einzureden, dass es dann schon irgendwie gehen wird. Wird es sicher auch. Zweifellos. Aber zu welchem Preis?

Minutenlang stehen Peer und Rosalie da. Bewegungslos. Eng umschlugen hängen sie ihren Gedanken nach. Immer wieder rinnt eine Träne wie ein einsamer Bote der Mutlosigkeit aus den Tiefen ihrer Verzweiflung über ihre Wangen, fällt zu Boden und kristallisiert sogleich zu einem Eiskorn. Peer verspürt den tiefen Wunsch, Rosalies »Eistränen« einzusammeln und nie mehr aus den Händen zu geben. Ein Wunsch eben nur. Und die wenigsten Wünsche gehen bekanntlich in Erfüllung.

Doch da ist Rosalies ganz spezieller Wunsch. Und sie hofft inbrünstig, dass er in Erfüllung geht.

»Ich habe es mir gut überlegt«, beginnt sie vorsichtig, »und ich möchte wissen, wie du dazu stehst.«

»Nun denn, frag mich einfach, mein Schatz«, ermuntert sie Peer lächelnd und streicht ihr liebevoll eine Haarsträhne aus dem Gesicht.

»Ich weiss nicht so recht«, ziert sich Rosalie. »Du könntest das falsch verstehen.«

»Mach dir keine Gedanken. Du weisst doch, dass ich dich liebe«, beruhigt sie Peer.

Rosalie fasst sich ein Herz. Sie will Peer endlich die eine Frage stellen, die sie ihm schon während der Ferientage in Küssnacht stellen wollte, aber nie den Mut dazu fand.

Den Blick gesenkt, mit der Schuhspitze verlegen im Schnee stochernd beginnt sie umständlich: »Ich möchte … also, ich wollte dich fragen …«, und dann bricht es spontan aus ihr heraus: »Willst du mit mir schlafen? So jetzt weisst du's!«

Peer ist etwas überrascht, lässt sich aber nichts anmerken. Er legt seine Hand unter Rosalies Kinn, hebt ihr Gesicht vorsichtig an und schaut tief in ihre azurblauen Augen.

»Wie gerne ich das möchte. Danke für dein Vertrauen«, flüstert er gerührt und küsst inbrünstig ihre vollen Lippen. »Genau das wollte ich dich auch schon lange fragen«, fährt er fort, nachdem sich ihre Lippen wieder gelöst haben, »war mir aber nicht sicher, ob du mich dann für einen jener halten würdest, die nur das ›Eine‹ wollen, wie es von den Männern ja immer heisst.«

»Dummerchen«, schmollt Rosalie und versetzt Peer einen scherzhaften Ellenbogenstoss in die Rippen.

»Also, gehen wir zu dir oder zu mir?«, versucht Peer die aufkommende Nervosität etwas zu vertuschen.

Duzende Gedanken schwirren ihm durch den Kopf: Was ist, wenn er mir nicht steht, oder wenn ich zu früh komme? Oder: Wo sollen wir's denn machen? Und abgesehen davon, hat sie überhaupt ein Kondom? Ich habe keines!

Es ist, als könne Rosalie Peers Gedanken lesen.

»Ich habe schon alles vorbereitet«, lächelt sie. »Meine Gastfamilie ist an einem Kongress und kommt erst morgen Abend zurück.« Und verschmitzt fügt sie an: »Sogar ein Präservativ habe ich organisiert!«

»He, Chapeau«, ist Peer sichtlich beeindruckt. »So was habe ich nicht. Habe ich bis jetzt auch noch nie gebraucht!«

Auch Rosalie ist leicht nervös. Schliesslich wird es gleich das erste Mal sein, dass sie mit jemandem schläft.

»Also, komm, gehen wir«, hackt sich Rosalie bei Peer ein und zieht ihn vorsichtig aber bestimmt Richtung Haus ihrer Gastfamilie.

Während sie durch den Schnee stapfen, gestehen Rosalie und Peer einander, dass sie noch »Jungfrau« sind. Das macht das Ganze für die beiden auch nicht leichter. Zum ersten Mal. Und so ganz ohne Erfahrung. Kann das gut gehen? Zumindest, und da sind sich beide einig, wird die Natur das Nötige dazu beitragen.

Beim Haus von Rosalies Gastfamilie angekommen, führt Rosalie Peer direkt nach unten in den kerzenlichtdurchfluteten Heizungsraum. Links vom Eingang, etwas zurückversetzt, steht der massive, dunkelblau gestrichene Heizkessel. Rechts ist der Raum durch fünf von Wand zu Wand reichende, etwa zwanzig Zentimeter hohe Holzbretter abgetrennt. Dahinter lagert Kohle. Die Bretter werden beidseitig durch an den Wänden angebrachte U-Eisen gehalten und können so leicht nach oben abgezogen werden, wenn der Kohlenberg dahinter kleiner wird.

»Leider können wir nicht nach oben«, entschuldigt sich Rosalie, »du weisst, der Hund.«

»Kein Problem«, erwidert Peer. »Hier ist es schön warm und so romantisch.«

Rosalie hat wirklich alles liebevoll vorbereitet. Auf dem Boden ist eine Matratze ausgelegt, mit einem weichen Frotteleintuch überzogen. Am Kopfende, etwas zurückversetzt, ein Herz aus brennenden Kerzen. Auf einem kleinen Tisch vor dem Heizkessel ein Champagner-Piccolo mit zwei langstieligen Kristallgläsern und ein Kassettenrekorder. Rosalie drückt die Play-Taste, und aus dem Lautsprecher des Kassettenrekorders ertönt – wie könnte es anders sein – »Je t'aime moi non plus« von Serge Gainsbourg und Jane Birkin.

Vorsichtig öffnet Rosalie das Piccolo und lässt den sprudelnden Champagner langsam in die Gläser fliessen, konzentriert darauf bedacht, dass auch nicht ein Tröpfchen verschüttet wird. Sie reicht Peer ein Glas mit der perlenden Köstlichkeit und gibt ihm einen zärtlichen Kuss.

»Prost, mein Liebster«, haucht sie, »auf unsere Zukunft.«

»Auf dich, mein Schatz«, flüstert Peer. »Auf die wunderbarste Frau der Welt.«

Beide nehmen einen kräftigen Schluck und stellen das Glas zurück auf den Tisch. Langsam und mit zittrigen Händen beginnen Peer und Rosalie sich gegenseitig auszuziehen. Doch sie kommen beide nicht weit. Peer scheitert bereits an Rosalies Büstenhalter und Rosalie bringt Peers klemmenden Reissverschluss nicht auf.

»Dafür braucht man einen Trick«, entschuldigt sich Peer, öffnet seinen Reissverschluss selber und zieht flink seine Hose aus.

Rosalie nutzt die Gelegenheit um sich ihres BHs und ihres Jupes zu entledigen. Peer kniet vor sie nieder, zieht langsam ihren schwarzen Slip nach unten und küsst ihren Venushügel. Während Rosalie ihren Slip ganz auszieht, steigt Peer rasch aus seiner Unterhose. Er will auf Nummer sicher gehen. Nicht, dass durch eine unglückliche Berührung Rosalies, bereits alles vorbei ist, bevor es überhaupt begonnen hat.

Rosalie kichert verlegen, als sie sich anschickt, dem »kleinen Peer« den Präservativ überzustülpen.

»Entschuldige mein Schatz«, zuckt Peer mit einem schelmischen Grinsen zurück. »Nicht, dass ich es nicht gerne hätte, aber wenn du es machst, dann können wir uns, glaube ich, gleich wieder anziehen.«

»Und du meinst, so klappe es dann, wenn du jetzt schon bei der kleinsten Berührung kommst?«, fragt Rosalie ziemlich ratlos.

Doch bevor Peer antworten kann, holt Rosalie ein Papiertaschentuch hervor und tut, was zu tun ist. Peer lässt sie gewähren, wohl wissend, dass sie Recht hat. Und tatsächlich ist es bereits nach rund einer halben Minute vorbei.

»Sag ich's doch«, meint Rosalie verschmitzt. »Jetzt trinken wir unseren Champagner, spielen ein bisschen miteinander und in fünf Minuten, du wirst sehen, bist du wieder so weit.«

Unter Rosalies sanften Berührungen dauert es keine fünf Minuten, und Peer steht seinen Mann wieder. Problemlos lässt sich dieses Mal das Präservativ abrollen.

Nun wird es ernst, denkt Peer, und erste Schweissperlen treten auf seine Stirn.

Es ist ihm schon etwas mulmig zu Mute.

Mit der Missionarsstellung klappt es glaube ich am besten, schiesst es Peer durch den Kopf, als er sich vorsichtig auf Rosalie legt.

Rosalie stöhnt leise, zieht ihre Knie leicht an, und lässt ihre Beine seitwärts auf die Matratze sinken.

Hier müsste es doch irgendwo sein, denkt Peer etwas verwirrt, als er mit seinem erigierten Glied leicht kreisend immer wieder in Rosalies Vagina einzudringen versucht.

Doch nichts passiert. Peer zweifelt schon an sich selber, als Rosalie die Initiative ergreift und seinem Penis die Richtung vorgibt. Peer fühlt etwas Weiches, aber weiter geht es nicht. Vorsichtig erhöht er den Druck, bis er Rosalies leicht schmerzverzerrtes Gesicht wahrnimmt.

»Tut's weh?«, fragt er etwas hilflos.

»Ja. Ein bisschen«, erwidert Rosalie ungeduldig. »Aber versuch's einfach weiter.«

Peer gibt sich alle Mühe. Minutenlang versucht er immer wieder in Rosalie einzudringen. Doch es gelingt ihm nicht.

»Es tut mir Leid, Schatz, aber es geht nicht«, entschuldigt er sich enttäuscht. »An der Grösse kann es auch nicht liegen. Da habe ich in einschlägigen Heftchen, du weisst schon«, zwinkert er ihr belustigt zu, »schon ganz andere Kaliber gesehen. Und bei denen ist's problemlos gegangen.«

»Nun, mein Lieber, solche Heftchen sollte man sich nicht als Vorbild nehmen«, meint Rosalie in leicht schulmeisterlichem Ton, aber nicht vorwurfsvoll.

»Weiss ich doch, mein Schatz«, wiegelt Peer ab, und verschmitzt fügt er an: »Allerdings helfen sie ungemein, wenn man alleine ist.«

»Genüge ich denn nicht in deiner Fantasie?«, fragt Rosalie, die Beleidigte mimend.

»Und wie du mir genügst«, versichert Peer. »Das war bevor ich dich kennen gelernt habe«, und er drückt seinem Mädchen einen dicken Kuss auf den Bauchnabel.

»Aber du hast schon recht«, bringt Rosalie das Gespräch wieder auf den Punkt. »An der Grösse kann es nicht liegen. Wahrscheinlich ist mein Jungfernhäutchen einfach zu stark. Darum geht es nicht. Ich lasse das beim Arzt abklären«, und mit einem umwerfenden Augenaufschlag fährt sie viel sagend fort: »Aber wir haben ja noch Mund und Hände.«

»Und eine Zunge«, unterbricht Peer und geht sofort auf »Tauchstation« zu Rosalies Schoss.

Trotz der unverhofften Probleme geniessen beide eine harmonische und äusserst erotische Zweisamkeit. Sie lassen ihrer Fantasie freien Lauf und erleben einen Höhepunkt nach dem andern.

»Was für ein wunderschöner Abend. Super, wie du das Ganze organisiert hast. Der Champagner. Die Kerzen. Ich danke dir dafür«, und Peer drückt seine Rosalie fest an sich, als wolle er für ewige Zeiten mit ihr verschmolzen sein.

Doch es wird Zeit, zu gehen. Peer macht sich auf den Weg, zurück ins Kollegi. Rosalie räumt den Heizungskeller wieder so her, dass nichts mehr an das romantische Liebesnest erinnert. Völlig erschöpft, aber vollends glücklich, sinken beide in einen tiefen Schlaf – Peer in seiner Koje im Kollegi und Rosalie in ihrem Zimmer bei ihrer Gastfamilie.

22

Während der zweiten Hälfte der eben begonnen Sommerferien wird Peer mit ein paar anderen Studenten an einem von Präfekt Burri organisierten Baulager in Valognes, Frankreich, teilnehmen. Sie werden dort unter kundiger Leitung einheimischer Bauleute eine Hostienbäckerei in einem Nonnen-Kloster bauen. Peer freut sich gewaltig auf diese drei Wochen in der Normandie.

Zuvor muss er aber nochmals zurück nach Schwyz, denn kurz vor den Sommerferien konnte er seine beiden Fahrstunden bei Fahrlehrer Imhof erfolgreich hinter sich bringen. Dieser hat ihn dann gleich für die Prüfung angemeldet. Leider ist der nächst möglich Prüfungstermin erst der 14. Juli – zwei Tage nach Ferienbeginn! Das ist der Grund, warum Peer heute bereits wieder auf dem Weg nach Schwyz ist. Mit Fahrlehrer Imhof hat er vereinbart, dass dieser ihn am Bahnhof in Seewen abholt. Dann folgen noch zwei Fahrstunden, und anschliessend geht's direkt zur Prüfung.

Tatsächlich wartet Imhof bereits am Bahnhof, lässig ein Eis lutschend, als Peer in Seewen eintrifft. Entsprechend ungezwungen ist die Begrüssung.

»Hallo Peer! Na, fit und ausgeruht?«, klopft Imhof Peer freundschaftlich auf die Schulter.

»Ja, ich kann's kaum erwarten, meine Fahrkünste zu zeigen«, erwidert Peer euphorisch.

Doch in Wahrheit ist er höchst nervös, hat er doch erst zwei offizielle Fahrstunden mit Imhof hinter sich. Gut, er ist drei, vier Mal mit Vater oder Mutter gefahren. Aber gelernt hat er nicht viel. Mutter war viel zu lieb, und dem cholerischen Vater konnte er, wie immer, nichts recht machen.

»Also, dann nehmen wir die beiden letzten Stunden vor der Prüfung in Angriff. Steig ein!«, fordert der Fahrlehrer Peer auf und öffnet die Fahrertür.

Peer nimmt in Imhofs VW-Käfer hinter dem Lenkrad Platz, schiebt den Sitz leicht nach vorn und bringt den Rückspiegel in die für ihn richtige Position.

Und auf geht's!

Zwei lange Stunden steht Peer unter Dauerstress. Als langjähriger Fahrlehrer kennt Imhof alle Tricks der Prüfungsexperten und lässt Peer so lange üben, bis alles reibungslos klappt. Endlich biegen sie auf den Hof des Strassenverkehrsamtes ein.

»Du hast Glück«, tuschelt Imhof erfreut. »Dein Experte ist mein Cousin. Den Ausweis hast du so gut wie schon in der Tasche.«

Danke, lieber Gott, jauchzt Peer innerlich und bekreuzigt sich in Gedanken. Er stoppt den Käfer beim Prüfungsexperten. Imhof steigt aus und wechselt ein Paar Worte mit seinem Cousin, worauf sich dieser neben Peer auf den Beifahrersitz setzt.

»Grüss Gott Herr Nickels! Ich bin der Imhof Toni. Wir werden das zusammen schon schaukeln«, gibt sich der Experte gleich zu Beginn äusserst beruhigend.

»Hallo«, grüsst Peer kurz, aber sichtlich erleichtert zurück.

»Wir fahren jetzt Richtung Brunnen. Also da vorne gleich rechts«, instruiert Imhof seinen Prüfling.

Peer startet den Käfer und fährt mit einem kleinen Ruckeln los.

»Nur ruhig«, besänftigt ihn Imhof. »Kein Grund, nervös zu sein. Man muss Kupplung und Gas so feinfühlig behandeln, als hätte man ein rohes Ei unter der Schuhsohle.«

»Jawohl. Ein rohes Ei. Unter der Schuhsohle«, wiederholt Peer konzentriert, und kleine Schweissperlen bilden sich auf seiner Stirn.

Peer fährt zügig weiter und lässt sich seine Nervosität nicht anmerken. Auf der langen Gerade zwischen Ibach und Brunnen schliesst er zu einem Lastwagen auf. Dicht bleibt er diesem auf den Fersen.

»Möchten sie den da vorne unten durch überholen?«, will der Experte unverhofft mit einem Schmunzeln wissen. »Ich frage nur, weil sie so nah sind, und damit ich, wenn nötig, den Kopf einziehen kann.«

»Ähm … Nein …«, stottert Peer und nimmt unweigerlich den Fuss vom Gaspedal.

»Aha«, gibt sich Imhof betont nachdenklich. »Dann sind sie aber ein bisschen zu nah.«

»Zu nah«, wiederholt Peer verlegen, und während er sich den Schweiss von der Stirn wischt, denkt er: Verdammt, jetzt bin ich sicher schon durchgefallen.

Doch Imhof meint nur: »Denken sie, das vor ihnen fahrende Fahrzeug sei ein Pferd, das gerade seine Notdurft verrichtet. Wenn sie vor den ersten Pferdeäpfeln anhalten können, ist der Abstand richtig.«

Man denkt eben praktisch hier in der Innerschweiz!

»Pferdeäpfel. Das kann ich mir merken«, sinniert Peer und hält zum vor ihm fahrenden Lastwagen ab sofort den nötigen Abstand ein.

»Gut so«, entgegnet Imhof aufmunternd. »Jetzt fahren sie dann bei der nächste Abzweigung rechts rein.«

Peer nimmt, wie gewünscht, das nächste Seitensträsschen und befindet sich unverhofft in einem Einfamilienhausquartier.

Nach ein paar hundert Metern mit etlichen Fussgängern, die unverhofft und sorglos über die Strasse schlendern, meldet sich der Experte erneut: »Herr Nickels, nehmen sie nun da vorne das nächstmögliche Strässchen links.«

Peer stellt den Blinker und will links abbiegen. Doch im letzten Moment sieht er, dass es sich um eine Einbahnstrasse handelt, in die er von dieser Seite nicht einfahren darf, und er fährt weiter.

»Das haben sie gut gemacht«, lobt Imhof seinen Prüfling. »Die Nächste können sie nun nehmen.«

Tatsächlich: Das nächste Seitensträsschen ist zwar eine Sackgasse, aber es darf befahren werden.

Und da ist Imhof wieder: »Sie haben gesehen, dass wir jetzt in einer Sackgasse sind. Was müssen sie nun tun?«, will er wissen.

»Wenden?«, fragt Peer zaghaft.

»Genau! Wenden! Es ist zwar etwas schmal, aber sie schaffen das problemlos«, bestärkt der Experte Peer.

Also wenden, denkt Peer und beginnt mit dem gewünschten Manöver.

Um sich zu beruhigen, führt er Selbstgespräche: »Vor und zurück. Vor und zurück. Und eindrehen. Und zurückdrehen.«

Imhof lässt ihn wortlos gewähren und wartet geduldig auf das Ende des Wendemanövers. Nach rund fünf Minuten ist das Werk vollbracht. Der Käfer ist gewendet.

»Ich habe ein kurzes Nickerchen gemacht«, wirft Imhof scherzhaft ein. »Nein, im Ernst, auch hier gilt: Übung macht den Meister. Also: Üben – üben – üben«, und nach kurzem Nachdenken gibt er Peer den Auftrag, denselben Weg, den sie gekommen sind, wieder zurückzufahren.

Peer nimmt wieder Fahrt auf, setzt den Blinker rechts und biegt in die etwas breitere Quartierstrasse vor ihm ein. Peer will schon aufatmen, als der Käfer plötzlich ruckartig hinten rechts hochgehoben wird, um gleich wieder ächzend in die Ausgangsposition zurückzufallen.

»Hoppla«, entfährt es dem Experten erstaunt.

Peer erschrickt gewaltig. Sein Herz droht stillzustehen. Reflexartig steigt er auf die Bremse und – würgt den Motor ab!

Verdammt, schiesst es ihm durch den Kopf, die Kupplung!

Da steht er nun. Mitten auf der Strasse. Hastig versucht er den Motor wieder zu starten, vergisst aber in seiner Aufregung erneut, das Kupplungspedal zu drücken. Der Käfer macht einen gewaltigen Sprung nach vorne und bleibt dann erneut stehen, wie ein störrischer Esel, der sich in den Kopf gesetzt hat, nicht weiterzugehen.

Jetzt ist's endgültig vorbei, denkt Peer resigniert und ist sich sicher, dass der Experte ihn nach diesem groben Fehler nun direkt ins Strassenverkehrsamt zurück beordern wird.

Umso erstaunter ist er, als er Imhof beschwichtigend und gefasst sagen hört: »Halt, halt, halt! Ganz ruhig bleiben! Was müssen wir jetzt tun?«

»So schnell wie möglich weg hier?«, fragt Peer total verunsichert.

»Nein«, erwidert Imhof bestimmt. »Als Erstes müssen wir in solch einer Situation Ruhe bewahren. Das war jetzt sicher nicht so gut, kann aber jedem passieren. Also, nochmals: Ruhe bewahren, Kupplung drücken, Motor starten, konzentriert weiterfahren.«

Peer atmet tief durch, und nachdem er sich wieder etwas beruhigt hat, kann er mit der Prüfungsfahrt fortfahren.

»Und noch was, Herr Nickels«, schaltet sich Imhof erneut ein und beginnt viel sagend: »Wenn sie zu Hause sind, nehmen sie ein Blatt Papier zur Hand, zeichnen eine Neunziggrad-Kurve und schauen mit einem Spielzeugauto mal genau, wie man so eine Kurve fährt, ohne mit dem Hinterrad auf den Trottoirrand zu gelangen. Versprechen sie mir das?«

»Ja, mache ich. Versprochen«, antwortet Peer bestimmt und überlegt gleichzeitig krampfhaft, ob das jetzt »durchgefallen« oder »es geht weiter« heisst.

Offensichtlich geht es weiter. Peer ist beruhigt, als Imhof ihn bittet zum See zu fahren und dort das Auto zu parkieren. Peer weiss, dass es am See nur wenige Parkplätze gibt, in die man seitwärts parkieren muss, und er hofft, dass diese alle besetzt sind. So ist es dann auch, und Peer kommt in den Genuss, einfach mal kurz seinen Käfer vorwärts in eine Parklücke zu stellen. Imhof steigt aus und vergewissert sich, dass das Fahrzeug korrekt im Parkfeld steht. Peer ist beruhigt, als der Experte den Daumen hebt.

»Also, Heer Nickels«, fährt Imhof fort, nachdem er wieder im Auto Platz genommen hat, »wir fahren jetzt zurück nach Ibach, und dort sage ich ihnen, wie's weitergeht.«

In Ibach angekommen, muss Peer noch eine kurze Strecke rückwärts den Berg hinauf fahren, dann darf er den Weg zum Strassenverkehrsamt einschlagen.

Fahrlehrer Imhof wartet bereits ungeduldig auf seinen Cousin und auf Peer.

»Wie war's?«, will er von Peer ungeduldig wissen.

Doch bevor dieser antworten kann zeigt der Experte seinem Cousin bereits den erhobenen Daumen. Peer streckt er die Hand entgegen und meint anerkennend: »Ich gratuliere ihnen! Sie haben bestanden! Den Ausweis könne sie gleich beim Empfang abholen.«

Peer bedankt sich überglücklich bei den beiden Imhofs.

»Geschafft«, jubelt er und streckt seine geballten Fäuste gegen den Himmel.

Dann hält er ihn endlich in den Händen – den begehrten, blauen Ausweis! Vergessen die Ängste des Versagens. Vergessen die cholerischen Anfälle seines Vaters. Vergessen die Zweifel an sich selber. Sein erster grosser Sieg in seinem eben erst beginnenden Leben.

Fahrlehrer Imhof bringt Peer zurück nach Seewen zum Bahnhof. Der Zufall will es, dass Peers Zug bereits wartet. Imhof verabschiedet sich herzlich und wünscht Peer nur das Beste für seine kommende erste Fahrt ohne Begleitung.

Auf dem Heimweg schmiedet Peer bereits Pläne, was er noch alles unternehmen will, bevor er mit seinen Studienkollegen und Präfekt Burri nach Frankreich ins geplante Baulager aufbricht. Seine Mutter wird ihm sicher ab und zu ihr Auto, einen kleinen Opel Kadett, überlassen. Auf alle Fälle wird er morgen als Erstes nach Luzern fahren, um Rosalie die freudige Nachricht der bestandenen Prüfung persönlich zu überbringen.

Die Freude der Mutter ist gross, als Peer ihr die Nachricht von der bestandenen Fahrprüfung überbringt.

Der Vater brummt lediglich etwas wie: »Gratuliere«, um dann aber sofort nachzuschieben: »Denk ja nicht, dass du jetzt immer Mutters Auto haben kannst. Und meines sowieso nicht. Das ist viel zu gross für dich.«

Nun ja, denkt Peer gelassen, wo du Recht hast, hast du Recht. Dein Buick ist mir wirklich zu gross. Aber das mit Mutters Auto, das lass mal gefälligst Mutter selber entscheiden.

Entsprechend kommt es dann auch so, wie Peer sich das schon gedacht hat: Am nächsten Tag überlässt ihm seine Mutter ihren Kadett, und Peer macht sich auf, nach Luzern. Er wählt den Weg durch das Emmental. Gemütlich fährt er durch die verschlafenen Dörfchen, vorbei an Geranien geschmückten, alten Bauernhäusern und saftig grünen Wiesen mit stattlichen, mit grossen Glocken behangenen Kühen. Peer geniesst die Fahrt. Er fühlt sich wie in einer neuen Welt. Kann tun und lassen, was er will.

Kein Zwang durch fixe Abfahrtszeiten von Zug und Postauto!

Kein Vater, der ihm vorschreibt, wie er zu leben hat!

Nicht mehr angewiesen sein auf irgendjemanden!

Einfach nur Freiheit pur!

Ein unbeschreibliches Gefühl!

Das Leben kann doch schön sein, denkt Peer, während er so dahinfährt. Er malt sich aus, wie es erst ist, wenn er ein eigenes Auto hat. Wie er mit seiner Rosalie in die Ferien fährt. Vielleicht nach Italien? Oder sogar nach Spanien? Auf alle Fälle ans Meer.

Aber wie er mit Mutters Kadett so gemächlich durch die wunderschöne Landschaft gleitet, wird es ihm doch plötzlich ein bisschen mulmig. Eben ist er an einem Wegweiser vorbeigefahren. »Luzern 12 Km« war da zu lesen. Langsam wird es ernst, denkt Peer. Leicht nervös gewahrt er immer mehr Fahrzeuge auf der Strasse. Der Gedanke an den Grossstadtverkehr lässt seine Hände feucht werden.

Dann kreuzt er den ersten Luzerner Stadtomnibus. Wie ein grosses, blaues Ungetüm quetscht sich dieser vorbei. So jedenfalls scheint es Peer. Unwillkürlich rückt er in seinem kleinen Kadett etwas näher zum Beifahrersitz.

Nichts desto trotz schreit er freudig: »Luzern, da bin ich«, in die über der Stadt liegende, flimmernde Dunstglocke hinaus.

Obwohl Peer durch die vielen Fussgänger, Busse und anderen Autos recht gestresst ist, freut er sich ungemein, hier in Luzern zu sein. Wie ein Profi schlängelt er sich durch den Grossstadtverkehr – nun ja, Grossstadt mag wohl etwas übertrieben sein, aber zum ersten Mal allein mit dem Auto in einer fremden Stadt ist für Peer schon etwas ganz Besonderes.

»In der Nähe vom Bahnhof, hat sie gesagt, sei ihre Lehrstelle. Also muss es da vorne irgendwo sein. Ich fahre mal vor dem Bahnhof rechts rein und suche einen Parkplatz«, resümiert Peer in Selbstgespräche vertieft.

Ohne lange zu überlegen, setzt er den Blinker und schickt sich an, rechts abzubiegen.

Doch dann: Ein ohrenbetäubendes Hupen!

Peer tritt blitzartig auf die Bremse und kann so um Haaresbreite die Kollision mit einem Stadtomnibus knapp verhindern.

»Mist! Jetzt habe ich doch gerade noch in den Rückspiegel geschaut, und da war weit und breit kein Bus zu sehen«, flucht Peer vor sich hin.

Tatsächlich verläuft rechts neben Peer eine Busspur, und spätestens jetzt weiss er, dass Buschauffeure, zumindest hier in Luzern, wie die Berserker durch die Strassen brettern und offensichtlich der Meinung sind, diese gehören ihnen alleine. Zu allem Überfluss zeigt ihm der Buschauffeur auch noch den Stinkfinger. Doch Peer fasst sich schnell wieder und nimmt's gelassen.

Du mich auch, denkt er und setzt seine Fahrt fort.

Kurz darauf manövriert er sein Fahrzeug gekonnt, als hätte er nie etwas anderes gemacht, in die nächste freie Parklücke und begibt sich zu Fuss auf die Suche nach Rosalie. Er braucht nicht lange zu suchen. Am Ende der Strasse, dort, wo diese in einem Neunziggrad-Winkel rechts abbiegt, erkennt er beim genaueren Hinsehen Perücken in einem Schaufenster, und darüber steht in grossen Buchstaben »Coiffeur Madeleine«. Das Coiffeur-Geschäft ist im Erdgeschoss des zweitletzten Gebäudes der vierstöckigen Häuserreihe gegenüber dem langen Bahnhoftrakt untergebracht. Es ist unschwer zu erkennen, dass die grossen Sandsteinquader, die das Erdgeschoss der Häuser in dieser Strasse bilden, einer kürzlichen Renovation unterzogen wurden. Sie erstrahlen hell und sauber und vermitteln einen biederen, vertrauensvollen Eindruck.

»Das muss es sein«, murmelt Peer erleichtert, und unbewusst beschleunigt er seinen Schritt.

Bei besagtem Geschäft angekommen, öffnet er klopfenden Herzens die Glastür und steht unverhofft vor Rosalie.

Gross ist die Überraschung!

Nicht nur bei Rosalie, sondern auch bei Peer. So leicht hat er sich die Suche nicht vorgestellt.

»Hallo mein Schatz«, begrüsst er Rosalie freudig und küsst sie gesittet kurz auf den Mund.

»Hallo Liebster«, grüsst Rosalie etwas überrumpelt, aber nicht minder glücklich, zurück. Entschuldigend fügt sie zum Schaufenster zeigend an: »Setzt dich doch bitte rasch dort auf einen Stuhl. Ich bin gleich fertig.«

Während Rosalie ihre Kundin fertig föhnt, blättert Peer gelangweilt in den Frauenzeitschriften auf dem nahen Tischchen und hört dem Getratsche der ausschliesslich weiblichen Kundschaft zu.

Dann endlich, Mittagspause. Peer und Rosalie schlendern Arm in Arm zum nahen Bahnhof. Die Juli-Sonne brennt erbarmungslos auf ihre Köpfe und zaubert, zusammen mit den Fächerpalmen, die überall in grossen, braunen Töpfen herumstehen, ein mediterranes Ambiente in die Stadt. Auf der anderen Seite des Bahnhofplatzes, bei der Schiffanlegestelle, befindet sich ein kleines, barackenähnliches Restaurant, mit einer auf den See hinausragenden Holzterrasse. Hier setzen sich Peer und Rosalie an ein Zweiertischchen mit Sonnenschirm.

»Das Neuste habe ich dir gar noch nicht erzählt«, erfreut sich Peer bester Laune und streicht Rosalie sanft über die Wange.

»Eine gute oder eine schlechte Nachricht?«, will Rosalie neugierig wissen.

»Gute«, gibt sich Peer geheimnisvoll.

»Na, dann rück schon raus«, insistiert Rosalie ungeduldig. »Was ist es denn?«

»Also«, beginnt Peer, um gleich wieder schelmisch auf Fiesling zu machen, »soll ich es dir wirklich sagen?«

»Nun sag schon endlich«, bettelt Rosalie leicht genervt, um aber gleich zuckersüss fortzufahren: »Du bekommst dann auch einen dicken Kuss von mir.«

»Überredet«, gibt sich Peer geschlagen. »Da kann ich natürlich nicht nein sagen«, und nach einer kleinen Kunstpause fügt er euphorisch an: »Ich habe gestern die Fahrprüfung bestanden!«

Der Zufall will es, dass ausgerechnet in diesem Moment auf der Restaurantterrasse mal eben grad Konversationsstille herrscht, und so tönt Peers euphorische Aussage wie eine Mitteilung an die ganze Welt. Erschrocken und mit weit geöffneten Augen schlägt sich Peer die Hand vor den Mund. Immer noch herrscht absolute Stille. Alle Köpfe drehen sich zu ihm. Rot wie eine Tomate möchte er am liebsten in der Erde versinken.

Als die Restaurantgäste den unglücklichen Zufall realisieren und Peers grosse Verlegenheit sehen, spielen sie mit und brechen unter Bravorufen in Applaus aus.

Peers »Danke« quittieren sie mit freudigem Daumenhoch. Rosalie, nicht minder verlegen, fängt sich ebenfalls rasch wieder und drückt Peer den versprochenen dicken Kuss auf den Mund.

Auf der Holzterrasse wenden sich die Gäste wieder ihrer eigenen Konversation zu. Peer und Rosalie bestellen Spaghetti Carbonara und, zur Feier des Tages, anschliessend einen »Coupe à deux« zum Dessert, mit vielen exotischen, aber auch einheimischen Früchten. Sie schmieden Pläne für die Sommerferien nächstes Jahr, und immer wieder schieben sie sich verliebt gegenseitig ein besonderes köstliches Fruchtstückchen in den Mund.

Viel zu schnell geht Rosalies Mittagspause vorbei. Die beiden schlendern Arm in Arm zurück zum Coiffeur-Salon und verabschieden sich mit einem langen Kuss. Peer macht sich auf den Heimweg, nicht ohne vorher Rosalie zu versprechen, sie vor der Abreise ins Baulager noch einmal zu besuchen.

Peers Vater ist unerwartet früher von der Arbeit nach Hause gekommen. Als Peer mit Mutters Kadett in das Strässchen zu ihrem Haus einbiegt und Vaters Buick in der Garageneinfahrt stehen sieht, befällt ihn gleich wieder diese Angst, die ihm die Brust zuschnürt und sein Herz schneller schlagen lässt.

»Jetzt geht es gleich wieder los«, murmelt er resigniert und fühlt, wie er langsam wieder in ein grosses, schwarzes Loch versinkt und sich nicht dagegen wehren kann. Diese Angst vor den immer wiederkehrenden, verbalen Attacken seines Vaters raubt ihm die Lebensfreude und schlägt ihm zunehmend auf die Psyche.

Peer ist ein sehr harmoniebedürftiger Mensch. In der Gesellschaft von unzufriedenen oder wütenden Menschen fühlt er sich äusserst unwohl. Solche Situationen lösen bei ihm depressive Angstzustände aus. Gedanken wie »Was soll ich hier eigentliche noch?«, oder »Ich gehe hier nur noch jedem auf die Nerven« lösen in ihm immer wieder eine Todessehnsucht aus. Er weiss, dass er das irgendwie in den Griff bekommen muss. Aber wie?

»Da bist du ja wieder«, hört Peer Mutters freudige Stimme, als er aus dem Auto steigt. »Wie war deine erste Fahrt? So ganz alleine? Und dann noch so weit und in eine grosse Stadt?«

Peers Mutter ist sichtlich aufgeregt.

»Ist alles bestens gegangen«, entgegnet Peer emotionslos und auf die Frustkeule seines Vaters wartend.

Doch zu Peers grosser Überraschung bleibt diese aus. Der Vater zeigt sich nicht. Mir auch recht, denkt Peer erleichtert, zieht sich in sein Zimmer zurück und erstellt eine erste Liste der Sachen, die er nach Frankreich mitnehmen will.

Die Tage bis zur Abreise ins Baulager verbringt Peer mit seinen Freunden im nahen Bern, fern von Mutters übertriebener Fürsorge und Vaters lieblosen Nörgeleien.

23

Heute wird es ernst. Tag der Abreise ins Baulager nach Valognes. Peer ist schon seit vier Uhr früh auf den Beinen. Sein Zug nach Basel, wo sich alle Baulager-Teilnehmer treffen, fährt kurz nach sechs Uhr in Bern ab. Gepackt hat Peer bereits gestern, und seine Mutter wird ihn nach Bern zum Bahnhof bringen. Peer kann den Tag also ruhig angehen. Zusammen mit seiner Mutter frühstückt er ausgiebig. Sein Vater schläft noch, und so ist die Stimmung am Tisch freundschaftlich und gelöst.

Dann wird es Zeit zu gehen. Koffer und Gitarre sind auf dem Rücksitz von Mutters Kadett verstaut. Peer setzt sich ans Steuer, und los geht's, Richtung Bern.

»Ich wünsche dir eine schöne Zeit in Frankreich, und geniesse es«, gibt Peers Mutter ihm mit auf den Weg, als er den Zug nach Basel besteigt.

Ein kurzes Winken aus dem Fenster, und der Zug verlässt ratternd den Berner Hauptbahnhof.

Verträumt schaut Peer zum Fenster hinaus. Draussen ist es noch stockdunkel. In regelmässigen Abständen prescht auf dem Parallelgeleise ein Zug vorbei und lässt die Fenster von Peers Wagon jedes Mal lautstark erzittern.

Der Schaffner betritt das Zugsabteil, und bei seinem lauten »Alle Fahrkarten ab Bern vorweisen bitte« ist eine aufkommende Hektik unter den Bahnreisenden nicht zu übersehen. »Sie müssen in Olten umsteigen. Gleis drei«, erinnert er Peer zuvorkommend, als er dessen Fahrkarte knipst.

Peer bedankt sich und blättert weiter in seinem »Paris Match«, das er vor dem Einsteigen noch am Bahnhofkiosk in Bern gekauft hat. Immer wieder schweifen seine Gedanke ab. Drei Tage werden sie in Paris verbringen, hat Präfekt Burri gesagt. Was sie dort wohl erwartet? Peer ist aufgeregt. Er war noch nie im Ausland.

»Nächster Halt Olten! Nach Basel, bitte umsteigen«, tönt es aus dem kleinen Lautsprecher über der Tür.

Peer zuckt zusammen.

»Schon Olten? Das ist aber schnell gegangen«, murmelt er verwundert und packt seine sieben Sachen zusammen.

Peers Zug fährt auf Gleis eins in Olten ein. Der Anschlusszug nach Basel wartet bereits.

»Gleis drei Basel! Abfahrt in drei Minuten!«, verkündet eine monotone Stimme durch die Bahnhoflautsprecher.

Peer sputet sich, um seinen Zug ja nicht zu verpassen. Es wird knapp! Gleis eins: Treppe runter – unter den Gleisen durch – Gleis drei: Treppe rauf – einsteigen – und schon setzt sich der Zug in Bewegung. Noch mal gut gegangen!

Nun geht es direkt nach Basel. Ohne weiteres Umsteigen. In ungefähr einer halben Stunde wird der Zug dort eintreffen. Peer macht es sich gemütlich. Er freut sich auf das Wiedersehen mit seinen Studienkollegen.

Hoffentlich hat Burri gute Laune mitgebracht, sinniert er, sonst werden das schwierige drei Wochen.

»Nächster Halt Basel! Endstation! Alles aussteigen bitte«, verkündet die Stimme aus dem Lautsprecher.

Peer behändigt sich seines Koffers und seiner Gitarre und folgt der Beschilderung »Französischer Bahnhof«. Dort scheinen ebenfalls gerade Präfekt Burri und die ersten Jungs angekommen zu sein. Jedenfalls stehen sie noch etwas desorientiert in der Schalterhalle herum und suchen nach weiteren Informationen.

Grosses »Hallo« bei der Begrüssung!

Alfredo ist da. Thomas auch. Der hat bei seiner Schwester hier in Basel übernachtet und ist daher nicht mit Peer zusammen angereist. Nach und nach treffen weitere Jungs ein. Ebenfalls die Köchin, eine kleine, schätzungsweise vierzigjährige Frau, und ihre zwei Gehilfinnen im Alter der Jungs. Auch sie finden den Weg zur Reisegesellschaft. Nun scheint die Gruppe vollzählig zu sein. Burri zählt noch mal durch: Acht Studenten, eine Köchin mit zwei Gehilfinnen, und er selber. Alle da. Bestens gelaunt informiert Burri anschliessend über den weiteren Verlauf des Tages.

»Zuerst möchte ich euch alle recht herzlich begrüssen«, beginnt er sein Referat. »Ich bin sicher, wir werden drei schöne und erfolgreiche Wochen zusammen verbringen.«

»Ja, wenn er nicht immer seine Stinklaune hat«, raunt Alfredo auffällig unauffällig Peer zu.

»Alfredo, möchtest du weiter machen?«, fragt Burri, lässt sich aber nicht von seiner guten Stimmung abbringen, und ohne auf eine Antwort zu warten, fährt er fort: »Unsere Plätze im Zug sind reserviert. In ungefähr sieben Stunden treffen wir im Gare du Nord in Paris ein. Wir gehen dann direkt ins Hotel, beziehen unsere Zimmer und machen uns anschliessend zu einer ersten Stadtbesichtigung auf. Sind noch Fragen?«

Keine Fragen!

»Dann nehmt euer Gepäck und folgt mir«, fordert Burri die Gruppe auf. Und zielstrebig geht er auf den wartenden Zug nach Paris zu.

Die reservierten Plätze sind rasch gefunden. Zwei Sechser-Abteile. Peer, Alfredo und Thomas sind im selben Abteil, zusammen mit Jean-Philippe, Markus und Jürg.

Markus, gut zwanzig Zentimeter grösser als der Durchschnitt der übrigen Jungs, lässt keine Zweifel daran offen, dass er aus besserem Haus stammt. Nicht nur seine feine Kleidung und seine jederzeit äusserst korrekt in der Mitte gescheitelten und mit Brylcrème fixierten Haare, sondern auch sein leicht affektiertes Verhalten unterstreichen das. Jürg dagegen ist der unscheinbare, trotz seines eher filigranen Körperbaus aber äusserst drahtige, stets hilfsbereite Kumpel. Dann ist da noch Jean-Philippe: Dunkelblonde, leicht die Ohren bedeckende Haare, etwas grösser als Peer, aber immer noch kleiner als Markus, mit einem leichten, kaum wahrnehmbaren S-Sprachfehler. Er spielt auch Gitarre und hat seine Zwölfsaitige mitgenommen.

Kaum hat sich der Zug in Bewegung gesetzt, packen Peer, Alfredo und Jean-Philippe auch schon ihre Gitarren aus und spielen, was das Zeug hält. Bei ausgelassener Stimmung vergeht die Zeit wie im Flug. Langeweile ist ein Fremdwort. Die Jungs beraten, was sie in Paris alles unternehmen wollen. Auch machen sie sich bereits Gedanken über ihre freie Zeit im Baulager in Valognes.

»Die beiden Chicas sind nicht schlecht. Die wollen sicher auch nicht nur kochen und abwaschen«, bringt Alfredo auf den Punkt, was der eine oder andere auch schon gedacht hat.

»Kennt einer die beiden?«, will Thomas wissen.

»Kennen nicht«, antwortet Markus. »Aber ich habe gehört, dass die Köchin sie Klara und Doris gerufen hat. Doch welche wer ist, weiss ich auch nicht.«

»Ich werde ihnen nachher bei unserer ersten Stadtbesichtigung etwas auf den Zahn fühlen«, meint Alfredo spitzbübisch, und zweideutig wie immer fügt er an: »Muss doch wissen, wem ich meine ›Kronjuwelen‹ zum polieren überlasse.«

Der Jungs liebstes Thema ist somit wieder mal angesprochen und wird ausgiebig durchdiskutiert.

Erst als Burri die Tür zu ihrem Abteil aufschiebt und die sechs auffordert: »Packt eure Sachen zusammen, wir sind da«, realisieren sie, dass der Zug bereits quietschend im Gare du Nord einfährt.

Das also ist Paris, die Stadt der Liebe, denkt Peer, als er aus dem Bahnhof auf den Vorplatz tritt und in die gleissende Sonne blinzelt. Wie ein Faustschlag trifft ihn die heisse, stickige Luft, und obwohl sie höchstens fünfzehn Minuten zu Fuss durch enge Gassen, vorbei an unzähligen Souvenirläden unterwegs waren, erreicht er das Hotel völlig durchgeschwitzt. Burri und dem Rest der Gruppe geht es nicht besser. Auch sie sehen recht mitgenommen aus.

Das Hotel, eingebetet in eine fünfstöckige Häuserreihe, macht einen vertrauenswürdigen Eindruck. Als Peer durch die grosse Glastür in die Empfangshalle tritt, stellt er mit Freude fest, dass das Hotel offensichtlich klimatisiert ist.

Erschöpft lässt er sich in eines der weichen, roten Plüschsofas fallen, die überall um kleine Tischchen herum arrangiert sind. Die anderen tun es ihm gleich. Präfekt Burri begibt sich zum Empfangsschalter, wo ihm von einer rundlichen, gepflegten Dame um die fünfzig, eine mit Spitzen bewehrte, weisse Schürze umgebunden, mehrere Schlüssel ausgehändigt werden.

Zurück bei seiner Gruppe erklärt Burri: »Ich habe für euch alle Doppelzimmer reserviert. Ihr könnt selber wählen, mit wem ihr zusammen sein wollt«, und er verteilt vier Zimmerschlüssel unter den Studenten. Einen weiteren Schlüssel erhalten die beiden Gehilfinnen. Burri und die Köchin haben je ein Einzelzimmer.

»Bezieht nun eure Zimmer«, fährt Burri fort, »macht euch etwas frisch, und wir treffen uns wieder in einer halben Stunde hier in der Lobby.«

Die Zimmer der Jungs liegen alle im vierten Stock. Dasjenige von Peer und Alfredo hat die Nummer vierhunderteins und befindet sich gleich rechts neben dem Lift. Beim Betreten des geräumigen Zimmers sticht ihnen als Erstes das grosse Doppelbett ins Auge.

»Ist ja klar«, meint Peer. »Französisches Doppelbett. Schliesslich sind wir in Frankreich.«

»Ich werde mir die Hotelmappe dort, hinten in die Pyjamahose stecken«, witzelt Alfredo und zeigt auf das kleine, runde Tischchen beim Fenster. »Man weiss ja nie, ob du mich plötzlich mitten in der Nacht angreifst.«

»Wer ist denn dauerspitz und geht jede Nacht mindestens ein Mal auf die Toilette?«

»Man wird doch wohl noch Pippi machen dürfen. Oder?«

»Pippi machen? Fünf Minuten lang?«

»Ja! Das Abschütteln dauert eben jeweils etwas länger«, erklärt Alfredo lautstark mit einer entsprechenden Handbewegung.

Die Zweideutigkeit hat nun mal nach wie vor einen grossen Stellenwert bei beiden in ihrer momentanen Phase des Erwachsenwerdens …

Die Zimmer sind bezogen, und die ganze Gruppe, inklusive Köchin und Gehilfinnen, trifft sich wieder in der Hotellobby. Burri, mit einem Pariser Stadtplan in den Händen, erklärt kurz die einzelnen Sehenswürdigkeiten, die sie gleich besuchen werden. Und dann geht's auf zur nächstgelegenen U-Bahn-Station.

Die Métro, dieses geniale Nahverkehrsmittel im Untergrund von Paris, bringt Burri und seine Gruppe zum Montmartre. Hier, auf einem Hügel, erhebt sich majestätisch die Basilika Sacré-Coeur. Zahlreiche Treppen führen zu dieser vielleicht schönsten Kirche von Paris hinauf. Die Basilika ist Treffpunkt vieler Touristen und bietet einen wunderbaren Ausblick über die Dächer von Paris. Überall auf den Stufen sitzen Menschen und geniessen den strahlenden Sommertag.

»Da müssen wir wieder hin! All diese heissen Chicas aus der ganzen Welt warten nur auf uns«, ist Alfredo überzeugt. Und zu Peer und Jean-Philippe meint er: »Wozu haben wir denn unsere Gitarren? Die Chicas werden darauf abfahren!«

Doch, wie sich erst später herausstellen wird, ist das mit den Gitarren auf den Treppen des Sacré-Coeur gar keine gute Idee. Aber dazu später mehr.

Wenige Meter entfernt befindet sich der Place du Tertre. Ein weiterer beliebter Touristentreffpunkt. Umgeben von

Restaurants und Souvenirläden haben hier viele Künstler ihren Stand aufgeschlagen. Man sagt sogar, dass auf dem Place du Tertre, weltweit gesehen, am meisten Maler pro Quadratmeter ihrer Kunst nachgehen.

Das Stadtviertel Montmartre ist bekannt als das Rotlichtmilieu und Amüsierviertel von Paris schlechthin. Hauptattraktion: Das Moulin Rouge am Boulevard de Clichy.

Für die Jungs ein gefundenes Fressen!

Mit grossen Sprüchen referieren die Pubertierenden lautstark darüber, dass sie im Moulin Rouge eigentlich nichts so richtig von den Socken hauen würde. Die paar Tänzerinnen! Was soll das!

Pubertierendes Machogehabe eben!

Nur komisch, dass die Jungs noch Stunde später immer wieder über die langbeinigen, barbusigen Schönheiten vom Moulin Rouge diskutieren … Präfekt Burri jedenfalls ist sichtlich bemüht, diesen »Sündenpfuhl« so rasch wie möglich hinter sich zu lassen.

Nächste Station ist die Île de la Cité, eine Insel in der Seine. Besser bekannt, als der Name der Insel, ist die sich hier befindende Kathedrale Notre Dame. Die grösste Kathedrale von Paris.

»Die Notre Dame wurde zwischen dem zwölften und dem vierzehnten Jahrhundert erbaut und ist ein Gotisches Meisterwerk mit über neunundsechzig Meter hohen Türmen«, informiert Burri und fährt viel sagend fort: »Zudem ist es interessant zu wissen, dass die Strassenentfernungen in Frankreich ab dem Nullpunkt auf dem Vorplatz der Kathedrale berechnet werden.«

Von der Île de la Cité erreichen Burri und seine Gruppe eine weiteren Insel, die Île Saint-Louis. Vorbei an zahlreichen kleinen Läden und Boutiquen bummeln sie zur Kirche Saint-Louis-en-l´Île.

Langsam haben die Jungs genug Kirchen gesehen und sind froh, abschliessend das Viertel Marais, eines der begehrtesten Wohnquartiere von Paris, zu erkunden. Sie flanieren durch die zu den ältesten Strassen der Stadt gehörende Rue Saint-Antoine zum Place des Vosges. Dieser vollkommen quadratische Platz ist umgeben von schmucken Häuserzeilen, alle aus roten Ziegelsteinen erbaut. Gemäss Burri wohnten hier früher Prinzen und Marquisen. Sogar dem König und der Königin standen zwei der Häuser am Place des Vosges zur Verfügung.

Am äussersten Ende des Viertels zeigt Burri seiner Gruppe das Centre Pompidou. Hier, auf dem grossen Platz vor dem Kulturzentrum, geben sich immer wieder verschiedene Strassenkünstler ein Stelldichein. Ebenfalls zum Areal gehört der Skulpturenbrunnen gleich neben dem Platz.

Mittlerweile ist es Abend geworden und alle sind froh, endlich zurück im Hotel zu sein. Der Hunger ist gross, und so wird beim Abendessen zünftig zugeschlagen. Anschliessend lassen die Jungs den Tag im hoteleigenen Spielsalon ausklingen – nun ja, Spielsalon ist leicht übertrieben, hat es doch lediglich einen Billardtisch, zwei Tische mit Brett- und Kartenspielen, sowie einen Tisch mit Zeitungen und Zeitschriften.

Peer und Alfredo spielen Billard. Das ändert sich allerdings schlagartig, als Klara und Doris, die beiden Gehilfinnen der Köchin, den Raum betreten.

»Lo siento«, entschuldigt sich Alfredo, »aber ich muss mich um die beiden jungen Damen kümmern. Die stehen so einsam und verlassen da.«

Und weg ist er.

»He, wir sind noch nicht fertig«, versucht ihn Peer noch zurückzuhalten. Aber Alfredo hört nichts mehr und schleimt sich bereits bei den beiden Mädchen ein.

»Du schwanzgesteuerter Konquistador«, murmelt Peer verärgert vor sich hin und spielt das Spiel alleine fertig, das heisst, er versenkt die noch übrig gebliebenen Billardkugeln nacheinander in den Seitentaschen.

Alfredo und die Mädchen haben mittlerweile den Spielsalon verlassen und sich in die bequemen Polstersessel der Lobby zurückgezogen. Die übrigen Jungs gesellen sich nach und nach dazu. Auch Peer will nicht abseits stehen und setzt sich zu ihnen. Das Gespräch zwischen den Jungs und den Mädchen verläuft zu Beginn etwas harzig. Beide Seiten sind leicht gehemmt. Erst als Peer seine Freunde mit Namen vorstellt, lockert sich das Gespräch langsam auf.

»Wie heisst ihr den eigentlich?«, will Peer schliesslich wissen.

»Ich heisse Klara und komme aus Rorschach am schönen Bodensee«, stellt sich die schlankere der beiden vor. Sie trägt ihre blonden Haare zu einem frechen Bubikopf frisiert. Ein neckischer Minirock rückt ihre mackelosen Beine ins rechte Licht. Die Jungs können sich nur schwer beherrschen, nicht stetig auf ihren Rocksaum zu starren, in der Hoffnung, vielleicht für einen kurzen Augenblick ihren Slip sehen zu können.

»Und ich bin die Doris und wohne gleich neben Klara«, meldet sich die zweite Gehilfin. Sie ist nur unmerklich fester als Klara und wie diese auch etwas kleiner als die Jungs. Ihre gepflegten Haare sind schwarzbraun, in der Mitte gescheitelt und fallen in leichten Wellen bis in die Mitte ihres Rückens. Ein sympathisches Lächeln umspielt ihre feinen Gesichtszüge. Ihr Anblick erinnert Peer unweigerlich an Schneewittchen.

»Alfredo, du wolltest doch gleich …«, beginnt Peer nach einer kurzen Pause.

»¡Callate muchacho!«, fällt ihm Alfredo vehement ins Wort, weil er weiss, dass er den Mund mit »Die werde ich beide gleich am ersten Abend flach legen« etwas voll genommen hat, als er die Mädchen im Bahnhof Basel zum ersten Mal sah, und jetzt Angst hat, Peer wolle ihn darauf ansprechen.

Genau das hat Peer bezweckt, würde aber natürlich so etwas nicht vor den Mädchen ausplaudern. Er wollte Alfredo lediglich foppen, was ihm offensichtlich gelungen ist.

»Junge, hör mir doch erst mal zu!«, besänftigt Peer seinen Freund und kann sich eines Lachens nicht erwehren. »Ich wollte dir nur sagen, dass du doch gleich deine Gitarre holen wolltest. Oder nicht?«

Alfredo bekommt wieder Farbe ins Gesicht und stottert: »Klar doch. Wollte ich auch grad sagen. Komm mit! Wir holen deine auch gleich.«

Auf dem Weg zum Lift schliesst sich ihnen auch Jean-Philippe an. Gemeinsam unterhalten sie anschliessend die jugendliche Gruppe in der Lobby mit altbekannten Liedern zum Schunkeln und Mitsingen, bis sie von Burri freundlich, aber bestimmt an ihre Nachtruhe erinnert und in die Zimmer geschickt werden.

Am nächsten Morgen treffen sich alle bereits wieder um acht Uhr beim Frühstück. Präfekt Burri erklärt den Tagesablauf: Zweite Stadtbesichtigung und dann freier Ausgang. Anschliessend macht sich die Gruppe auf den Weg. Peer, Alfredo und Jean-Philippe haben sich ihre Gitarren umgehängt. Sie wollen, wie bereits gestern beschlossen, in ihrem freien Ausgang auf den Treppen des Sacré-Coeur musizieren.

Mit der Métro geht es als Erstes ins Viertel Saint-Germain-des-Prés. Burri führt seine Gruppe durch die engen Gassen zum Seineufer, wo auf der gegenüberliegenden Seite der Louvre zu sehen ist.

Vorbei am Armeemuseum und dem zugehörigen Invalidendom mit dem Grab von Napoleon geht es zum Parc du Champs de Mars. An dessen Ende steht das Wahrzeichen von Paris, der dreihundert Meter hohe Eifelturm. Drei Plattformen stehen für die Besucher zur Verfügung. Leider erlaubt es Burris gedrängter Zeitplan nicht, Paris aus der Vogelperspektive von einer dieser Plattformen aus zu geniessen, es sein denn, der freie Ausgang fällt ins Wasser. Doch das wollen die Jungs auf keinen Fall, und so verzichten sie auf die Fahrt auf den Eifelturm.

Nächstes Ziel ist die Champs-Elysées und der Arc de Triomphe, wo Burri wieder etwas Geschichtswissen vermitteln möchte.

»Napoleon liess sich beim Bau des fünfzig Meter hohen Triumphbogens von der Antike inspirieren. Er widmete das Monument seinen Soldaten, von denen jedoch bei der Fertigstellung im Jahre 1836 die meisten, wie er selber, bereits verstorben waren«, doziert Burri.

Unter dem Bogen befindet sich das Grab des unbekannten Soldaten, geschmückt mit einem ewig brennenden Feuer.

Burris Besichtigungstour führt die Champs-Elysées entlang zum Place de la Concorde. Die Attraktion des Platzes ist der über dreitausend Jahre alte Obelisk aus dem Tempel von Luxor.

»Dieser Obelisk ist ein Geschenk Ägyptens, und es dauerte drei Jahre, bis er aufgestellt war«, informiert Burri.

Der Präfekt und seine Gruppe durchqueren die Gärten der Tuilerien, marschieren am Arc du Carrousel vorbei, einem kleinen Triumphbogen mit einer Kopie der Quadriga vom Markusdom aus Venedig.

»Das Original liess Napoleon als Kriegsbeute aus Venedig mitgehen, musste es aber 1815 wieder zurückgegeben«, wirft Burri ein, und kurz darauf stehen sie alle vor dem imposanten, turmähnlichen Eingangsbereich des Louvre.

Burri schlägt seinen Reiseführer auf und liest vor: »Der Louvre ist seit 1793 ein Museum und berühmt für seine Geschichte und seine Sammlungen. Er ist aber auch eines der grössten Museen der Welt. Die Ausstellungsräume sind in acht Abteilungen aufgeteilt: Orientalische Antikensammlung, ägyptische Antikensammlung, griechische, etruskische und römische Antikensammlung, Kunst aus dem Islam, sowie Skulpturen, Kunstobjekte, Gemälde und grafische Kunst.«

»Gibt es hier auch eine Toilette?«, will Alfredo unverhofft und völlig gelangweilt wissen, womit für Burri sofort klar ist: Die Jungs sind am Ende ihrer Aufnahmefähigkeit.

Trotzdem stellt er die Frage: »Wer will mit mir den Louvre besichtigen?«

Es meldet sich gerade mal die Köchin.

Burri schaut sich um und meint dann in die Runde: »Ok, dann habt ihr jetzt freien Ausgang bis dreiundzwanzig Uhr. Kommt bitte nicht zu spät ins Hotel zurück. Ich verlasse mich auf euch«, und mit einem »Ich wünsche euch einen schönen Ausgang« verabschiedet er sich zusammen mit der Köchin Richtung Museumseingang.

Darauf haben die Jungs schon lange gewartet: Freier Ausgang in Paris! Peer, Alfredo und Jean-Philippe setzen den Rest der Gruppe davon in Kenntnis, dass sie auf den Treppen des Sacré-Coeur musizieren wollen. Erstaunlicherweise schliessen sich ihnen alle an. Vielleicht haben sie einfach auch nur Angst, sich in Paris zu verlaufen.

Jean-Philippe, seine Mutter ist Elsässerin, und so spricht er zu Hause neben Deutsch auch Französisch, übernimmt die Führung und erkundigt sich bei Passanten nach dem Weg zum Sacré-Coeur. Unterwegs greifen die drei »Guitarreros« schon mal in die Saiten, um dann bei der Basilika gleich richtig loslegen zu können.

Und dann sind sie endlich da!

Wie gestern, sitzen auch heute wieder Touristen aus aller Welt auf den Stufen zum Sacré-Coeur. Ein Wirrwarr an Sprachen ist zu hören. Da sind jene, die man versteht, und jene, die man noch nie gehört hat. Dann gibt es aber auch noch jene Sprachen, bei denen man meint, alles zu verstehen, bis man bei genauerem Hinhören feststellt, dass man überhaupt nichts versteht.

Alfredo hat nur Augen für seine Chicas – und deren hat es etliche hier. Nervös zupft er an den Saiten seiner Gitarre. Eigentlich möchte er sich gleich zu der einen oder anderen Mädchengruppe setzen, getraut sich aber nicht so recht. Wie immer in solchen Momenten, versucht Alfredo besonders lässig rüber zu kommen.

»Caramba«, beginnt er, gespielt hochnäsig um sich blickend. »Was soll ich hier? Nicht eine heisse Chica! Da ist mein virtuoses Gitarrenspiel und mein göttlicher Gesang doch reinste Verschwendung!«

»Ja, dann verteil doch lediglich deine so unglaublich begehrten Autogramme«, gibt Peer mit affektierter Stimme zurück und unterstützt seine Aufforderung mit einer tuntenhaften Handbewegung, als würde er sich die Fingernägel feilen.

»Werde ich gleich machen, Liebster«, antwortet Alfredo nicht minder tuntig und gibt Peer einen Klaps auf den Hintern.

»He, hört schon auf mit dem Scheiss«, mischt sich Thomas nun ein, und leicht verlegen in die Runde blickend fährt er fort: »Das ist ja peinlich. Die Leute schauen bereits.«

Jetzt kommt Alfredo erst richtig in Fahrt.

»Och, mein kleiner Lutscher! Schämst du dich meiner plötzlich? Wir sind doch hier in Paris. Da ist man aufgeschlossener, als anderswo«, flötet Alfredo in bekannter Tuntenmanier weiter, und auch Thomas bekommt einen leichten Klaps auf den Hintern.

Thomas ist eher der konservative Typ und steht solchen Spielereien nicht so aufgeschlossen gegenüber. Entsprechend heftig ist auch seine Reaktion.

»Ach, leck mich doch«, knurrt er erbost und setzt sich schmollend und mit hochroten Ohren ein paar Meter von der Gruppe ab. Da steht er nun. Trotzig und mit verschränkten Armen. Wie bestellt und nicht abgeholt.

Die Jungs lassen Thomas für ein paar Minuten in Ruhe, in der Hoffnung, dass er umgehend wieder zu ihnen zurückkommt. Doch Thomas bleibt stur und bewegt sich nicht vom Fleck. Schliesslich wird es Peer zu bunt. Er geht zu Thomas rüber und holt ihn wieder in die Gruppe zurück.

Mittlerweile ist es dunkel geworden.

»Wollen wir jetzt spielen oder nicht?«, fragt Jean-Philippe ungeduldig in die Runde.

»Ja, spielen wir endlich! Dafür sind wir ja hier«, antwortet Peer und setzt sich auf die nächste Treppenstufe.

Alfredo und Jean-Philippe setzen sich neben ihn, und nachdem die drei ihre Gitarren gestimmt haben, beginnen sie mit dem Titel »Les Champs-Elysées« von Jo Dassin. Sofort scharen sich Musikliebhaber um die drei, und der Kreis wird rasch grösser. Klatschend und mitsingend bewegen sich die Zuhörer rhythmisch zu den Klängen der Musik.

Doch dann, mitten im Lied »Blowing in the wind«, verstummt die Menge unverhofft. Langsam teilt sie sich, und aus ihrer Mitte tritt ein kleingewachsener, spindeldürrer Herr mit schwarzem Hut, der ihm nur dank seiner Ohren nicht über die Augen rutscht, gekleidet in einen ebenfalls schwarzen Ledermantel und gefolgt von zwei Flics – zwei Polizisten in Uniform. Die drei Herren, vorne derjenige im Ledermantel und ein bisschen abgesetzt, die beiden Flics, pflanzen sich vor Peer, Alfredo und Jean-Philippe auf.

Der Ledermantel-Typ zückt eine Art Plaquette, und während er sie den drei Gitarristen unter die Nase hält, knurrt er: »Je suis inspecteur Hublot. Suivez-nous!«

»Was will der?«, fragt Alfredo nervös.

»Wir sollen ihnen folgen«, erwidert Jean-Philippe, selber total überrascht, und zum Inspektor meint er: »Pourquoi? Qu'est-ce que nous avons fait mal?«

Aber der »Ledermantel« lässt sich auf keine Diskussionen ein. Ohne sich umzudrehen, winkt er seine beiden Begleiter herbei und wiederholt, die Jungs fixierent, jedoch dieses Mal bedeutend forscher: » Suivez-nous!«

»Es ist wohl besser, wenn wir gehen«, raunt Peer seinen beiden Mitspielern zu, und während sie sich erheben bittet er die verdutzten Kollegen, Burri entsprechend zu informieren.

Wie geprügelte Hunde, folgen die drei Freunde dem »Ledermantel«, eskortiert von den beiden Flics. Die zurückgebliebene Menge skandiert: »L'avenir aux jeunes! L'avenir aux jeunes«, was aber den Inspektor und seine Flics nicht im geringsten zu beeindrucken scheint.

Nach rund zweihundert Metern und drei Seitengässchen öffnen die Flics die rückwärtigen Flügeltüren eines jener grauen Wellblechbusse mit kleinen, vergitterten Fensterchen, wie man sie aus französischen Filmen kennt. Die Jungs werden aufgefordert einzusteigen. Zu ihrem Erstaunen sitzen bereits zwei Burschen und eine junge Frau auf den schmalen Holzbänkchen entlang den Seitenwänden. Einer der Jungs hat ebenfalls eine Gitarre bei sich, der andere ein Akkordeon. Die junge Frau hält verkrampft eine Querflöte in den

Händen. Peer und seine beiden Freunde setzen sich zu ihnen und, da alle Englisch sprechen, entwickelt sich sogleich eine angeregte Unterhaltung. Wie sich herausstellt, sind die beiden Jungs aus England und die junge Frau aus Schweden. Auch sie wissen nicht, warum sie in diesem Polizeibus sitzen.

Ächzend und holpernd kurvt Hublots Wellblechverschlag auf vier Rädern durch das pulsierende Nachtleben in den Strassen von Paris. Sporadisch stoppt das Vehikel, und immer neue Musiker steigen zu. Als Erstes eine Geigerin, eine Französin. Kurze Zeit später ein Harfenspieler aus Paraguay. Dann folgt ein deutscher Mundharmonikaspieler. Und als letzte, eine feurige, schwarzhaarige Flamencotänzerin aus Spanien, mit Castañetas. Genau Alfredos Kragenweite! So ist er dann in der Folge für andere auch nicht mehr ansprechbar.

Die Reise geht weiter, und nach ungefähr einer weiteren Viertelstunde heisst es schliesslich: »Sortez de la voiture!«

Hublots Ziel scheint erreicht. Die neun Musikerinnen und Musiker müssen ihre Instrumente abgeben, die Flamencotänzerin ihre Castañetas, und alle werden in eine Arrestzelle geführt. Dann passiert vorläufig nichts mehr.

Die Arrestzelle befindet sich gleich im Eingangsbereich der Polizeistation. Es gibt weder Stühle, noch sonstige Sitzgelegenheiten. So bleibt den zehn Arrestanten nichts anderes übrig, als sich auf den Boden zu setzten.

Rechts, in einer Art Nische, stehen vier Pulte mit direkter Sicht auf die Arrestzelle. Jeweils zwei Pulte, überfüllt mit Aktenbergen, Sandwichresten, leeren Flaschen und verkrusteten Kaffeetassen, sind an den Kopfenden zusammen geschoben. Die Nische selber, ist eher klein, und durch die überall hingequetschten Kästen und Hängeregistraturen wirkt sie noch kleiner. Eine Theke mit einer Schwingtür verhindert den direkten Zugang zu den Pulten.

An der Wand gegenüber der Arrestzelle hängt ein Bild des neuen französischen Präsidenten Georges Pompidou. Es scheint, dass der eben gerade erst Gewählte weniger beliebt ist, als sein Vorgänger Charles de Gaulle. Jedenfalls war de Gaulles Bild grösser, was aufgrund der zurückgebliebenen hellen Fläche rund um Pompidous Konterfei leicht zu erkennen ist.

Unter dem Präsidentenbild sind die konfiszierten Instrumente der jungen Leute in der Arrestzelle aufgeschichtet.

Die Telefone auf den Pulten in der Nische läuten schrill und unablässig. An der Theke herrscht ein stetes Kommen und Gehen aufgeregter und weniger aufgeregter Passanten. Doch die Flics scheint das nicht im Geringsten zu belasten, tragen sie doch mit ihrem lauten Lachen und ihrem unbeschwerten Geplapper selber das Ihre zum extrem hohen Lärmpegel bei.

Ganz anders die Arrestanten. Durch die Unkenntnis, warum sie überhaupt hier sind und die fehlende Information, was jetzt weiter geschieht, werden diese zunehmend nervöser. Jean-Philippe hat schon mehrmals versucht von seinem Recht, die Schweizerische Botschaft anzurufen, Gebrauch zu machen. Doch jedes Mal wurde er nur mit »Oui, oui! Oui, oui!« abgewimmelt, und passiert ist überhaupt nichts.

So geht das stundenlang weiter. Nichts geschieht. Die Luft in der Polizeistation ist heiss und verraucht und die Stimmung der Arrestanten auf dem Nullpunkt. Sie sind durstig. Doch auch hier heisst es, falls sich überhaupt einer der Flics bequemt zu antworten, höchsten »Oui, oui! Oui, oui!«, wenn sie nach Wasser fragen.

Aber die Flics haben die Rechnung ohne die jungen Leute in der Arrestzelle gemacht. Nachdem diese wiederholt vergeblich um Wasser gebeten haben, ziehen sie plötzlich ihre Schuhe aus und trommeln mit deren Absätzen so lange auf den Boden, bis ihnen ein Flic endlich drei Wasserflaschen durch das Zellengitter reicht.

Na also! Geht doch!

Rasch machen die Wasserflaschen die Runde, und das Stimmungsbarometer in der Zelle steigt wieder merklich.

Ein Blick auf die Uhr über dem Eingang zeigt, dass es bereits kurz vor vier Uhr in der Früh ist. Erneut macht Jean-Philippe einen Versuch, ein Telefongespräch führen zu dürfen.

Doch dann plötzlich, kommt Hektik auf!

Wie ein aufgescheuchter Hühnerhaufen laufen die Flics durcheinander. Und unverhofft steht Inspektor »Ledermantel« Hublot in der Eingangstür. Laut und wild gestikulierend gibt er kurze, trockene Anweisungen, worauf ein Flic fieberhaft an einem Schlüsselbund nestelt und nach etlichen vergeblichen Versuchen – er erwischt in seiner Nervosität immer wieder den falschen Schlüssel – die Arrestzelle endlich öffnen kann.

Die zehn sind frei!

Hublot veranlasst sogar, dass vor der Polizeistation Taxis zur Verfügung stehen, welche die Arrestanten zu ihren Hotels, oder wo auch immer, bringen.

Peer und seine beiden Freunde sind mit dem Taxi eine gute halbe Stunde unterwegs, bis sie ihr Hotel erreichen. Und das nicht etwa über Umwege, sonder fast ausschliesslich geradeaus.

»Paris ist schon gewaltig«, ist Peer beeindruckt, als sie die wenigen Stufen zum Hotel hinauf steigen. »Morgens um vier eine geschlagene halbe Stunde auf fast leeren Strassen mit dem Taxi in Paris unterwegs – und immer noch in der Stadt! Das kannst du in der Schweiz nirgendwo. Nicht mal in Zürich. Und schon gar nicht in Bern.«

Die Jungs öffnen die Tür zum Hotel und treffen in der Lobby überrascht auf Burri, Thomas und Jürg. Diese haben die ganze Nacht gewartet und versucht, via Schweizer Botschaft mit den drei Verhafteten in Kontakt zu kommen. Wie wir wissen, leider ohne Erfolg.

»Da seid ihr ja endlich«, begrüsst Präfekt Burri die drei erleichtert, und es ist ihm anzusehen, dass eine grosse Last von seinen Schultern fällt.

Dann erzählt er ihnen, wie es schliesslich zur doch unverhofft raschen Freilassung gekommen ist.

»Inspektor ›Zufall‹ hat wieder mal mitgespielt«, beginnt Burri bestens gelaunt ob dem positiven Ausgang dieser eher recht dummen Geschichte.

Er weiss, dass er seine Schützlinge über das zurzeit in Paris herrschende Versammlungsverbot hätte informieren müssen.

Und so fährt er fort: »Die anhaltenden Studentenunruhen haben die Pariser Stadtverwaltung veranlasst, ein Versammlungsverbot in der Öffentlichkeit auszusprechen. Und da sich bei eurem Musizieren eine Zuschauergruppe gebildet hat, habt ihr dagegen verstossen und wurdet deshalb verhaftet. Allerdings hätte euch die Polizei nicht länger als eine Stunde ohne entsprechende Betreuung durch einen Anwalt festhalten dürfen.«

»Jetzt ist auch klar, warum die Flics dort so unruhig wurden, als plötzlich Inspektor »Ledermantel« auftauchte«, wirft Peer ein.

»Wer ist denn Inspektor ›Ledermantel‹?«, will Burri wissen.

»Das ist derjenige, der uns beim Sacré-Coeur verhaftet hat. Eigentlich heisst er Hublot, aber weil er einen auffälligen schwarzen Ledermantel trägt, nennen wir ihn nur Inspektor ›Ledermantel‹«, klärt Peer Burri auf. »Aber warum Inspektor Hublot selber so nervös und laut war, das ist mir nach wie vor nicht klar.«

»Wie schon gesagt, der Zufall spielt eine grosse Rolle«, setzt Burri erneut an. »Unter euren Zuschauern war auch ein Schweizer Ehepaar, dessen Sohn in Paris studiert. Der Mann dieses Zuhörerpaares ist ein hochrangiger Angestellter der Schweizer Botschaft hier in Paris. Später hat das Paar ihren Sohn in einem Restaurant zum Nachtessen getroffen und dabei von eurer Verhaftung gesprochen. Der Sohn seinerseits erzählt seinen Eltern die Geschichte zweier seiner Kommilitonen, die aus dem gleichen Grund wie ihr verhaftet und dann zwei Tage festgehalten wurden. Offensichtlich hat der Sohn seinen Vater derart von der Willkür solcher Verhaftungen und der darauf folgenden Verzögerung der Freilassung durch die Polizei überzeugt, dass dieser sogleich zwei, drei Telefonate geführt hat, die zu eurer umgehenden Freilassung geführt haben. Wie ich dann meinerseits die Schweizer Botschaft endlich erreicht habe, wurde ich von dort bezüglich eurer sofortigen Freilassung, und wie es dazu kam, orientiert.«

»Kaum zu glauben«, meint Peer. »Gebete nützen halt doch manchmal.«

Das hört Burri natürlich nicht gerne und stellt auch sofort unmissverständlich klar: »Nein Peer! Gebete helfen nicht manchmal! Gebete helfen immer, wenn sie ehrlich gemeint sind und aus dem Herzen kommen! Merk dir das!«, und in die Runde blickend wiederholt er beschwörend: »Merkt ihr euch alle das!«

Da ist er wieder, dieser Anflug von Unbeherrschtheit, der sich bei Burri immer durch eine zunehmende Rötung des Gesichts ankündigt. Doch dieses Mal hat sich Burri im Griff. Es bleibt bei dieser kurzen Entgleisung.

Ruhig, ja beinahe schon väterlich fährt er fort: »Genug für heute. Gehen wir schlafen. Wir haben es verdient.«

Wie üblich treffen sich alle am nächsten Morgen wieder um acht beim Frühstück. Natürlich möchten diejenigen, die gestern schon geschlafen und somit die Rückkehr ihrer drei Gitarristen nicht mitbekommen haben, wissen, was denn genau passiert ist. Sie bestürmen Peer und seine beiden Freunde mit unzähligen Fragen.

Es gibt viel zu lachen. Vor allem über den kleinen Giftzwerg Inspektor »Ledermantel«. Auch der schusselige Flic, der aus lauter Nervosität die Zellentür nicht aufschliessen konnte, trägt viel zur allgemeinen Erheiterung bei. Für Peer, Alfredo und Jean-Philippe ist die Verarbeitung des Geschehenen auf diese amüsante Art und Weise wichtig. Auch wenn sie es jetzt nicht zugeben: Die Verhaftung und die Stunden in der Arrestzelle haben sie stärker belastet, als es jetzt scheint. Vor allem die nicht gewährte Möglichkeit der Kontaktaufnahme hat sie arg unter Druck gesetzt, wussten sie doch nicht, ob »die da draussen« überhaupt informiert waren.

Besonders Peer, mit seiner panischen Angst vor Autoritäten, hat grosse Mühe, das Ganze zu verarbeiten. Dass er sich damals bei Inspektor Hublots Anblick auf den Treppen des Sacré-Coeur beinahe in die Hosen gepinkelt hat, beelendet ihn und lässt ihn wiederholt daran zweifeln, ob er sein zukünftiges Leben überhaupt meistern kann. Auch wenn er sich damals nichts hat anmerken lassen. Es war wieder eines jener Ereignisse, das ihm sein fehlendes Selbstwertgefühl erneut drastisch vor Augen geführt hat. Doch auch dieses Mal, wie immer, redet sich Peer ein »Das ist jetzt Schnee von gestern. Morgen wird alles besser« und instinktiv fühlt er, dass das für ihn eine einzige, grosse Lebenslüge sein wird.

Heute winkt eine neue Herausforderung: Die Weiterfahrt in die Normandie und der dreiwöchige Aufenthalt in einem Frauenkloster in Valognes. Was Alfredo natürlich wieder mal am meisten beschäftigt, ist die Frage: Hat es da denn auch junge Nonnen, oder sind diese womöglich alle bereits im fortgeschrittenen Alter?

Nach dem Frühstück brechen Burri und seine Gruppe frohgelaunt auf, Richtung Gare du Nord. Die Spannung ist gross. Was wird dieser neue Tag bringen?

Die Zugsfahrt nach Valognes verläuft ohne Zwischenfälle. Man vertreibt sich die Zeit mit lesen oder einfach so vor sich hin dösen. Nur Alfredo hat Stress. Er versucht unaufhaltsam die beiden Gehilfinnen zu bezirzen. Doch Klara und Doris wollen nicht so richtig »anspringen«.

»He Peer«, stupst Alfredo Peer mit dem Ellenbogen und deutet ihm beim Aufstehen mit einer Kopfbewegung an, das Zugsabteil zu verlassen, und mit ihm raus auf den Gang zu kommen.

Peer folgt ihm.

»Gibt's Probleme?«, fragt er etwas überrascht.

»Die springen nicht an«, antwortet Alfredo ratlos.

»Wer springt nicht an?«

»Na die beiden Tussen.«

»Dann machst du etwas falsch.«

»Weiss ich selber. Aber was?«

»Hast du den Anlasser betätigt?«

»Arsch!«

»Die Kerze muss natürlich montiert sein, bevor du den Anlasser betätigst.«

»Quadratarsch«, wird Alfredo allmählich ungehalten und gibt Peer mit der flachen Hand eine Klatsche auf den Hinterkopf.

»¡Hombre! Ist ja schon gut«, wehrt sich Peer. »Was kann ich denn dafür, wenn du bei den beiden nicht landen kannst?«

»Das ist aber Scheisse! Ich bin das nicht gewohnt! Sind eben zwei typische Schweizer Tussen«, wettert Alfredo weiter.

»He, he! Keine Beleidigungen! Jetzt wart doch erst mal ab, bis wir im Baulager sind. Die tauen dann schon noch auf«, versucht Peer die Wogen zu glätten, und mit einem freundschaftlichen, leichten Stupser mit der Faust auf Alfredos Brust meint er augenzwinkernd: »Die sind genau gleich scharf auf das andere Geschlecht, wie wir.«

Alfredo scheint beruhigt, und die beiden setzen sich wieder ins Abteil.

»Nous arrivons à Valognes en trois minutes«, tönt es aus dem Lautsprecher im Zugsabteil.

»Super! Jetzt geht's los!«, freuen sich die Jungs und Girls, schnappen sich ihr Gepäck und versammeln sich im Wagonvorraum bei den Türen. Auch Burri und die Köchin gesellen sich dazu.

»Habt ihr nichts vergessen?«, fragt Burri mehr vorsorglich als fürsorglich, denn ist der Zug erst mal weg, wird es schwierig, Vergessenes wieder zu beschaffen.

Quietschend stoppen die Wagons. Die Türen öffnen sich und die Baulagertruppe tritt hinaus auf den staubigen Bahnsteig des kleinen Provinzbahnhofes. »Valognes« prangt in grossen Lettern am Bahnhofgebäude. Die Luft flimmert über dem Asphalt der Strassen, die vom Bahnhof wegführen. Die Stadt ist wie ausgestorben. Weit und breit niemand zu sehen.

»Fast wie bei uns in Peru«, sinniert Alfredo. »Die machen gerade Siesta.« Eine leichte Wehmut in seiner Stimme ist nicht zu überhören.

Aus den Grasnarben entlang der Gleise hört man das Zirpen der Grillen. In der Ferne bellt heiser ein Hund. Die bereits vereinzelt braunen Blätter der Ziersträucher bei der Einfahrt zum Bahnhofplatz lassen vermuten, dass es hier schon seit längerer Zeit nicht mehr geregnet hat.

»So, da wären wir«, stellt Burri sichtlich erleichtert fest.

Er zückt einen Stadtplan und versucht sich zu orientieren.

»Also hier ist der Bahnhof«, sinniert er, »und hier ist das Kloster. Also müssen wir diesen Weg gehen«, und Burri zeigt auf eine breite Strasse, die rechtwinklig vom Bahnhof wegführt.

»Gibt's hier keine Taxis?«, will Markus erstaunt wissen. »Ich marschiere doch nicht bei dieser Hitze und trage dabei auch noch meinen Koffer«, echauffiert er sich zunehmend.

Markus, von allen bis jetzt als recht sympathisch empfunden, gibt sich plötzlich als verwöhntes Herrensöhnchen zu erkennen, das offensichtlich nicht gewohnt ist, zu marschieren und dann noch sein Gepäck selber zu tragen. Den Jungs kommt unweigerlich der Marsch nach Einsiedeln in den Sinn, bei dem er sich krank gemeldet hat, und der eine oder andere macht sich im Nachhinein seine eigenen Gedanken darüber …

»Es ist nicht weit«, beruhigt Burri die Wartenden und fordert sie auf, ihm zu folgen.

Scherzend und in gelöster Ferienstimmung setzt sich die Gruppe in Bewegung. Einzig Markus schmollt. Doch es bleibt ihm nichts anderes übrig, als sich zu fügen. So stampft er denn sichtlich schlecht gelaunt, seinen Koffer mehr über den Boden schleifend als tragend, im Abstand von rund zehn Metern hinter den andern her. Aber diese lassen sich ihre gute Laune nicht vermiesen und beachten den Trotzkopf nicht weiter.

Und dann wirklich: Kaum haben die Boys und Girls und ihre Betreuer den Weg unter die Füsse genommen, scheinen sie das Ziel auch schon erreicht zu haben. Ob den vielen neuen Eindrücken ist ihnen der Weg viel kürzer vorgekommen, als er tatsächlich ist. Schon von weitem sehen sie die mächtigen Mauern und das hohe Eingangstor des Klosters.

Es fällt ihnen aber auch sofort auf, dass die Gittertore im grossen Torbogen wohl seit Jahren nicht mehr geschlossen wurden. Eine grosse Erleichterung. Kommt doch so das ungute Gefühl, irgendwie eingesperrt zu sein, schon gar nicht erst auf.

Der Weg vom grossen Torbogen zum nächsten Gebäude im Klosterhof führt über einen mit Pflastersteinen ausgelegten rund vierzig Meter langen, in der Mitte mit einem sternförmigen Mosaik verzierten Vorplatz. Am Ende des Vorplatzes, an einem kleinen Tischchen mit Sonnenschirm, sitzt eine junge – Alfredo wird's freuen – Nonne, die beim Erblicken der Gruppe freudig aufspringt und ins Haus läuft. Aufgeregtes Stimmengewirr dringt aus dem Gebäude, in dem die junge Nonne eben verschwunden ist. Sekunden später erscheint sie wieder mit sieben weiteren Schwestern und stellt sich mit den geschäftig an ihren weissen Schürzen zupfenden Klosterfrauen auf dem Vorplatz auf.

Mit einem herzlichen: »Enchanté«, und einem breiten Lächeln begrüssen die Nonnen die Neuankömmlinge persönlich und mit festem Händedruck.

Burri stellt jedes Mitglied seiner Gruppe mit Namen vor, was ebenfalls die Oberin mit ihren Mitschwestern macht.

Während sich die übrigen Nonnen wieder ins Haus zurückziehen, nimmt sich Schwester Chlothilde Burris Gruppe an. Schwester Chlothilde ist eine junge, überaus hübsche Frau Mitte zwanzig, bei der man sich unweigerlich fragt, warum sie in ein Kloster eingetreten ist.

Die junge Nonne führt die Gruppe durch die Räumlichkeiten, welche die nächsten drei Wochen ihr Zuhause sein werden.

Da ist als Erstes der Speisesaal. Ein grosser, hoher Raum. Direkt an die Küche angrenzend, ist er von dort aber nur mittels einer Durchreiche zugänglich. Eine Tür vom Speisesaal, der zugleich Aufenthaltsraum der Jungs ist, zur Küche fehlt gänzlich. Man will damit offensichtlich sicherstellen, dass keiner der Gäste den Nonnen zu nahe kommt.

»He, die kennen dich hier schon. Die haben die Tür zur Küche gleich zugemauert«, flüstert Peer Alfredo zu und kann sich ein glucksendes Lachen nicht ganz verkneifen.

Schwester Chlothilde schaut mit einem leicht verlegenen Lächeln Richtung der beiden Störenfriede, um dann aber gleich wieder ihre Augen züchtig auf den Boden zu richten. War da nicht ein kurzes Aufflackern von Traurigkeit in ihrem Blick? Peer könnte schwören, so etwas Ähnliches gesehen zu haben …

In der Mitte des Speisesaals steht, wie in einem Kloster wohl üblich, ein einziger, langer Tisch. Gemäss Burri wird dadurch das Zusammengehörigkeitsgefühl in der Gruppe gefördert. Eine breite, zweiflügelige Glastür lässt nicht nur viel Licht in den Speisesaal, sonder führt, zur Freude der Jungs, über eine breite, vierstufige Treppe in den grossen Klostergarten mit lauschigen, schattigen Bänkchen.

Vom Speisesaal sind über einen schmalen Gang die Sanitär- und Schlafräume erreichbar. In diesem Trakt befinden sich im Erdgeschoss zwei Zimmer mit eigenem Waschbecken und eigener Dusche. Ein Zimmer ist für Burri und eines für die Köchin reserviert. Ebenfalls die Toiletten und der Waschraum für die Jungs befinden sich hier im Erdgeschoss.

Eine steile Treppe führt nach oben zum Massenlager der Jungs. Der Treppenaufgang endet in der Raummitte und ist an drei Seiten mit einem stabilen Geländer umgeben. Das Gebäudedach ist im Raum integriert, so dass die beiden Wände links und rechts vom Treppenaufgang aufgrund der Dachschräge nur zirka achtzig Zentimeter hoch sind. Man kann gerade mal mit dem Rücken an die Wand gelehnt sitzen, ohne mit dem Kopf an der Dachschräge anzustossen. An den beiden Wänden mit Dachschräge liegen je vier Matratzen auf dem Boden. Sie sind breit und bequem. An der rückwärtigen Wand des Treppenaufgangs stehen Kästen, die den Jungs genügend Platz für ihre Kleider und sonstigen Utensilien bieten. Der Raum verfügt über ein einziges Fenster an der Stirnwand. Trotzdem ist er mit seiner weissen Täferung hell, freundlich und gemütlich.

Klara und Doris, die beiden Gehilfinnen der Köchin, wohnen nicht zusammen mit dem Rest der Gruppe. Ihnen wird im hinteren Klostergarten ein kleiner Holzverschlag mit breiten Fenstern zugeteilt. Es scheint, als handle es sich dabei um einen umgebauten Unterstand, der früher der Pflanzenaufzucht gedient hat. Der Raum ist jedoch sehr geschmackvoll und wohnlich eingerichtet.

Burri lässt seine Leute ihre Zimmer beziehen und bittet dann die Jungs, im Speisesaal zu warten. Klara und Doris stehen ab sofort unter der Aufsicht von Burris Köchin.

Peer und Alfredo treffen als Erste im Speisesaal ein.

»Nicht schlecht hier«, meint Alfredo und zieht Peer hinaus auf den grossen Vorplatz, in der Hoffnung, hier eine der beiden jungen Nonnen von eben zu sehen.

»Diese Chlothilde gefällt dir. Das habe ich schon gesehen«, stellt Peer Stirn runzelnd fest. »Aber sie ist eine Ordensschwester, und ich erwarte von dir, dass du sie in Ruhe lässt«, fährt er eindringlich und mit einem gefährlichen Unterton in der Stimme fort. »Auf der einen Seite ist das sicher ihre Berufung, hier im Kloster zu sein. Auf der anderen Seite ist sie aber auch eine junge Frau mit allen Wünschen, Zweifeln und Schwächen.« Peer fasst Alfredo mit beiden Händen an den Schultern, schaut ihm mit stechendem Blick in die Augen und bedeutet ihm klar und unmissverständlich: »Ich würde es auf keinen Fall verstehen, wenn du sie irgendwie in Versuchung führen solltest. Und, Alfredo, glaube mir, da kenne ich keinen Spass!«

Das hat zweifellos gesessen. Alfredo ist ob der Eindringlichkeit von Peers Worten für einen kurzen Augenblick sichtlich überfordert. Das scheint er nicht erwartet und Peers eindeutige Ansage zwischen den Zeilen, nämlich gegebenenfalls ihre Freundschaft zu beenden, verstanden zu haben. Und er kennt Peer zu gut, um nicht zu wissen, dass dieser seine Prinzipien hat. Und dazu gehört eben auch, andere Menschen nicht in Situationen zu bringen, die für deren Leben zukunftentscheidend sind.

»Nein, ist klar, Hombre. Ich habe verstanden. Du kannst dich auf mich verlassen«, antwortet Alfredo sichtlich konsterniert.

»Bestens! Dann hätten wir das geklärt«, antwortet Peer erleichtert und fügt an: »Und jetzt zurück in den Speisesaal. Die warten sicher schon auf uns.«

Doch Peer und Alfredo sind noch lange nicht die Letzten, die im Speisesaal eintreffen. Bis jetzt haben sich einzig Burri und Jürg dort eingefunden. Die anderen Jungs fehlen nach wie vor.

»Aha, wieder zwei mehr«, ist Präfekt Burri erfreut.

»Wir waren vorher schon hier«, antwortet Alfredo, »und haben uns nur kurz draussen etwas umgesehen.«

»Ist schon in Ordnung«, entgegnet Burri und bittet höflich: »Geh doch einer von euch mal nachschauen, wo der Rest geblieben ist.«

Alfredo, dringend auf Punkte bei Burri angewiesen, schiesst von seinem Stuhl hoch, und schon ist er weg. Man hört ihn die Treppe zum Schlafraum hinauf poltern und die Jungs – in Alfredo-Manier eben – in den Speisesaal bitten.

Das tönt dann etwa so: »¡Muchachos! Wo seid ihr denn?! ¡Adelante, adelante! ¡Vamos, vamos!«, und dazu klatscht er fordernd in die Hände. »Wir warten da unten im Speisesaal und haben schon Spinnweben unter den Armen! Los, aufstehen!«, und in Form eines Drillmeisters droht er: »Wer nicht in dreissig Sekunden im Speisesaal ist, der hat während des ganzen Aufenthalts hier keinen Ausgang!«

Grosses Gelächter ist aus dem Schlafraum der Jungs zu hören, und kurz darauf treffen alle äusserst frohgelaunt im Speisesaal ein.

»Meine Lieben«, setzt Burri an, »ich will ja nicht gleich schlechte Stimmung verbreiten, aber etwas Disziplin braucht es schon in einer Gruppe.«

»Disziplin! Seht ihr?! Hab ich auch gesagt«, spielt Alfredo schon wieder den Clown.

»Gilt auch für dich, Alfredo«, mahnt Burri, »und nun bitte lass mich ausreden.«

Alfredo kann es sich nicht verkneifen und macht mit Daumen und Zeigefinger jene Bewegung vor seinen Lippen, als würde er einen Reissverschluss schliessen.

Burri schaut ihn an und schüttelt leicht den Kopf, um dann mit einem Lächeln fortzufahren: »Also, wie gesagt, halten wir uns an vereinbarte Zeiten. Dann verbringen wir erholsame drei Wochen hier. Nun noch kurz zu unserer Aufgabe. Unser Hauptziel ist es, die angefangene Hostienbäckerei des Klosters soweit wie möglich fertig zu bauen. Im Weiteren haben die Schwestern den Wunsch geäussert, wir mögen doch den Estrich der Kirche sanieren. Dort besteht der Boden nämlich aus massiven Brettern, die früher zur Isolation gegen Hitze und Kälte mit einer dicken Erdschicht belegt wurden. Im Verlauf der Jahre haben sich zwischen den Brettern mehr und mehr kleine Ritzen gebildet, so dass immer wieder Erde ins darunter liegende Kirchenschiff rieselt. Ihr könnt euch vorstellen, dass das äusserst unangenehm ist, wenn man sich darunter befindet.«

»Erde zu Erde und Staub zu …«, Burri unterbricht den sich wieder einmischenden Alfredo mit einem forschen Blick.

Alfredo, sich seiner Schuld bewusst, senkt den Kopf und grübelt verlegen in der Nase.

Nach einer kurzen Pause, in der alle vorwurfsvoll den Störenfried fixieren, nimmt Burri den Faden wieder auf: »Die Schwestern wären froh, wenn wir die Erde auf dem Estrichboden entfernen und durch Isolationsmatten ersetzen könnten. Unterstützt werden wir auf der Baustelle von Gaston, den wir jetzt dann gleich kennen lernen. So, dann gehen wir mal«, beendet Burri seine Ausführungen und bitte die Jungs, ihm zu folgen.

Die Gruppe verlässt den Speisesaal über die Treppe zum Klostergarten. Burri führt die Jungs um zwei, drei Ecken, und dann sehen sie auch schon die sich im Bau befindende Hostienbäckerei. Das Fundament ist bereits betoniert. Auch stehen schon zwei Aussenmauern. Aber sonst ist noch nicht viel zu sehnen.

Ein kleiner, drahtiger Mittdreissiger mit typisch französischem Béret steht vor der Baustelle und empfängt die Jungs mit einem etwas dämlichen, aber sympathischen Grinsen. Er trägt ein ärmelloses Leibchen, das seine tätowierten und äusserst muskulösen Oberarme eindrücklich zur Geltung bringt. Der Dreitagebart unterstreicht seinen wohl eher legeren Lebensstil.

»Gaston«, stellt sich der Béret-Träger vor und begrüsst jeden einzeln mit festem Händedruck.

Nun ja, fest ist da wohl etwas untertrieben. Gastons Händedruck fühlt sich schon eher an, als sei man mit seiner Hand in einen Schraubstock geraten.

Gaston spricht kein Wort Deutsch. So bleibt den Jungs nichts anderes übrig, als ihr Schulfranzösisch auszugraben. Allerdings wissen sie, und das beruhigt sie ungemein, sollte es Ernst werden, ist da immer noch der billingue Jean-Philippe. Gaston legt einen Bauplan vor sich auf den Boden, bricht vom nächstgelegenen Busch einen dünnen Zweig ab und erklärt den Jungs, was in den nächsten drei Wochen auf sie wartet. Darauf hin führt er Burri und seine Gruppe weiter zur besagten Kirche mit dem zu sanierenden Estrich. Die Kirche wird momentan nicht benutzt und der Altar, die

Bänke, die Beichtstühle, die Statuen, einfach alles ist mit weissen Tüchern abgedeckt. Es ist gut zu erkennen, wo vor allem die Erde durch die Decke rieselt.

Eine kleine Wendeltreppe führt hinauf zu einer Art Empore. Hier befindet sich die Kirchenorgel. Alfredo kann es nicht lassen. Er zerzaust sich die Haare und setzt sich auf die Organistenbank. Mit pathetischen Gesten beginnt er auf den drei Manualen und den Fusspedalen herumzudrücken und vollführt ein pantomimisches Orgelkonzert der Sonderklasse. Prustend halten sich die übrigen Jungs ihre Hände vor den Mund, um nicht lauthals herauszulachen. Zum Glück ist Burri nicht mit hochgekommen. Das wäre nun wohl doch zuviel für sein momentan erstaunlich ausreizbares Spassempfinden gewesen.

Gaston legt den Zeigefinger an die Lippen, und mit einem »Psst«, mahnt er die Jungs zur Ruhe. Schliesslich befinden sie sich in einer Kirche, und da ist Demut und Respekt geboten.

Durch eine kleine Seitentür und eine schmale, klapprige Treppe geht es weiter nach oben. Und da ist endlich der Estrich. Das hohe, steile Satteldach ermöglicht ein uneingeschränkt aufrechtes Begehen des gesamten Estrichs, ohne sich an den gewaltigen Dachbalken den Kopf zu stossen. Gaston gräbt mit einer mitgebrachten Schaufel ein Loch in die Erde des Estrichbodens, bis er auf die darunter liegenden Holzbretter trifft. Nun zeigt sich erst, wie dick die Erdschicht ist. Gut zwanzig Zentimeter Erdreich müssen auf einer Fläche von rund dreihundertfünfzig Quadratmetern weggeräumt werden.

Und heiss ist es hier oben! Der Schweiss schiesst den Jungs augenblicklich aus allen Poren. Nur Gaston scheint erstaunlicherweise nichts von der Hitze mitzubekommen. Jedenfalls schwitzt *er* nicht.

»Frag mal Gaston, warum er nicht schwitzt«, fordert Peer Jean-Philippe auf, was dieser dann auch gleich tut.

Und dann erzählt Gaston den Jungs, von Jean-Philippe simultan übersetzt, dass er drei Jahre lang als Fallschirmspringer der französischen Fremdenlegion angehört hat. Er schildert die Kämpfe, die er Mann gegen Mann führte und gibt, etwas zurückhaltend zwar, auch Auskunft darüber, dass er dabei Männer töten musste. Die Jungs vergessen die drückende Hitze unter dem Kirchendach. Man könnte die sprichwörtliche Nadel fallen hören, so gespenstig ruhig ist es. Die unglaublichste Geschichte, die Gaston erzählt, ist aber wohl diese, wo er auf einen Feind schiessen wollte, aber keine Munition mehr hatte. Beim Wegrennen schoss ihm dieser in die Beine. Gaston krempelt seine beiden Hosenbeine hoch und zeigt den verdutzten Jungs die Einschüsse zweier Maschinengewehrgarben. Unglaubliches Staunen bei den Zuhörern. Als der ehemalige Fremdenlegionär dann noch erwähnt, dass er, nachdem er durch die Schüsse in seine Beine nicht mehr gehen konnte, sich tot stellte und dem Angreifer, als sich dieser über ihn bückte um festzustellen, ob er wirklich tot sei, die Kehle durchgeschnitten hat, beginnt der eine und andere der Jungs zu würgen. Gaston zieht es daraufhin vor, seine Erlebnisberichte zu beenden und mit den Jungs wieder nach unten zu gehen.

Unten wartet immer noch Präfekt Burri. Als er die bleichen Gesichter der Jungs sieht, fragt er besorgt, ob denn alles in Ordnung sei. Doch die Jungs beruhigen ihn, und langsam kehrt auch wieder Farbe in ihre Gesichter zurück.

Gaston informiert Burri und seine Gruppe noch darüber, dass er jeweils von neun bis zwölf und von dreizehn bis sechzehn Uhr auf der Baustelle sei und froh wäre, wenn »les Suisses«, wie er Burri und seine Truppe nennt, dann auch anwesend wären. Burri sichert ihm das zu und bedankt sich für die freundliche Aufnahme und die ausführlichen Informationen.

Bereits ist zwölf Uhr vorbei, und das Mittagessen wartet auf den Bautrupp. Es gibt Bratwurst mit Nudeln an einer feinen Zwiebelsauce, dazu einen grünen Salat. Das Essen schmeckt ausgezeichnet, und die Jungs sind sehr zufrieden mit den Kochkünsten ihrer Köchin.

Die Schwestern sorgen für das Dessert, als Begrüssungsgeschenk, wie sie sagen. Sie offerieren ihre selbst gemachte Quarkcrème, eine Quarkcrème, wie sie die Schweizer noch nie gegessen haben. Für die Jungs ist sofort klar: Die Nonnen dürfen während ihres gesamten Aufenthaltes für den Nachtisch sorgen – und diese erklären sich sofort damit einverstanden!

Nicht enden wollender Applaus in die Küche!

Nach einer kurzen Siesta wird's ernst: Rein in die Arbeitskleider und zum ersten Mal ab auf den Bau. Die Jungs haben keine Vorstellungen davon, was sie dort wirklich erwartet. Bis heute haben sie höchstens im häuslichen Garten erste, rudimentäre Versuche mit Schaufel und Pickel gemacht. Aber Beton mischen, oder sogar mauern? Nicht die geringste Ahnung, wie das geht!

Doch Gaston ist ein ausgezeichneter Lehrer. Unter seiner Leitung gedeihen die Jungs im Verlaufe der Tage zu absoluten Spezialisten. Da werden Backsteinwände hochgezogen, wie sie selbst professionelle Maurer nicht besser hinkriegen. Oder zum Beispiel Bedachungen: Jeder Zimmermann würde vor Neid erblassen. Peer und seinen Freunden macht es riesig Spass, und das schlägt sich auch in ihrer Arbeit nieder.

Einzig mit ihrem Ausgang am Abend sind sie nicht ganz zufrieden. Burri ist der Meinung, sie müssten spätestens um zehn zurück im Haus sein, und um elf Uhr sei Lichterlöschen. Die ersten beiden Nächte akzeptieren das die Jungs noch. In der dritten Nacht wird es ihnen allerdings zu bunt, und sie versuchen, sich nach Lichterlöschen heimlich aus dem Staub zu machen. Dummerweise kommen sie nur bis zur Haustür – diese ist abgeschlossen! Und weit und breit kein Schlüssel!

Auf dem normalen Weg also kein Weiterkommen! Die Jungs müssen sich etwas einfallen lassen.

»Gehen wir doch über den Klostergarten«, schlägt Thomas vor. »Die Tür im Speisesaal ist nicht abgeschlossen.«

»Und warum meinst du, ist sie nicht abgeschlossen?«, fragt Alfredo gereizt, und zynisch fügt er an: »Weil die Schwestern die Leitern zu teuer vermieten, und wir ohne Leitern nicht über die Klostermauern kommen? ¡Hombre! Denk nach!«

»Apropos Leiter«, schaltet sich Peer ein, »wir haben doch ein Fenster bei uns …«

»Und wo verstecken wir die Leiter, grosser Zampano?«, unterbricht ihn Alfredo spöttisch.

»In einem Koffer oder einer Tasche«, gibt sich Peer gelassen.

»Oye«, lacht Alfredo los. »In einem Koffer oder einer Tasche! Ja, wo ist denn das kleine Leiterchen?«, spöttelt er weiter.

»Ja mein Lieber, das Leiterchen, an das ich denke, kann man zusammenfalten. Es ist nämlich ein Strickleiterchen. Schon mal was von einem Strickleiterchen gehört?«, zieht Peer nun seinerseits Alfredo auf.

Die Jungs sind sofort Feuer und Flamme für Peers Idee mit der Strickleiter. Sie benötigen dazu: Zwei Seile, je rund vier Meter lang, die Knöpfe für die Befestigung der Sprossen eingerechnet, und zehn vierzig Zentimeter breite Dachlattenstücke, die als Sprossen dienen. All das finden sie auf ihrer Baustelle. Holz und Seile liegen dort massenweise herum und können problemlos in den Schlafraum geschmuggelt werden. Peer beauftragt Alfredo und Thomas mit dem Beschaffen der Seile am nächsten Tag. Er und vier weitere Jungs werden sich um die Sprossen kümmern.

Mit einem kräftigen Frühstück startet der Bautrupp in den neuen Morgen. Wie immer um neun Uhr trifft Gaston auf der Baustelle ein. Peer, Alfredo, Jürg und Thomas werden in den Estrich der Kirche beordert und beginnen dort gleich tatkräftig die Erde aus dem stirnseitigen Fenster zu schaufeln. Die Sonne brennt auf das Kirchendach und verwandelt den darunter liegenden Estrich in einen Glutofen. Hinzu kommt der gewaltige Staub. Die Erde des Estrichbodens ist so trocken, dass sie bereits schon durch die Schritte der Jungs aufgewirbelt wird. Im Nu ist der ganzen Raum voller Staub. Das Atmen wird schwer. Pickeln und schaufeln wird innert kürzester Zeit zur Tortur.

»So geht das nicht«, stellt Peer nach einer Viertelstunde resigniert fest. »Wir müssen den Boden befeuchten, damit der verdammte Staub aus bleibt.«

»Das wird aber happig, das ganze Wasser hier hoch zu schleppen«, entgegnet Thomas.

»Wir brauchen einen Schlauch«, resümiert Peer, »mal schauen, was Gaston dazu meint.«

Die vier Freunde steigen hinunter und suchen Gaston. Sie finden ihn bei der Hostienbäckerei.

»He, Jean-Philippe! Komm doch mal bitte runter«, ruft Peer seinem »Dolmetscher« zu, der oben auf einem Baugerüst Stein auf Stein mauert.

»Wie seht ihr denn aus?«, fragt Jean-Philippe überrascht, als er bei Peer und seinen Kumpeln eintrifft.

Erst jetzt schauen sich die vier vom Estrichboden etwas genauer an. Von den Haaren bis zu den Schuhen sind sie von einer dunkelbraunen Staubschicht überzogen. Nur das Weiss ihrer Augen und Zähne hebt sich kontrastreich vom Einheitsbraun ab.

»Das ist unser Sonnenschutz«, witzelt Alfredo.

»Ist ja krass«, ist Peer selber überrascht, und zu Jean-Philippe meint er: »Aber genau darum sind wir hier.«

Peer bitte auch Gaston zu sich und bringt den Wunsch nach einem Schlauch für das Befeuchten des Estrichbodens an. Jean-Philippe übersetzt gekonnt.

»Un tuyau d'eau. Un tuyau d'eau«, murmelt Gaston nachdenklich vor sich hin, um dann plötzlich mit »Un instant s'il vous plaît. Je revient tout de suite«, in seinen alten Lieferwagen zu steigen und knatternd davonzufahren.

Peer und sein Estrich-Bautrupp benützen die Auszeit, um sich ein wenig zu säubern. Anschliessend schlendern sie zurück zur Kirche und warten, entspannt im Schatten liegend, auf Gaston.

Es dauert dann auch nicht lange bis Gaston rörend – der Auspuff seines Lieferwagens scheint sich wohl eben verselbständigt zu haben – bei der Kirche vorfährt. Er verschwindet kurz im Innern seines »Wellblechcadillacs« und kommt kurz darauf mit zwei grossen Schlauchrollen über den Schultern auf sie zu.

»Voilà«, sagt er lachend und schmeisst die beiden Schlauchrollen auf den Boden.

Gaston schickt die Jungs mit einer Schlauchrolle auf den Estrich und beauftragt sie, das Ende ohne Düse durch das Fenster zu ihm runter zu lassen. Er selber schliesst den zweiten Schlauch beim Brunnen neben der Kirche an und verbindet das freie Ende mit dem Ende des Schlauches aus dem Estrichfenster – dann: Wasser marsch!

Die Jungs sind glücklich. Kein Staub mehr auf dem Estrichboden! Und erst noch genug zu trinken – es muss ja nicht immer Bier sein! So macht das Schaufeln wieder richtig Spass!

Sichtlich erschöpft und völlig durchgeschwitzt kehren Peer und seine drei Freunde gegen sechzehn Uhr zur Hostienbäckerei zurück. Rund einen Viertel vom Estrich haben sie geschafft. Morgen werden vier andere dort weiterfahren, wo sie aufgehört haben.

Burri hat den Estrich besichtigt und lobt die Vier für ihren Einsatz. Nach Gastons kurzer Lagebesprechung, wieder übersetzt von Jean-Philippe, geht's zum Duschen.

Das Nachtessen ist heute fakultativ. Ideal für Peer, um sich dem Bau seiner Strickleiter zu widmen. Alfredo und Thomas helfen ihm dabei. Wenn alles gut geht, wird die Strickleiter heute Nacht zu ihrem ersten Einsatz kommen.

Und es geht alles gut, die Vorarbeiten waren optimal. Was jetzt noch fehlt, ist die Prüfung der Tauglichkeit im Einsatz. Die Jungs vergewissern sich, dass sich niemand unten im Hof aufhält und halten die Strickleiter gleich mal zum Fenster raus. Die Länge ist perfekt. Die Leiter endet einen halben Meter über dem Boden. Das ist wichtig, denn in angetrunkenem Zustand schwinden meist auch die Kräfte in den Oberarmen. Und sich dann womöglich erst einen Meter hochziehen zu müssen, um die erste Sprosse mit den Füssen zu erreichen? Wer weiss, ob er das dann überhaupt noch schaffen würde.

Peer schickt sich an, die Strickleiter gleich mal auszuprobieren. Erst jetzt wird den Jungs bewusst, dass sie die Leiter ja gar nicht befestigen können.

»Oh, oh«, stellt Peer irritiert fest, »da haben wir wohl nicht zu Ende gedacht.«

»Was heisst da wir«, wirft Alfredo belustigt ein. »Du bist ja der Vater des Gedankens.«

»Ist ja auch kein Problem«, beruhigt Peer. »Wir müssen nur die oberste Sprosse durch eine ersetzen, die breiter ist als das Fenster. So kann sie nicht durch die Öffnung rutschen«, und nachdenklich fährt er fort: »Dumm ist nur, dass wir das heute nicht mehr hin kriegen.«

Die drei schauen sich etwas belämmert an, bis Thomas plötzlich den rettenden Einfall hat: »Nehmen wir doch einfach den Besen dort hinten bei den Kästen. Der Stiel ist lang genug, und brechen wird er auch nicht.«

»Genau, den nehmen wir. Der hält«, ist Peer optimistisch.

Und Alfredo fügt an, mit dem Zeigefinger sein Augenlid herunterziehend: »Der dicke Sepp ist ja nicht hier.«

Überzeugt von ihrer Besenstiellösung verzichten die Jungs auf einen Probelauf. Sie verstecken ihre Strickleiter in Peers leerem Koffer und machen sich für den Ausgang zurecht.

Frisch gekämmt und voller Tatendrang brechen die »Herren der Strickleiter« auf in den Ausgang. Peer und Alfredo haben ihre Gitarre dabei. Die Strickleiter brauchen sie noch nicht. Diese soll erst später, nach dem regulären Ausgang, zum Einsatz kommen.

Wie immer führt der Weg zuerst zu Francois' Bistro. Hier können die Jungs ihren »Beaujolais Village« auch zum Mitnehmen kaufen. Günstig. Zum Spezialpreis. Heute ist Thomas für die Getränke zuständig. Er kauft zwei Flaschen dieses von den Jungs bevorzugten Rotweins. Die benötigten Plasikbecher sind im Preis inbegriffen.

Die übrigen Jungs warten draussen bei Francois. Obwohl dieser etwa fünfzigjährige Baske für sein Alter noch immer recht gut aussieht, ist er allein stehend und kinderlos. Wie gewohnt döst er vor seinem Bistro im Schaukelstuhl scheinbar gelangweilt vor sich hin. Wer jedoch meint, er sei geistig abwesend, täuscht sich gewaltig. Francois bekommt alles mit, was um ihn herum geschieht. Und obwohl er seine Augen fast immer geschlossen hält, antwortet er auf jede Frage gezielt und überlegt.

Heute sind auch Klara und Doris wieder mal hier. Die beiden Mädchen werden von Burris Köchin sehr streng gehalten, so dass sie dann, wenn sie mal Ausgang haben, dem »Beaujolais Village« auch nicht abgeneigt sind. Dementsprechend hat jede ihre eigene Flasche Rotwein gekauft. Langsam macht sich die Baulagertruppe auf zum nächsten Park, wo sie sich im Kreis um ihre Gitarristen Peer und Alfredo scharen. Alle, vor sich einen Becher Rotwein, singen und klatschen zu den Klängen der Gitarren kräftig mit. Die Stimmung ist ausgelassen, und der »Beaujolais Village« fliesst in Strömen. Immer wieder verschwindet einer, oder auch eine, verstohlen hinter dem nächsten Gebüsch und schafft wieder Platz für neuen Rebensaft. Nur Peer, Alfredo und Thomas halten sich etwas zurück. Schliesslich wollen sie anschliessend mit Hilfe ihrer Strickleiter den Ausgang noch etwas ausdehnen.

Langsam aber unaufhaltsam nähern sich die Zeiger der Uhr dem von Burri festgelegten Zeitpunkt der Nachtruhe. Mit vereinten Kräften geht es zurück, Richtung Kloster. Jene, die noch etwas besser zu Fuss sind, helfen jenen, die mehr mit sich zu kämpfen haben. Vor allem Klara und Doris hat's böse erwischt. Sie können sich kaum noch auf den Beinen halten. Zu allem Unglück fallen sie jedem, der ihnen helfen will, auch noch gleich stürmisch um den Hals und versuchen ihn auf den Mund zu küssen. In ihrem Zustand nicht gerade eine appetitliche Sache.

Nur Alfredo scheint das nicht zu stören. Er kümmert sich auffallend fürsorglich um die beiden Girls – vor allem um Doris. Sie passt mit ihren langen, dunklen Haaren genau in Alfredos Beuteschema. Auffallend oft gehen Alfredos Hände wie zufällig zu Doris' Brüsten, wenn sie strauchelt und er sie auffangen muss.

Von Peer darauf angesprochen, meint er spitzbübisch: »Ja, blöd! Sie fällt immer so unglücklich, dass meine Hände dummerweise immer gerade dort sind, wo sie nicht hingehören«, und mit einem Augenzwinkern führt er schelmisch an: »Das ist mir ausserordentlich unangenehm.«

»Verstehe«, antwortet Peer grinsend und hat selber alle Hände voll zu tun mit den torkelnden, lallenden und nach Wein stinkenden Festbrüdern und -schwestern.

Endlich kommt das Kloster in Sicht. Die weniger Betrunkenen mahnen die laut gestikulierende Bande zur Ruhe. Schliesslich müssen Burri und die Nonnen ja nicht gleich wissen, dass sie im Ausgang mal wieder über die Stränge geschlagen haben. Erstaunlich diszipliniert und ruhig steigen die Jungs die Treppe zu ihrem Schlafraum hoch, lassen sich auf ihre Matratzen fallen und sinken sogleich in einen narkoseähnlichen Schlaf.

Sicherheitshalber begleitet Peer Alfredo und Thomas, welche die beiden Girls zu ihrem Verschlag im Klostergarten bringen. Und, als hätte er es geahnt, muss Peer Alfredo davon abhalten, zu Klara unter die Decke zu schlüpfen. Allerdings muss man Alfredo quasi von aller Schuld freisprechen, greift ihm doch Klara in ihrem Vollrausch unverhofft zwischen die Beine und umklammert sein bestes Stück so fest, dass er mit schmerzverzerrtem Gesicht ein lautes »Aua« nicht unterdrücken kann. Trotz der Schmerzen, und erst noch leicht angetrunken, wäre es wohl für jeden Mann äusserst schwierig, dieser Einladung zu widerstehen. Und für Alfredo in seiner Sturm- und Drangzeit erst recht.

»Lass es, du würdest es morgen bereuen«, raunzt ihm Peer zu.

Und Thomas fügt an: »Zudem wollen wir noch unsere Strickleiter ausprobieren.«

»Ihr habt recht«, gibt sich Alfredo erstaunlich beherrscht.

Möglicherweise ist es aber auch nur der taube Schmerz, der immer noch seinen Unterleib malträtiert. Auf jeden Fall finden schliesslich auch die letzten drei den Weg in ihren Schlafraum, nachdem sie Klara und Doris die Schuhe – und nur die Schuhe, und sonst nichts! – ausgezogen und mit vereinten Kräften in ihre Betten verfrachtet haben.

Nachdem Burri kontrolliert hat, dass alle Jungs anwesend sind, schliesst er die Eingangstür zum Wohntrakt seiner Gruppe und steckt den Schlüssel in seine Hosentasche.

»So, das wär's«, flüstert Peer, nachdem Burri weg ist. »Jetzt warten wir noch ein paar Minuten, und dann geht's los.«

Unendlich scheint die Zeit, bis auch im Erdgeschoss alles ruhig geworden ist. Peer huscht zu seinem Koffer und öffnet ihn ungeduldig.

Da liegt es, das Prachtstück!

Ihr Garant für etwas mehr Freiheit!

Peer klemmt sich die zusammengerollte Strickleiter unter den Arm, nimmt den beim Kasten stehenden Besen und schleicht auf Zehenspitzen zum Fenster.

Alfredo und Thomas warten schon.

Keiner der anderen Jungs rührt sich.

Peer hebt die Strickleiter vorsichtig zum Fenster raus und lässt sie langsam an der Hauswand nach unten gleiten.

Immer wieder horchen die Jungs in die Nacht hinaus.

Aber alles bleibt ruhig.

Thomas steckt den Besenstiel durch die obersten beiden Knotenschlaufen. Behutsam stellt er sich auf die oberste Sprosse um zu testen, ob das Ganze hält.

Es hält!

Langsam steigt Thomas Sprosse um Sprosse in die Tiefe und erreicht ohne Zwischenfall wieder festen Boden. Als Nächster folgt Alfredo. Auch er tastet sich Sprosse für Sprosse nach unten.

Dann plötzlich, ungefähr auf halber Höhe, passiert es!

Ein kurzes Rumpeln, ein dumpfer Aufschlag, dann Alfredos leises Fluchen: »¡Caramba! ¡¿Qué mierda es eso?!«

Für einen Augenblick wagt keiner sich zu bewegen. Schweissperlen schiessen den Jungs auf die Stirn. Sie warten nur darauf, dass gleich die Lichter im Innern des Hauses angehen.

Aber alles bleibt ruhig!

Alfredo rappelt sich auf und kontrolliert, ob alles noch an seinem Platz ist.

»Was ist passiert«, will Peer oben am Fenster flüsternd wissen.

»Eine Sprosse in der Mitte der Leiter hat sich gelöst«, fispert Thomas zurück. »Sie hängt zum Glück noch auf einer Seite am Seil. Zieh die Leiter langsam hoch, dann kannst du die Sprosse wieder richtig platzieren.«

Peer macht, wie ihm befohlen und erreicht daraufhin unbeschadet seine wartenden Freunde.

»Da müssen wir morgen noch nachbessern«, stellt er nachdenklich fest. »Am besten nageln wir die Sprossen an den Knoten fest, so dass sie nicht verrutschen können.«

»¡Hombres! Genug gequatscht«, zischt Alfredo ungeduldig. »Jetzt ab zu Francois. Wir brauchen noch Wein.«

Wie Schatten huschen die drei Jungs über den Vorplatz und durch das ewig offen stehende, grosse Tor raus auf die Strasse. Erst jetzt können sie aufatmen. Ihre »Flucht« blieb unbemerkt. Sichtlich gelöst und frohgelaunt suchen Peer und seine Freunde Francois' Bistro auf. Dieser ist zwar einigermassen überrascht, die Jungs bereits wieder zu sehen, aber es ist nicht seine Art, Fragen zu stellen.

»Zwei Flaschen sind genug für uns drei«, denkt Peer laut und bestellt, ohne die Antwort der beiden anderen abzuwarten: »Deux Beaujolais Village, s'il vous plaît.«

»Trois«, insistiert Alfredo sogleich.

»No, no! Deux! Ça suffit«, hält Peer an seiner ursprünglichen Bestellung fest.

»Hombre, das sind nur Halbliterflaschen! Kaum geöffnet, schon leer«, versucht Alfredo seine beiden Freunde zu überzeugen.

»He Junge, das sind normale Flaschen. Und du weisst das ganz genau«, stellt Peer klar, und Thomas pflichtet ihm bei.

»Bueno«, gibt Alfredo schliesslich leicht genervt klein bei. »Dann eben zwei.«

»Et quoi maintenant?«, will Francois gelangweilt wissen und schaut die drei, die Ellbogen auf der Theke aufgestützt und das Kinn in beide Hände gelegt, apathisch an.

»Deux«, bekräftigt Peer und zählt die benötigten Francs auf die Theke.

Francois zählt das Geld nach und händigt den Jungs ihre beiden Beaujolais Village aus.

Lachend und schäkernd machen sich Peer und seine beiden Trinkgefährten auf zu ihrem Lieblingsplatz im nahen Park. Unterwegs dorthin treffen sie auf zwei junge Valognesinnen – oder Valognerinnen? – und laden diese zu einem Glas, oder in ihrem Fall eben zu einem Becher Wein ein.

»Siehst du! Ich habe es ja gleich gesagt«, wettert Alfredo gleich los. »Zwei Flaschen reichen nie! Ich hole nochmals zwei«, und schon ist er weg.

»Und bring zusätzlich zwei Becher mit«, ruft ihm Peer noch nach, als Alfredo in der Dunkelheit verschwindet.

Francoise und Ginette heissen die beiden jungen Damen, die sich zu den Jungs gesellen. Sie sind Schwestern. Francoise, eine gut aussehende, zirka zwanzigjährige Junge Frau mit Mireille Mathieu ähnlichem Haarschnitt, ist die ältere und, wie sich gleich herausstellen wird, auch die erfahrenere der beiden. Ginette, im gleichen Alter wie die Jungs, scheint ruhiger und zurückhaltender zu sein, als ihre Schwester. Sie hat wunderschöne, rehbraune Augen und ist eher der Francoise Hardy Typ. Die beiden Girls sehen in ihren Minijupes hinreissend aus und entsprechen voll und ganz den Vorstellungen, die Jungs von Französinnen haben: Langbeinig, schlank, aufgeschlossen, und immer zu einem kleinen Abenteuer bereit.

Auch Alfredo ist wieder zurück und setzt sich schnaufend zu der kleinen Gruppe auf den Rasen. Er hat sich besonders beeilt, um nichts zu verpassen. Schliesslich sind da nur zwei Girls für drei Jungs. Allerdings sollte er es ja besser wissen. Für seinen Freund Peer sind diese beiden Französinnen, mögen sie noch so hübsch sein, tabu. Peer hat seine Rosalie. Und Peer ist treu. Natürlich ist Peer einem Schwatz mit dem anderen Geschlecht nicht abgeneigt. Er kennt aber die Grenzen und hält sich auch daran.

Alfredo und Francoise kommen sich rasch näher. Francoise setzt gezielt ihre Reize ein.

Bereits nach ein paar Minuten entledigt sie sich mit »Uuh, il fait chaud«, ihres eh schon knappen Jäckchens und präsentiert ihr bauchfreies Oberteil, das ihre vollen Brüste ob des fehlenden BHs nur schwer zu bändigen vermag.

Hart und spitz zeichnen sich ihre Brustwarzen unter dem Stoff ab, als seien sie mit Eiswürfeln behandelt worden. Alfredo rutscht nervös hin und her. Es spannt nicht nur bei ihm in der Hose!

Ginette fühlt sich eher von Thomas angetan. Jedenfalls turteln die beiden Täubchen unbekümmert und lassen sich von den übrigen Anwesenden nicht stören. Es kommt auch schon mal zum Austausch von ersten Streicheleinheiten zwischen den beiden.

Peer schaut dem Treiben seiner beiden Freunde mit den aufgestellten Schwestern wehmütig zu. Er vermisst seine Rosalie.

Auf dem Rücken liegend betrachtet er die Sterne am Himmel und denkt: Vielleicht schaut Rosalie ebenfalls gerade jetzt in den Sternenhimmel und sieht die gleichen Sterne wie ich.

Und er denkt an seine Mutter: Was macht sie wohl eben? Schläft sie schon? Denkt sie gerade an mich?

Ja, Peer vermisst seine Mutter schon ein wenig. Sie war immer der Puffer zwischen ihm und seinem Vater. Und sie wird es wohl auch immer bleiben. Peer kann sich nicht vorstellen, je mal vernünftig mit seinem Vater reden zu können. Auf der Basis »Einer hat immer recht, und der andere versteht nichts vom Leben« kann kein Vertrauensverhältnis aufgebaut werden.

Melancholie befällt Peer. Eine Melancholie, die sich gerade dann dunkel und schwer auf seine Seele legt, wenn er das eine oder andere Glas zuviel getrunken hat. Andere werden dann aggressiv. Peer wird traurig.

Viele Fragen gehen ihm in solch bedrückenden Momenten durch den Kopf: Wie bringe ich wohl mein Leben auf die Reihe, wenn ich jetzt schon keine Zukunft sehe? Wird mich mein Vater ein einziges Mal nur rühmen, mir sagen, dass ich etwas gut gemacht habe? Kann ich überhaupt mal beweisen, dass ich auch ein wertvoller Mensch bin, der etwas leisten kann? Bin ich überhaupt ein wertvoller Mensch?

Obwohl sich Peer in solchen Situationen immer wieder einredet, die Anerkennung seines Vaters nicht nötig zu haben, wird er zeitlebens danach dürsten. Vergebens!

Die zwölf Glockenschläge einer Kirche reissen Peer aus seinen dunklen Gedanken. Neben ihm liegen Alfredo und Thomas völlig weggetreten auf dem Rasen. Peer hat nicht mal wahrgenommen, dass sich Francoise und Ginette bereits vor einiger Zeit verabschiedet haben. War auch er weggetreten?

Peer versucht aufzustehen, schafft es aber nicht beim ersten Mal. Der zweite Versuch endet damit, dass er kurz steht, dann aber auf den leeren Weinflaschen ausrutscht und laut fluchend gleich wieder flach liegt.

Ob dem Lärm werden nun allmählich auch Alfredo und Thomas wach und helfen sich umständlich gegenseitig auf die Beine. Auch Peer hat es wieder geschafft, aufzustehen, und mit gewaltigen Ausfallschritten gelingt es ihm tatsächlich, nicht gleich wieder zu Boden zu gehen.

»Una paloma blanca«, schmettert Alfredo mehr lallend als singend in die von Lavendelduft geschwängerte Nacht hinaus.

»Eine?«, fragt Peer mit schwerer Zunge. »Tausende! Aber nicht Tauben, sondern Bienen schwirren in meinem Kopf herum«, und würgend fügt er an: »Und jetzt muss ich gleich kotzen!«

Peer schafft es gerade noch zum nächsten Busch und begiesst diesen mit einem nicht enden wollenden Beaujolais-Village-Sturzbach aus seinem Mund. Auch Alfredo und Thomas müssen sich zuerst wieder vom etwas zuviel einverleibten Rebensaft trennen, bevor sie und Peer überhaupt an ein Zurückgehen ins Kloster denken können.

Schliesslich sind die drei Jungs wieder einigermassen hergestellt und machen sich auf den Rückweg. Doch nachdem sie sich oben ausgiebig erleichtert haben, meldet sich bei jedem nach und nach das Bedürfnis, auch unten etwas Druck abzulassen. Da kommt die kleine Brücke über das Rinnsal, das den malerischen Parkweiher mit köstlichem Nass versorgt, gerade richtig! Peer, Alfredo und Thomas können es nicht lassen und stehen nach mehreren erfolglosen Versuchen plötzlich doch noch wild schwankend auf dem schmalen Mäuerchen, das gleichzeitig Brückengeländer ist. Unter Gejohle pinkeln sie in grossem Bogen ins darunter liegende Bächlein und freuen sich wie kleine Kinder, wenn einer mit seinem Strahl ein träge dahin fliessendes Blatt trifft.

Dann, plötzlich, hören sie ein herannahendes Auto, das in unmittelbarer Nähe stoppt. Türen werden zugeschlagen, und lautes Stimmengewirr kommt rasch näher. Blitzartig steigen die Jungs von ihrer Pinkelplattform runter und scheinen schlagartig nüchtern zu sein.

»Verdammt! Das kann nur die Polizei sein«, entfährt es Peer. »Nur schnell weg hier!«

Die drei Festbrüder schauen sich entgeistert an, als hätten sie soeben den Leibhaftigen gesehen. Wie aufgescheuchte Feldhasen hetzen sie im Zickzack los, vorbei an herrlich farbigen Blumenbeeten, verführerisch duftenden Rosenstöcken und zum philosophieren einladenden Phantasieskulpturen. Doch von alle dem bekommen Peer und seine beiden Freunde nichts mit. Zu sehr sind sie damit beschäftigt, so schnell wie möglich die verwinkelten Gässchen zu erreichen, was ihnen schliesslich auch gelingt. Unerkannt entkommen sie den Flics und erreichen ohne weitere Zwischenfälle das rettende Kloster.

»Jetzt fehlt nur noch, dass die verdammte Strickleiter weg ist«, zischt Alfredo, »dann haben wir wirklich ein Problem.«

Doch zur allgemeinen Erleichterung hängt die Strickleiter immer noch genau so aus dem Fenster, wie sie die Nachtschwärmer zurückgelassen haben. Ein kurzer, kräftiger Ruck gibt Gewissheit, dass alles hält und kein Streich der Jungs da oben zu befürchten ist. Als hätten sie jahrelang nichts anderes gemacht, klettern Peer, Alfredo und Thomas die Strickleiter hoch, und es dauert keine fünf Minuten, schlafen auch sie tief und fest.

Heute ist Sonntag, und Gaston hat sich bereit erklärt, die gesamte Bautruppe, inklusive Burri, Köchin und Gehilfinnen an den Strand von Sainte-Marie-du-Mont, besser bekannt als Utah-Beach, zu fahren. Freundlicherweise hat Gaston seinen alten Lieferwagen mit Karton ausgelegt, so dass sich alle auf den Boden setzen können, ohne gleich schmutzige Kleider befürchten zu müssen.

Burri und seine Köchin setzen sich nach vorne auf den Beifahrersitz. Gaston arretiert die Beifahrertür mit einem Gummizug, denn Schloss und Türklinke sind wohl bereits vor Jahren dem Alterungsprozess zum Opfer gefallen. Quietschend und rauchend verlässt der Lieferwagen schliesslich den Klostervorplatz. Es scheint so, als wähne sich Gaston noch immer in der Fremdenlegion, und als sei er zurzeit gerade auf der Flucht. Jedenfalls fährt er wie der Teufel, und die Passagiere werden richtig durchgeschüttelt. Entsprechend erleichtert sind sie, als ihre »Flucht« endlich beendet ist, und sie ihrem »Folterkasten« entfliehen können.

Das Erste, was den Neuankömmlingen beim Verlassen des Lieferwagens ins Auge sticht, ist ein amerikanischer Sherman-Panzer mit je einem grossen, weissen Stern vorne und an den Seiten. Blitzsauber und majestätisch steht er da, und es scheint, als warte er nur auf seinen Einsatz und fahre gleich los.

Hinter dem Panzer ragt die Kuppel eines Bunkers aus dem Sand. Wie sich herausstellt, ist darin ein Museum untergebracht. Drinnen wird anhand alter Fotos, Landkarten und ausführlichen Textdokumenten in Französisch, Englisch und Deutsch die Landung der Alliierten hier in der Normandie vom 6. Juni 1944 beschrieben. Das Ganze wird mit Tondokumenten und zurückgelassenem Kriegsmaterial eindrücklich untermalt. Speziell die rund ein Duzend fein säuberlich aufgereihten Helme in Glasvitrinen lösen bei Peer ein beklemmendes Gefühl aus. Aufgrund ihrer Form können sie leicht als deutsch, amerikanisch und britisch identifiziert werden. Alle weisen Einschusslöscher von Gewehrkugeln auf. Einer wurde sogar von einer Zwanzig-Millimeter-Kugel durchbohrt. Die Lage der Einschusslöcher deutet darauf hin, dass die jeweiligen Träger nicht überlebt haben.

Minutenlang bleibt Peer vor diesen Helmen stehen.

Haben sie wohl gelitten, oder waren sie sofort tot, fragt er sich betroffen. Konnten sie identifiziert und ihre Mütter, Väter, vielleicht auch Frauen und Kinder benachrichtigt werden, oder wurden sie erst viel später, notdürftig verscharrt, gefunden, und ihre Angehörigen wissen bis heute nicht, was mit ihren Liebsten an der Front genau geschehen ist?

Fragen über Fragen zermartern Peers Gehirn.

Er muss raus aus diesem Museum!

Vorbei an unzähligen Bombenkratern schlendert Peer langsam zur Küste. Gedankenverloren setzt er sich an den steil abfallenden Rand der Klippen und lässt die Beine ins Leere baumeln.

Unten am Strand zeugen zurückgelassene Landungsfahrzeuge und von Rost befallene Panzersperren vom damaligen Kriegsgeschehen. Rechts neben Peer, auf einer kleinen Plattform, steht ein erstaunlich gut erhaltenes Geschütz, dessen Lauf wie ein Mahnfinger in den Himmel zeigt, als wollte es sagen: »Vergesst nie, was hier geschehen ist und zieht eure Lehren daraus!«

Peer döst vor sich hin und starrt auf das Meer hinaus. Eine bleierne Schwere befällt ihn. Plötzlich glaubt er draussen, dort wo der Himmel das Meer berührt, kleine, schwarze Punkte zu sehen, die sich dem Strand nähern.

Es sind Schiffe!

Schlachtschiffe, Kreuzer und Zerstörer!

Zuerst eines – dann zwei – dann füllt sich der ganze Horizont!

Die grossen Schlachtschiffe beginnen aus allen Rohren zu schiessen. Links und rechts von Peer schlagen ihre Granaten ein und reissen grosse Löcher in den sandigen Boden.

Von der Küste wird zurückgeschossen.

Landungsboote lassen am Strand ihre Brücken runter und spucken tausende von Soldaten aus. Die letzten Meter durch das knietiefe Wasser watend werden viele bereits hier von Maschinengewehrgarben niedergemäht. Einige sind gleich tot und treiben, die Arme ausgebreitet, im sich rot färbenden Wasser. Andere schreien vor Schmerzen und verstummen nach und nach – einige früher, andere später.

Diejenigen, die dem ersten Kugelhagel entrinnen, finden kurz Deckung hinter den Panzersperren und versuchen dann die restlichen Meter bis zu den schützenden Klippen im Zickzack laufend zu überwinden.

Nicht jedem ist Erfolg beschieden.

Plötzlich verdunkeln amerikanische Mittelstreckenbomber wie ein Schwarm Heuschrecken den Himmel und breiten ihren tödlichen Bombenteppich über den deutschen Verteidigungsstellungen aus.

Vor der Küste nähern sich Landungsfahrzeuge mit schwimmfähigen Sherman-Panzern. Peer sieht, wie eines dieser Landungsfahrzeuge mit einer Wassermine kollidiert und in den Fluten versinkt. Die Hüllen der sich darauf befindenden Panzer werden beschädigt, und die Panzer sinken ebenfalls. Peer hört die markdurchdringenden Todesschreie der Besatzung, als diese durch die Explosion in Stücke gerissen wird. Die übrigen Panzer schwimmen die letzten Meter selbständig im Wasser und nehmen die deutschen Geschützstellungen vom Strand her unter Beschuss.

Peer sitzt wie versteinert am Klippenrand. Es ist ihm, als geschehe alles gerade in diesem Augenblick, und er befinde sich in einem geistähnlichen Zustand mitten im Kriegsgeschehen.

Er sieht, wie Pioniere und Spezialeinheiten der Marine den Strand unter schwerem Feuer aus zahlreichen, in den Dünen versteckten Widerstandsnestern von Minen und sonstigen Hindernissen zu säubern beginnen.

Er erlebt hautnah mit, wie die Alliierten in Gruppen von drei, vier Soldaten diese deutschen Widerstandsnester mit Flammenwerfern und Handgranaten ausschalten und so deren Maschinengewehre, Panzerabwehrkanonen und Granatwerfer ein für alle Mal zum Schweigen bringen. Besatzungssoldaten der Widerstandsnester, die nicht den Handgranaten zum Opfer fallen, rennen schreiend als brennende Fackel ziellos umher, bis sie zusammenbrechen und verstummen.

All das läuft in Peers Kopf während endloser Minuten wie ein Film ab. All seine Bemühungen, in die Realität zurück zu finden, schlagen vorerst fehl. Peer kann die Bilder von Tod, Zerstörung und sinnlosem Gemetzel nicht aus seinem Gehirn verbannen. Sie scheinen wie eingebrannt. Für immer und ewig.

Doch dann, das Lachen eines Kindes!

Zaghaft, als müsste Peer seinem Unterbewusstsein zuerst die Erlaubnis erteilen, kehren allmählich wieder Ruhe und Frieden in seine Gedanken ein. Langsam findet er zur Normalität zurück und wird sich wieder der warmen Sonne und der friedlichen Stille bewusst.

Hier, an diesen Stränden in der Normandie, denkt er, ist die Jugend von damals verblutet. Ob der Einzelne nun starb als Angreifer oder Verteidiger, als Befreier oder Besetzer, als guter oder vermeintlich böser Mensch, spielt keine Rolle. Sie alle verloren ihr Leben und ihre Zukunft. Sie hinterliessen Eltern, Geschwister, Ehepartner, Kinder und Freunde. Und mit ihrem sinnlosen Tod änderte sich auch deren Leben. Sie starben nicht friedlich, sondern meist unter grossen Schmerzen und fern der Heimat und ihrer Familien. Und wofür? Für ein krankes Gehirn! Für einen grössenwahnsinnigen Psychopathen! Für eine menschenverachtende politische Gesinnung!

Diese Gedanken drücken Peer die Tränen in die Augen, und er ist froh, im Moment hier alleine bei den Klippen zu sitzen und beruhigt, am Horizont keine Schiffe mehr zu sehen.

Nachdem sich Peer wieder gefasst hat, sucht er den Rest der Gruppe. Er findet seine Kollegen, im Halbkreis um Gaston geschart, auf dem Boden sitzend, im Schatten des als Mahnmal dienenden Sherman-Panzers. Peer gesellt sich, von den anderen kaum wahrgenommen, dazu.

Wortgewandt, und alles mit entsprechenden Gesten untermauernd, erzählt Gaston wieder einmal von seinem Einsatz in »Indochine«.

Sein Lieblingsthema!

Und Jean-Philippe übersetzt simultan, wie immer.

Obwohl die Jungs das meiste schon etliche Male gehört haben, gibt es immer wieder Gräueltaten, über die Gaston noch nie berichtet hat, und die aufgrund ihrer Grausamkeit die Jungs vollends in ihren Bann ziehen. Sie zeugen von der Perversität, zu welcher der Mensch aus lauter Langeweile fähig ist und davon, was Hass und Verachtung, verbunden mit falsch verstandenem Ehrgeiz, in ihm auslösen können.

Da ist zum Beispiel das »Oracle«, wie es Gaston nennt.

Dabei wurde von den Söldnern ein Einheimischer, meistens ein junger Mann, an Händen und Füssen so an einen Baum gefesselt, dass er sich nicht mehr bewegen konnte. Daraufhin wurde ihm eine Dartscheibe aus Styropor auf den Rücken gebunden. Durch die Scheibendicke von nicht ganz einem Zentimeter sollte verhindert werden, dass die anschliessend geworfenen Dartpfeile zu tief ins Fleisch eindringen und innere Verletzungen hervorrufen.

Anschliessend, erzählt Gaston weiter, machten sich die Söldner einen Heidenspass daraus, wahllos Pfeile auf die Scheibe zu schiessen, und bei jedem Aufschrei des Gepeinigten grölten und klatschten sie.

Damit aber noch nicht genug!

Nachdem alle Pfeile verschossen waren, ging die Tortur erst richtig los. Dem Opfer wurde die Dartscheibe vom Rücken entfernt. Die blutenden Einstiche der Pfeile wurden mit einem Messer durch ins Fleisch geritzte Linien miteinander verbunden. Das so entstandene Muster wurde dann als Orakel vom »Medium«, einem der Peiniger, unter hysterischem Gelächter und Schenkelklopfen der Beteiligten gedeutet.

Die Gruppe um Gaston hört mit heruntergeklappter Kinnlade ungläubig zu. Und es ist kaum zu glauben: Sie will mehr hören!

Peer wird zum ersten Mal richtig bewusst, dass der Mensch die wohl grausamste Kreatur ist, die auf Erden lebt. Ihm ist kein anderes Lebewesen bekannt, das aufgrund rein egoistischen Triebverhaltens andere Lebewesen quält. Was für eine gewaltige Erkenntnis für den gerade mal achtzehnjährigen jungen Mann! Er hat es zwar bereits gewusst – nur ist es ihm noch nie so bewusst geworden, wie nach dieser unglaublichen Geschichte von Gaston!

Peer steht auf und entfernt sich wortlos. Alfredo und Thomas folgen ihm.

»¡Caramba! Hombre«, ist Alfredo fassungslos. »Das ist jetzt aber nicht wahr, was wir grade gehört haben! Oder?«

»Und ob das wahr ist«, entgegnet Peer resigniert. »Liest du denn keine Zeitungen?«

»Zudem war vor zwei oder drei Wochen sogar eine lange Reportage darüber im ›Paris Match‹«, weiss Thomas. »Sobald wir wieder in der Schweiz sind, suche ich die entsprechende Ausgabe und gebe sie dir zum Lesen.« Und angewidert fährt er fort: »Da wirst du noch ganz andere Sachen lesen!«

Nun taucht auch Präfekt Burri auf. In seinem Schlepptau, die Köchin mit Klara und Doris. Es ist unschwer zu erkennen, dass die beiden Mädchen nur ungern mit der Köchin unterwegs sind. Sie haben aber keine andere Wahl, denn die Köchin hat ihre Alkoholeskapaden von neulich mitbekommen, weil beide am darauffolgenden Morgen immer noch nicht ganz nüchtern waren.

Burri ruft die Gruppe zu sich und drängt zum Aufbruch. Dann geht es wieder so zum Kloster zurück, wie sie am Morgen bereits hierher gekommen sind: Im Eilzugstempo und mit quietschenden Reifen!

Während der folgenden Tage, oder eben Nächte, kommt die Strickleiter noch verschiedentlich zum Einsatz. Die grossen Besäufnisse im Park bleiben aber aus. Den Jungs ist nicht entgangen, dass die Polizei vermehrt Streife schiebt. Und ein zweites Mal ins Gefängnis? Nein danke!

So zieht es eine Gruppe um Peer und Alfredo vor, an einem freien Nachmittag mit den von den Nonnen freundlicherweise zur Verfügung gestellten Fahrrädern nach Saint-Mère-Église zu radeln. Dieser kleine Ort ist durch den bei der Invasion vom 6. Juni 1944 am Kirchturm hängen gebliebenen amerikanischen Fallschirmjäger John Steele zur viel besuchten Touristenattraktion geworden. Als Erinnerung an dieses Ereignis hängt seit Jahr und Tag eine lebensgrosse Soldatenpuppe an einem Fallschirm am Kirchturm.

Die Jungs wollen aber in erster Linie nicht wegen des Fallschirmspringers nach Saint-Mère-Église, sondern vielmehr darum, weil man sie dort nicht kennt, und die Flics keinen Grund haben, sie zu observieren. Voller Enthusiasmus nehmen sie die zwanzig Kilometer zu ihrem Bestimmungsort unter die Räder.

Aber sie kommen nicht weit!

Bereits nach fünf Kilometern, bei ihrem ersten Trinkstopp, bleiben die Jungs in Saint-Cyr hängen. Zu gross ist der Durst, und so rinnt ein kühles Bier nach dem anderen prickelnd die durstigen Kehlen runter.

Vergnügt und aufgestellt sitzen Peer und seine Freunde an zwei zusammengeschobenen Bistro-Tischchen und erfreuen sich der zahlreich vorbeischlendernden Französinnen.

Und jede wird angequatscht!

Die Mädchen selber legen es bewusst darauf an. So provozierend lasziv, wie sie so vorbeischlendern.

»Die Girls hier sind unseren in der Schweiz um Lichtjahre voraus«, stellt Thomas freudig fest. »Hier zicken sie nicht gleich rum, wenn man sie anquatscht.«

»Ja, aber wenn du drin bist, merkst du keinen Unterschied mehr. Dann sind alle Frauen gleich«, doziert Alfredo fachmännisch.

Klar, dass so eine Aussage von ihm, dem unwiderstehlichen, südamerikanischen Charmebolzen kommen musste!

Doch die Jungs sind im Moment nicht sonderlich auf anzügliche Diskussionen erpicht. Vielmehr gilt ihre Aufmerksamkeit den langbeinigen, lebensfrohen Schönheiten, die an ihnen vorbei flanieren. So reagiert auch keiner auf Alfredos Machogehabe.

Immer wieder setzt sich die eine oder andere Junge Dame für einen kurzen Schwatz zu den Jungs an den Tisch. Für Peer und seine Freunde eine gute Gelegenheit, sich in französischer Konversation zu üben. Auch viele der Mädchen nehmen die Gelegenheit wahr und versuchen sich in Deutsch zu verständigen, was bei den Jungs immer wieder zu gewaltigen Hormonschüben führt, denn, was gibt es Charmanteres, als den umwerfenden Akzent einer deutsch sprechenden Französin.

Leider hat weder Peer noch Alfredo daran gedacht, die Gitarre mitzunehmen. Doch das tut dem sorglosen Geniessen keinen Abbruch. Mit steigendem Alkoholpegel wird trotzdem gesungen, was die Stimmbänder hergeben. Nicht selten stimmt sogar eines der sich dazu setzenden Girls ein französisches Lied aus der aktuellen Hitparade an, und die Jungs singen sofort lauthals mit.

Die Stimmung ist ausgelassen!

Das Bier fliesst in Strömen!

Inzwischen hat irgendjemand das Flaschenspiel gestartet. Dabei wird eine leere Flasche in der Mitte des Tisches gedreht, und derjenige, auf den der Flaschenhals nach dem Stopp zeigt, muss ein Glas Bier in einem Zug austrinken.

Immer und immer wieder wird die Flasche gedreht, neues Bier bestellt und gleich wieder in der nächsten Kehle versenkt. Das geht so lange weiter, bis der erste »Kampftrinker«, der etwas abgehobene Markus, völlig benebelt vom Stuhl fällt.

Nun haben die Jungs ein Problem: Wie bringen sie diese Bierleiche zurück nach Valognes?

Und das dummerweise erst noch mit einem naturgemäss äusserst instabilen Zweirad?

Jeder Versuch, den stockbetrunkenen Markus irgendwie auf das Fahrrad zu bekommen, schlägt fehl.

Glücklicherweise verfügt eines der Nonnen-Fahrräder über eine Anhängerkupplung!

Zufall oder Fügung?

Man wird es nie wissen!

Ist ja auch nicht weiter wichtig. Wirklich wichtig hingegen ist der Umstand, dass der Bistro-Wirt einen Fahrrad-Anhänger hat und diesen den Jungs gerne zur Verfügung stellt. Damit ist ihr Problem schlagartig gelöst. Mit vereinten Kräften und unter Alfredos überflüssigen Anweisungen wird der sich immer wieder kurz übergebende »Schluckspecht« Markus in den Anhänger verfrachtet.

Nicht gerade bequem, aber äusserst wirkungsvoll, das Ganze!

Und dann geht's singend und johlend zurück, Richtung Kloster!

Es scheint so, als würden die Ausflügler bereits erwartet. Jedenfalls sitzen Präfekt Burri und die Köchin mit den beiden Gehilfinnen in bequemen Korbsesseln unter einem Sonnenschirm auf dem Klostervorplatz.

»Jetzt wird's gleich ungemütlich«, zischt Peer Alfredo zu, als er das »Empfangskomitee« sieht.

Doch er täuscht sich!

Überhaupt ist Burri wie ausgewechselt, seit sie vor zwei Wochen in Basel aufgebrochen sind. So erwartet die doch recht beschwipsten Heimkehrer auch jetzt, an Stelle des befürchteten Donnerwetters, ein herzlicher Empfang. Burri ist offensichtlich in sich gegangen und zur Erkenntnis gelangt, dass junge, kurz vor dem Erwachsenwerden stehende Menschen Freiräume brauchen, um ihre eigenen Erfahrungen sammeln zu können.

»Was ist denn mit Markus passiert?«, will Burri sichtlich belustigt wissen. »Der weiss, glaub ich, nicht mal mehr, wie er heisst!« Und zu den anderen gewandt meint er: »Und auch bei euch wird der eine oder andere morgen ein paar Gedächtnislücken haben.«

»Kein Problem. Wir haben alles im Griff«, lallt Alfredo grinsend und muss beim Absteigen vom Fahrrad einen gewaltigen Schritt nach vorn machen, um nicht der Länge nach hinzufallen. »Hoppla«, meint er nur mit glasigem Blick und verschwindet so rasch es sein schwankender Gang zulässt im Speisesaal.

Peer und die, welche noch einigermassen gut zu Fuss sind, versorgen die Zweiräder im alten Holzverschlag neben dem grossen Torbogen und danken der Schwester Oberin, die kichernd mit zwei Mitschwestern in der Tür zu ihrem Arbeitszimmer steht, für das Überlassen der Fahrräder. Anschliessend bringen sie Markus in den Schlafraum, betten ihn auf seine Matratze und stellen ihm einen Putzkübel hin, falls er das ganze Bier unkontrolliert wieder von sich geben müsste. Dann suchen auch sie den Speisesaal auf. Ihr Hunger hält sich allerdings in Grenzen. Einzig dem vorzüglichen Quark-Dessert der Schwestern können sie nicht widerstehen, was sie aber spät in der Nacht bei mehrmaligen Brech-Attacken schwer bereuen.

Indes rückt der Tag der Abreise unaufhaltsam näher. Obwohl die Jungs hart arbeiten mussten, denken sie mit Wehmut an die letzten drei Wochen. Sie haben viel Spass gehabt und viel über das Leben gelernt. Der Charme und die Offenheit der Menschen hier in Frankreich, Gaston und seine unglaublichen Erzählungen aus »Indochine«, Utah Beach und die Grausamkeiten des Krieges, all das wird ihnen in Erinnerung bleiben. Aber auch die Nonnen hier im Kloster: So liebenswert, wie es eben nur Menschen sein können, die ihre echte Berufung gefunden haben.

Ein letztes Mal kommt die Strickleiter zum Einsatz. Die Jungs verabschieden sich in ihrem Lieblingsbistro von Francois, dem Besitzer, und den zum Teil doch recht skurrilen Stammgästen, mit denen sie aber immer wieder tiefgreifende Gespräche geführt haben. Diese alten Menschen haben viel erlebt, und einige sind zu wahren Philosophen geworden. Die Jungs zollen ihnen grossen Respekt. Peer hat durch sie sogar sein persönliches Lebensmotto – »Der Schlüssel zum Leben ist Geduld und ein harter Panzer« – gefunden und aus einer Eingebung heraus damit die Schildkröte assoziiert, die ihn seit diesem Tag in allen Formen begleitet.

Bei ihrem letzten Frühstück im Kloster überreichen die Jungs aus Jux Präfekt Burri voller Schadenfreude die Strickleiter. Sie fühlen sich als *die* Macker, welche der Obrigkeit ein Schnippchen geschlagen haben – und staunen dann aber nicht schlecht!

»Danke, meine Lieben«, entgegnet Burri mit einem süffisanten Lächeln auf den Lippen, »aber ihr glaubt doch nicht im Ernst, dass ihr mich damit überrascht?«

Peer und seinen Freunden schiesst der Schweiss aus allen Poren und der Pudding in die Knie.

Gut, dass sie sitzen!

Damit hat keiner gerechnet!

»Ja, der ›Alte‹ hat es von Anfang an gewusst«, fährt Burri betont langsam und genüsslich fort. »Aber, solange ihr jeden Morgen pünktlich zur Arbeit erschienen seid, solange habe ich keinen Grund zum Eingreifen gesehen und wollte euch die Freude lassen. Ihr habt mir zwar schon manchmal Leid getan, so verkatert, wie ihr wart. Doch erwachsen werden ist nicht einfach. Und ihr solltet diese Erfahrung selber machen.«

Die Jungs verstehen die Welt nicht mehr. Ihr Präfekt, der im Studium immer mit leicht gerötetem Gesicht in der Bibel lesend und scheinbar missmutig auf und ab ging, ihr Burri, der immer den Eindruck erweckte, nicht gerade der Freund junger Menschen zu sein, dieser Mann hat von ihren nächtlichen Eskapaden gewusst und alles geduldet?!

Eine neue Lebenserfahrung für Peer und seine Freunde! Blitzartig wird ihnen bewusst, dass sie vom Leben noch gar nichts wissen, dass man nicht in Menschen hineinsehen kann, dass sie selber vielleicht manchmal etwas demütiger sein sollten.

Peer denkt unweigerlich an seinen Vater. Doch für versöhnliche Gesten irgendwelcher Art ist er noch nicht bereit. Zu tief sind die Verletzungen seiner noch jungen Seele. Und die Wunden werden wohl noch Jahre brauchen, um zu heilen. Wenn überhaupt!

Der Abschied von den Klosterschwestern geht nicht ganz ohne Tränen vonstatten. Nicht nur bei den Nonnen. Auch Peer, der sowieso »etwas nah am Wasser gebaut ist«, und einige der anderen Jungs kämpfen mit feuchten Augen. Sie haben wunderbare Menschen kennengelernt, Menschen mit Tiefgang, Menschen mit Herz – wirkliche Menschen eben!

24

Das neue Schuljahr hat begonnen. Der Internats-Alltag ist bereits wieder zur Routine geworden. Das Baulager in Frankreich gehört der Vergangenheit an. Und trotzdem scheint es immer noch präsent zu sein. Jedenfalls ist Burris Umgang mit Peer und den Jungs, die mit ihm in der Normandie waren, merklich entspannter. Vielleicht ist es auch nur so, weil Peer und seine Freunde reifer, ein Stück erwachsener, geworden sind.

Dass das Leben ernster wird, merken Peer und seine gleichaltrigen Kollegen gleich in der ersten Turnstunde. Ihr Turnlehrer Carlo Guble händigt ihnen ein graues Blatt Papier aus, auf dem in grossen Lettern zu lesen ist: »Militärischer Vorunterricht«. Oben links steht aber nicht »Militärdepartement der Schweizerischen Eidgenossenschaft«, wie anzunehmen wäre, sondern »Kollegium Maria Hilf Schwyz«.

Alfredo schaltet sofort.

»Entschuldigung Herr Guble, aber das ist nichts für mich«, protestiert er lauthals.

»Bist du nicht Schweizer?«, fragt Guble scharf.

»Doch! Aber …«

»Kein aber«, unterbricht ihn der Turnlehrer barsch, »der Militärische Vorunterricht ist hier im Kollegi für alle Studenten im Aushebungsalter obligatorisch. Ob Schweizer oder nicht. Keine Ausnahmen!«

»Hijo de«, presst Alfredo zwischen seinen zusammengekniffenen Lippen hervor, und für den Bruchteil einer Sekunde macht es den Anschein, als wolle er gleich aufstehen und, wie sein Vorbild, der südamerikanische Freiheitskämpfer Simon Bolíar vor rund hundertfünfzig Jahren, die Faust zum Himmel strecken und rufen: »¡Abajo con los opresores! ¡Por la libertad y la autodeterminación!«

Doch Peer zupft ihn gerade noch rechtzeitig am Ärmel und bedeutet ihm ruhig zu bleiben.

»Der militärische Vorunterricht, oder VU, wie wir ihn von nun an nennen werden, macht aus euch richtige Männer«, doziert Guble stolz und gockelt vor den versammelten Jungs auf und ab. »Alle, die diesen Zettel erhalten haben, müssen nächstes Jahr vor den Sommerferien zur militärischen Aushebung. Jetzt wird's ernst! Und damit ihr dann fit seid, gibt's jede Woche zwei Stunden VU.«

»Muss der Mike und ich auch zur Aushebung, auch wenn wir nicht in der Schweiz wohnen?«, will Alfredo wissen.

»Alle Neunzehnjährigen mit Schweizer Bürgerrecht müssen zur Aushebung, wenn sie zu diesem Zeitpunkt ihren Wohnsitz hier bei uns in der schönen Schweiz haben«, stellt Guble zackig und in militärischem Ton klar – schliesslich ist er Offizier in der Armee. »Und euer Wohnsitz ist zur Zeit hier.«

Die Jungs realisieren ungläubig, dass sie ihren Turnlehrer offenbar all die Jahre falsch eingeschätzt haben.

»Das ist ja der reinste Militärkopf«, flüstert Thomas Peer zu und schaut dabei zu Boden, damit Guble seine Lippenbewegungen nicht sehen kann, denn plötzlich traut er ihm nicht mehr und will einem eventuellen Strafexerzieren vorbeugen. Man weiss ja nie!

»Ja, den möchte ich nicht als Gruppenführer«, pflichtet Peer Thomas bei.

»Ruhe da hinten!«, brüllt Guble durch die Turnhalle. »Ab sofort gilt in meinem Unterricht militärische Disziplin! Verstanden!«

»Ja«, antworten die Jungs zaghaft.

»Ich höre so schlecht! Wie heisst's?«, brüllt Guble erneut.

»Verstanden Herr Guble!«, brüllen die Jungs zurück.

Und Alfredo zischt verärgert: »Der hat sie ja nicht mehr alle.«

Guble hat sich wieder gefasst und erklärt den Jungs Sinn und Zweck des militärischen Vorunterrichts – aus seiner Sicht!

»Neben der schweizweit einmaligen Bildungsqualität und der christlichen Erziehung hatte schon Bundesrat Etter die stets loyale, vaterländische Haltung unseres Kollegiums immer gelobt«, schwärmt Guble mit pathetisch ausladenden Armbewegungen.

»Jetzt ist er vollkommen übergeschnappt«, kann sich Peer nicht verkneifen, was aber Guble nicht hört, weil er total entrückt und mit einem Blick, als wolle er damit Mythen und Alpen gleichzeitig durchdringen und direkt das Meer sehen, ohne Unterbruch weiterfährt: »Es ist unsere vaterländische Pflicht, als *die* katholische Eliteschule der Schweiz, als *die* Schmiede geistlicher, politischer und wirtschaftlicher Kaderpersönlichkeiten, uns auch um eine vorbildliche, einwandfreie und anhaltende körperliche Verfassung unserer Zöglinge zu kümmern!«

Die Jungs können sich eines verdrückten Kicherns nicht erwehren. Für sie ist das alles abgehobenes, realitätsfremdes, ja sogar peinliches Geplapper einer nervenden Besserwissergeneration. Eines nehmen sie allerdings während Gubles weiteren Ausführungen mit Erleichterung zur Kenntnis: Der bisherige Turnunterricht ändert sich nicht, und die einzige Neuerung ist ein wöchentlicher, einstündiger Ausdauerlauf, den sie unter Aufsicht eines ihrer Kollegen selbständig absolvieren müssen. Als sie dann noch hören, dass Peer für die wöchentliche Durchführung verantwortlich ist, weichen ihre letzten Bedenken einer euphorischen Freude, denn sie wissen ganz genau: Ihr Ausdauerlauf wird jeweils höchstens zehn Minuten bis zum nächsten Restaurant dauern!

Peer ist sofort klar, was da auf ihn zukommt, und was seine Kollegen von ihm erwarten. Entsprechend versucht er sie nach der Turnstunde auf die Schippe zu nehmen.

»Ihr meint jetzt wohl, wir machen da jeweils so einen kleinen Spaziergang«, beginnt er ernst, »aber da täuscht ihr euch. Ich selber bin vom Militär auch total angefressen. Noch mehr als der Guble. Und ihr könnt euch auf etwas gefasst machen …«

Doch weiter kommt Peer nicht. Fäuste schwingend und grölend stürzt sich die Bande auf ihn, und das Ganze artet in ein scherzhaftes, pubertäres Machogerangel aus das darin gipfelt, dass am Schluss jeder gebückt dasteht und stöhnend seine gequetschten Hoden hält.

Peer und seine Gruppe erstellen nicht nur einen »Geheimplan«, in welcher Woche sie welches Restaurant besuchen wollen. Sie sind sogar noch dreister und holen sich bei ihrem

Präfekten die Erlaubnis, den VU-Lauf auf eineinhalb Stunden ausdehnen zu dürfen, was ihnen Burri natürlich nicht nur gerne erlaubt, sondern sie dafür sogar noch lobt. Wer läuft denn schon freiwillig ein halbe Stunde länger, als er müsste?!

So kommen Peer und seine Freunde regelmässig wöchentlich zu ihrem zusätzlichen Wirtshausbesuch. Da zur Laufzeit der Jungs die übrigen Kollegianer obligatorisches Studium haben, müssen sie auch nicht befürchten entdeckt zu werden. Eine gute Gelegenheit für sie, jeweils ein Mädchen ins entsprechende Restaurant einzuladen, was natürlich jeder versucht.

Peer hat selbstverständlich seine Rosalie gleich in die schlitzohrige VU-Laufgeschichte eingeweiht und ihr einen »Geheimplan« überlassen. So kann sie nach Möglichkeit jeweils im entsprechenden Restaurant auf ihn warten. Für Peer jeweils eine kleine Überraschung. Ist sie da? Ist sie nicht da? Nicht immer kann sie es einrichten. Umso mehr geniessen die beiden ihre Zeit zusammen, wenn es denn mal klappt.

25

Irgendwie hat Peer nicht gut geschlafen. Es scheint ihm, als sei er die ganze Nacht wach gewesen. Das »Ding-dang-dong« aus den Schlafsaallautsprechern ist für ihn heute Morgen wie eine Erlösung. Ist es der heutige Sporttag, der ihm zusetzt? Oder ist es vielleicht doch eher eine seiner im Moment wieder vermehrt auftretenden depressiven Verstimmungen, die ihm den heutigen Tag zu vermiesen drohen? Peer weiss es nicht. Er hat für sich selber beschlossen, die Dinge einfach mal auf sich zukommen zu lassen.

Alfredo ist Peers Gemütszustand nicht verborgen geblieben. Er versucht ihn mit einem, zumindest für Alfredo selber, witzigen Spruch aufzuheitern.

»Hombre, bist du gestern Nacht schön enthaltsam gewesen, oder hast du noch verkrampfte Finger und Muskelkater im rechten Oberarm?«, versucht Alfredo behutsam die momentane Stimmung zu analysieren.

»Geht dich nichts an«, schnauzt Peer kurz angebunden.

Aber noch bevor Alfredo etwas sagen kann, ist sich Peer seiner Stinklaune bewusst und schiebt quasi als Entschuldigung für sein rüpelhaftes Benehmen nach: »Zudem bin ich Linkshänder.« Doch ein versöhnliches Lächeln will ihm nicht so recht gelingen.

Kein Problem für Alfredo. Er kennt seinen Freund und klopft ihm verständnisvoll auf die Schulter: »Ist schon in Ordnung, Hombre. No hay problema.«

Nach dem Frühstück und dem obligaten Bettenmachen besammeln sich alle Studenten auf Geheiss ihrer Präfekten auf dem grossen Teerplatz vor dem Kollegium.

Peer braucht etwas Zeit und etwas Ruhe, um sich positiv auf diesen Tag einzustimmen. Er setzt sich daher etwas abseits ins Grass, stützt die Ellenbogen auf die Knie und bettet das Kinn in seine übereinander gelegten Hände. Sein Blick geht hinunter ins Dorf, Richtung Brunnen und Vierwaldstättersee. Noch ist alles relativ ruhig um ihn herum, was ihn zu kleinen, philosophischen Überlegungen veranlasst.

»Obwohl ich Brunnen und den Vierwaldstättersee von hier aus nicht sehen kann, sind sie dort unten«, murmelt er in seine Hände. »Also werden auch für mich bessere Zeiten kommen, denn wie alles, das da ist, obwohl man es nicht immer sehen kann, existieren auch diese besseren Zeiten für mich. Und früher oder später werden sie real.«

Diese Gewissheit und der sich abzeichnende, wunderschöne Sommertag sind es, die Peers Gemütszustand wieder nach und nach ins Lot bringen. Und so gesellt er sich wieder zu seinen schäkernden Kollegen.

Das Thermometer zeigt schon um neun Uhr morgens zweiundzwanzig Grad. Kein Wölkchen steht am Himmel. Entsprechend ist die Stimmung bei den meisten bereits leicht überdreht. Auch Peer kommt langsam auf seine Betriebstemperatur.

Wie gesagt: Sport steht auf dem Tagesprogramm. Jedoch nur für die rund fünfhundert Internatsstudenten. An sich ruhige, erholsame Stunden, die Peer und seinen Freunden bevorstehen. Die Externen haben es da weit weniger schön. Für sie ist heute wandern Pflicht.

Turnlehrer Guble ist der »Oberboss« des heutigen Sporttages. Ohne ihn geht gar nichts. Es ist unschwer zu erkennen, dass dieser Tag jeweils sein Jahres-Highlight ist. Wie ein Pfau stolziert er vor der versammelten Studentenschar auf und ab, wobei er krampfhaft seinen nicht mehr zu übersehenden Bauchansatz einzieht und die geschwellte Brust derart nach vorne presst, dass man befürchten muss, es schlage ihn jeden Moment auf den Rücken.

Für die Jungs, eine Witzfigur sondergleichen!

Und sie lassen es ihn auch wissen. Mit »Guble, Guble« Chören treiben sie ihn zu Höchstleistungen an, was sein militärisches Paradieren vor versammelter Gruppe vollends zur peinlichen Lachnummer verkommen lässt. Doch in seiner Selbstverliebtheit zweifelt Guble auch nicht den Flügelschlag eines Kolibris lang an der Aufrichtigkeit seiner Jungs.

»Ich rufe nun die Leiter der einzelnen Gruppen auf. Das sind die Fähigsten unter euch«, verkündet Turnlehrer Guble voller Überzeugung, wie ein Bundesrat bei einer Rede an die Nation.

So wird also einer nach dem anderen der – zumindest nach Guble – »fähigsten« Kollegianer in der Folge vom Turnlehrer aufgerufen.

Auch Peer ist dabei.

»Wie habe ich das nur verdient«, frotzelt er und kämpft sich durch die Reihen nach vorn.

Schliesslich stehen fünfundzwanzig Gruppenleiter bei Guble. Jedem werden zwischen fünfzehn und zwanzig Studenten zugeteilt, wobei Guble darauf achtet, dass alle in einer Gruppe etwa im gleichen Alter sind. In Peers Gruppe sind, Zufall oder nicht, all jene, die zusammen in Frankreich im Baulager waren.

Damit ist für Peer und seine Freunde der Tag gerettet!

»Als Erstes steht ›Ballweitwurf auf Rasenplatz‹ hier auf meiner Liste«, zitiert Peer.

»Super«, schwärmt Alfredo gleich. »Da hat es sicher wieder ein paar scharfe Miezen, wie letztes Jahr!«

Der Rasenplatz ist eigentlich ein Fussballfeld, das in einen stark abfallenden Hang hinein gebaut wurde und so hangseitig über grosse, steinerne Stufen verfügt. Eine ideale Zuschauertribüne. Und da im Dorf bekannt ist, wann der Kollegi-Sporttag stattfindet, hat es sicher auch dieses Jahr wieder einige Schulschwänzerinnen, welche die knackigen, verschwitzten Körper der jungen »Sportskanonen« ihren für ihr Dafürhalten steinalten Lehrern vorziehen.

Und so ist es dann auch!

Als Peer mit seiner Gruppe vom Hartplatz kommend die kurze Treppe zum schmalen Strässchen, das oberhalb des Rasenplatzes vorbei führt, hinunter steigt, drehen sich die Köpfe der bereits zahlreich auf den steinernen Stufen sitzenden Mädchen zu ihnen um, wie ein Sonnenblumenfeld zur Sonne.

»Hola guapas«, begrüsst Alfredo von weitem die herausgeputzten Schönheiten und lässt gekonnt seinen südamerikanischen Charme spielen.

Den Gesichtern einiger Mädchen nach zu urteilen, hat die eine oder andere von ihnen beim Blick auf die kurzen und eng anliegenden Turnhosen der Jungs bereits ihren ersten Orgasmus. Wie kommt das erst, wenn sich die Jungs ihrer Leibchen entledigen?!

Provokativ breitbeinig, als hätten sie den ultimativen Frauentraum zwischen den Beinen und müssten extrem aufpassen, diesen nicht zu beschädigen, hüpfen die Jungs die grossen Steinstufen hinunter auf den Rasenplatz – nicht ohne unten ihr »Gehänge« noch mal ausgiebig zurechtzurücken! Und wieder scheint es auf den besagten Stufen bei einigen Mädchen ein paar Muskelkontraktionen an den neuralgischen Stellen zu geben.

Die Zeit auf dem Rasenplatz vergeht leider viel zu schnell. Die drei Ballwürfe pro Mann sind rasch erledigt, und die Jungs müssen weiter, zur nächsten Übung. Schlecht für sie, aber gut für die Mädchen, denn schon steht die nächste Gruppe bereit.

Während sich unten auf dem Rasenplatz das Hennen- und Gockel-Spiel von eben wiederholt, steht Peer mit seiner Gruppe erneut vor dem Kollegi und wartet auf den Kilometerlauf. Da auch hier gruppenweise gestartet wird, und vor seiner Gruppe noch fünf andere warten, verzögert sich der Start seiner Gruppe. Doch anstatt sich in den Schatten der nahen Kastanienbäume zu setzen, ziehen es die Jungs vor, wieder etwas herumzublödeln.

Und dann passiert es!

Barfuss und nur mit Turnhose bekleidet rennt Peer nach einer Rangelei hinter Thomas her. Die Jagd führt über den heissen Asphaltplatz vor der über hundert Meter langen Gebäudefront des Kollegiums. Wie ein Hase im Zickzack laufend kann sich Thomas Peers Zugriff für eine kurze Zeit entziehen. Doch dann ist der »Jäger« dem »Hasen« im wahrsten Sinne des Wortes auf den Fersen. Eine kurze Unaufmerksamkeit, Peer schrappt über Thomas' Ferse, stolpert und stürzt in vollem Lauf der Länge nach, wild mit den Armen rudernd, zu Boden.

Verdammt! Ohne Leibchen und in kurzen Hosen, schiesst es Peer durch den Kopf. Jetzt nur nicht auf die Knie oder auf die Ellenbogen, und im Fallen versucht er sich möglichst auf die rechte Rückenseite zu drehen, was ihm auch einigermassen gelingt.

Der ganze Sturz läuft in seinem Gehirn wie in Zeitlupe ab. Kurz bevor er auf dem Boden aufschlägt, streckt er die Beine und presst seinen rechten Arm angewinkelt an die Brust.

Dann kommt der Aufschlag!

Gefühlte zehn Meter schlittert Peer über den Boden. In Wahrheit sind es vielleicht dreissig, vierzig Zentimeter. Aber für ihn: Eine nicht enden wollende Rutschpartie.

Der Asphalt ist wie grobes Schleifpapier. Leicht benommen steht Peer auf. Im ersten Moment spürt er nichts. Doch dann kommen die Schmerzen. Die rechte Seite seines Rückens, seines Oberschenkels und seiner Wade brennen wie Feuer. Sogar die Aussenseite seiner rechten Pobacke fühlt sich an, als wäre sie soeben geröstet worden. Noch ehe sich die Gaffer um Peer scharen, steht schon Alfredo neben ihm.

Bleich und mit weit aufgerissenen Augen stammelt er: »¡Mierda hombre! ¿Qué pasó?«

Ein schlechtes Zeichen. Alfredo spricht nur spanisch, wenn er sich in den Mittelpunkt stellen will, oder wenn unvorhergesehen etwas Gravierendes passiert. Das Zweite scheint hier der Fall zu sein.

»Alles halb so schlimm«, versucht Peer mit gequältem Lächeln auf gute Laune zu machen.

Derweil ist auch der »Hase« Thomas zum Ort des Geschehens zurückgekehrt und stottert völlig schockiert: »I-ich habe da-das nicht ge-gewollt!«

»He, weiss ich doch«, beruhigt ihn Peer. »War nicht deine Schuld. Einfach Pech!«

Plötzlich hört man Gubles aufgeregte Stimme: »Was ist da los?! Weg da! Macht Platz!«

Die Gaffermeute teilt sich, und der Turnlehrer baut sich mit in die Hüfte gestemmten Armen vor Peer auf.

»Sieht nicht gut aus«, meint er trocken, »geh in den Krankenstock und lass das behandeln.«

Den Herumstehenden befiehlt Guble zu ihrer Postenarbeit zurückzukehren. Damit ist die Angelegenheit für ihn erledigt, allerdings nicht ohne vorher noch eine seiner, wenn auch nicht deplazierten, aber in der Regel meist überflüssigen Weisheiten zum Besten zu geben, die da dieses Mal lautet: »Schmieren und salben hilft allenthalben.«

Peer nimmt's gelassen. Für ihn ist der heutige Sporttag gelaufen. Alfredo wird zu seinem Stellvertreter bestimmt, und er selber sucht den Krankenstock auf.

Peers Sturz scheint sich wie ein Lauffeuer verbreitet zu haben. Jedenfalls steht Schwester Friedeburga bereits aufgeregt in der Tür, als Peer die Krankenabteilung erreicht. Fürsorglich geleitet sie ihn zum Behandlungsraum und bittet ihn, sich auf dem grossen Tisch in der Mitte des Raumes auf den Bauch zu legen.

»Es wird jetzt gleich etwas weh tun«, bereitet sie Peer mit beruhigender Stimme auf das Reinigen der Schürfwunden vor, »aber ich muss den Schmutz und die kleinen Steinchen hier rausholen.«

»Kein Problem Schwester. Ein rechter Mann hält das aus«, versucht Peer auf Macho zu machen.

Wenn er sich da nur nicht blamiert!

Doch Schwester Friedeburga gibt sich grosse Mühe. Als ausgebildete Katastrophenhelferin ist sie auch psychologisch geschult und weiss, was Jungs in diesem Alter am meisten bewegt. Entsprechend verwickelt sie Peer in ein interessantes Gespräch, und ehe er sich versieht, sind seine Schürfungen gereinigt, mit einer kühlenden Salbe behandelt und fachgerecht verbunden. Die Wunden sind kaum mehr spürbar. Peer ist erleichtert. Dankend verabschiedet er sich. Und ohne irgendwelche ungeschriebene Gesetze oder Ähnliches zu beachten, drückt er der verdutzten Nonne rasch einen herzhaften Kuss auf die Wange, was diese, zwar leicht errötend, aber scheinbar nicht ganz ungern, mit einem scheuen Lächeln und verlegen zu Boden gerichteten Augen entgegennimmt.

Doch Schwester Friedeburga fasst sich rasch wieder.

»Nicht vergessen! Morgen Verband wechseln kommen«, ruft sie Peer noch nach, als dieser im Treppenhaus verschwindet und wieder zu seiner Sportgruppe zurückkehrt.

26

Die Sommerferien rücken näher. Bevor aber das rund zweimonatige »Dolce far niente« genossen werden kann, haben Peer und seine Freunde noch die erste Bürgerpflicht in ihrem jungen Leben zu erfüllen: Die Rekrutenaushebung. Und heute ist er da, der oft verschriene, mit vielen positiven und negativen Anekdoten behaftete Tag der militärischen Aushebung.

Es ist ein wunderschöner Sommertag. Der Himmel ist wolkenlos, und eine sanfte Brise macht die drückende Hitze etwas erträglicher.

»Lasst eure jungfräuliche Erscheinung mich ein letztes mal betören«, beginnt der etwas verrückte Godi sein Pamphlet und pflanzt sich mit leidendem Blick vor seinen stellungspflichtigen Kollegen auf. Er freut sich spitzbübisch. Da er ein Jahr jünger ist, muss er dieses Jahr noch nicht zur Aushebung. »Als unschuldige Buben geht ihr von dannen, und als richtige Männer kehrt ihr wieder«, fährt er theatralisch fort, die vor ihm stehende Gruppe von oben bis unten kritisch musternd.

»Und ich werde mich gleich erdreisten, meinen zierlichen Fuss gegen deinen breit gesessenen Hintern zu schlagen«, gibt Peer mit gleich poetischem Gesülze zurück, um aber gleich, den starken Mann markierend, anzuführen: »Diese Aushebung geht mir schon voll auf die Eier, und ich werde mich von diesen ›Militärköpfen‹ nicht unterkriegen lassen!«

Natürlich kann er nicht zugeben, dass ihm bereits jetzt seine Autoritätsangst zusetzt, und sein Puls merklich gestiegen ist. Vor seinem geistigen Auge sieht er schon die Aushebungsoffiziere in bestbekannter, cholerischer Art wie sein Vater herumschreien.

Bei Peers Worten läuten bei Alfredo bereits wieder die Alarmglocken. Er legt seinem Freund den Arm um die Schulter und nimmt ihn sanft zur Seite.

Beruhigend redet er auf ihn ein: »Mira hombre. Am besten kommst du da durch, wenn du nicht auffällst. Weder positiv, noch negativ. Halt die Schnauze und mach was dir befohlen wird. Und noch was: Lass deine Scheissangst vor deinem Vater endlich da, wo sie hingehört, nämlich in seinem A! – ok, ich will jetzt nicht ausfällig werden, aber du weisst schon, wo ich meine.«

»Du hast leicht reden«, entgegnet Peer gehässig, »ich jedoch wurde bereits in meiner Kindheit zu einem verdammten Psychopathen gemacht und kriege diese Scheissangst einfach nicht in den Griff«, und den Tränen nah wendet er sich ab.

Nachdem sich Peer wieder gefasst hat, kehrt er zu seinen Kollegen zurück, und die Gruppe macht sich zu Fuss auf den Weg zum Gemeinde-Fussballplatz, wo die militärischen Aushebungstests stattfinden werden. Beim Fussballplatz angekommen, sehen die Stellungspflichtigen bereits von weitem einen nervös auf und ab stolzierenden Offizier, der immer wieder ungeduldig auf seine Uhr schaut.

»Hab ich's doch gewusst«, stellt Peer konsterniert fest. »Wenn die anderen ›Militärköpfe‹ auch so sind, haben wir heute nichts zu lachen.«

»Und zu spät sind wir auch nicht«, doppelt Jean-Philippe nach, »also was schaut der denn immer auf die Uhr?«

Sie werden es gleich erfahren, denn soeben hat der besagte »Militärkopf« sie entdeckt und stampft, als hätte jemand seinen Anus mit Tabascosauce eingerieben – einen solchen Gang bringt man nur mit bis an die Schmerzgrenze zusammengekniffenen Pobacken zustande – auf sie zu.

»Was ist das für ein Sauhaufen?«, schreit der junge Leutnant und pflanzt sich breitbeinig, die Fäuste in die Seiten gestemmt, vor den Jungs auf.

»Entschuldigen sie, wo ist das Problem? Wir sind noch nicht eingerückt und haben noch gut fünf Minuten Zeit«, wird Peer ebenfalls laut, und er fühlt, wie das Adrenalin in seine Adern schiesst.

»Schnauze!«, bellt der »Militärkopf«. »Hier spricht nur wer gefragt wird! Verstanden!«

»Ich schlage ihm gleich die Nase platt«, raunt Peer Alfredo zu, der ihn mit einem mahnenden Blick zu beruhigen versucht.

Zum Glück hat Leutnant »Schreihals« Peers Drohung nicht gehört. Wer weiss, was sonst passiert wäre.

»Stellt euch in Zweierkolonne auf und dann im Laufschritt mir nach! Aber ein bisschen dalli!«, und schon rennt der überdrehte Uniformträger los. Die Jungs fluchend ihm nach. Nur mit Mühe können sie knapp mithalten. Peer kocht!

Beim Zivilschutzzentrum, das gleich neben dem Fussballfeld steht, angekommen, werden sie von einem älteren Hauptmann empfangen. Dieser nimmt sich zuerst aber rasch, ein wenig abseits, wo sie von den Jungs nicht gehört werden können, Leutnant »Anus-Gang« zur Brust. Und was er diesem zu sagen hat, scheint nicht sehr erbauend zu sein. Den Blick auf seine Fussspitzen gerichtet und immer wieder wie ein Wackeldackel mit dem Kopf nickend steht der junge Leutnant vor seinem Vorgesetzten und trottet schliesslich mit hängenden Schultern von dannen.

Die Jungs schöpfen wieder Hoffnung. Peers Puls sinkt merklich, und das Adrenalin in seinem Blut verflüchtigt sich langsam.

»Könnte doch noch was werden heut«, brummt er vor sich hin.

Auffallend freundlich erklärt Hauptmann Bigler, wie er sich selber vorstellt, den Stellungspflichtigen nun den Ablauf des heutigen Rekrutierungstages.

»Als Erstes werden sie jetzt dann gleich ärztlich untersucht«, erläutert Bigler mit ruhiger, vertrauenseinflössender Stimme.

Die Jungs sind überrascht und fast etwas verlegen, dass sie hier mit »Sie« angesprochen werden.

»Anschliessend finden die sportlichen Tests unter der Leitung unseres Turnexperten Oberleutnant Zehnder statt«, erklärt Hauptmann Bigler weiter. »Vor dem Abtreten treffen wir uns dann noch kurz im Speisesaal des Zivilschutzzentrums für die Schlussbesprechung. Und nun wünsche ich ihnen einen erfolgreichen Tag.«

Peers Glaube an das Gute im Menschen ist, zumindest im Moment, wieder einigermassen hergestellt. Er und seine Kollegen werden von einem Unteroffizier zur angekündigten ärztlichen Untersuchung geführt. Im Vorraum des Untersuchungszimmers müssen sie sich bis auf die Unterhosen ausziehen.

»Zum Glück habe ich heute frische Unterhosen angezogen und sie nicht einfach wie üblich gewendet«, versucht Peer, wie immer in Stresssituationen, seine Ängste etwas zu überspielen.

»Bei deiner Unterhosenfarbe hätte man die ›Bremsspuren‹ sowieso nicht gesehen«, flappst Thomas um dann ernüchternd festzustellen: »Bei meiner zwar auch nicht.«

In der Folge verschwindet einer nach dem andern im Untersuchungszimmer. Endlich ist auch Peer an der Reihe.

»Herr Nickels?«, fragt ihn der Herr mittleren Alters hinter dem kleinen Schreibtisch neben dem einzigen Fenster im Raum, und als Peer dies bejaht fährt er fort: »Ich bin der Aushebungsarzt Hauptmann Fürst.«

»Tag«, grüsst Peer kurz angebunden und unfreundlich.

»Ich habe sie nicht gehört«, gibt der Arzt Peer eine zweite Chance.

»Guten Tag Herr Hauptmann«, wiederholt Peer etwas höflicher, aber immer noch recht abweisend.

»Den ›Herr‹ können sie weglassen. ›Hauptmann‹ genügt. Militärpersonen spricht man nur mit dem Rang an«, erwidert der Aushebungsarzt freundlich und nicht auf den Rüpelton seines jungen Gegenübers eintretend.

Peer besinnt sich eines Besseren und will Fürts Geduld nicht weiter strapazieren. »Entschuldigen sie Hauptmann.

Das habe ich nicht gewusst«, gibt er sich versöhnlich und einsichtig.

»Ist schon in Ordnung«, entgegnet der Aushebungsarzt und weisst Peer an, sich vom assistierenden, schon etwas in die Jahre gekommenen Sanitätsunteroffizier messen und wägen zu lassen.

Die Daten werden von Fürst fein säuberlich in seinem vor ihm auf dem Pult liegenden Formular vermerkt. Auch Oberarm- und Brustumfang, sowie Hör- und Sehschärfe werden akribisch notiert. Schliesslich zitiert der Arzt Peer zu sich, zwängt seine Hand in einen Gummihandschuh, den er sich aus der Schachtel auf dem Kästchen hinter sich holt, und es erfolgt der viel geschmähte »Sackgriff« mit dem obligaten Husten.

Ein kurzes, erschrockenes »Uh« entfährt Peer.

Hauptmann Fürst entschuldigt sich sofort in aller Form: »Ist mir selber auch sehr unangenehm, aber gehört leider einfach dazu. Doch ich kann ihnen sagen, bei ihnen ist alles in Ordnung. Sie sind gesund und diensttauglich. Gratuliere«, und mit dem Auftrag, den Nächsten hereinzuschicken, wird Peer aus der ärztlichen Untersuchung entlassen.

Einer nach dem anderen der Stellungspflichtigen verschwindet im Untersuchungsraum. Und jeder, der wieder herauskommt, hat dasselbe, einfältige Grinsen im Gesicht.

Und was ist Schuld daran? – der »Sackgriff«!

Dieser ist dann auch das Gesprächsthema Nummer eins während des gesamten anschliessenden Mittagessens.

»Hast du auch brav gehustet?«, will Thomas provokativ wissen und klopft Peer dabei freundschaftlich auf die Schulter.

»Und wie ich gehustet habe, Junge«, brüstet sich dieser, sichtlich bemüht, einigermassen ernst zu bleiben. »Ich habe so gehustet, dass meine ›Glocken‹ Sturm geläutet haben, und die Hand des Doktors so durchgerüttelt wurde, dass ihm beinahe der Ehering vom Finger geflutscht ist!«

»Und ich habe so gehustet, dass der Hauptmann mein ›Geläute‹ loslassen musste, um sich keine Gehirnerschütterung zuzuziehen! So ist er durchgeschüttelt worden«, versucht Alfredo das ganze zu toppen.

Die für die Jungs sichtlich peinliche »Sackgeschichte« artet zum Brüller aus, denn jeder will den anderen mit seinem »Gehuste« noch übertreffen.

Das Auftreten des Arztes, wie auch des Turnexperten, haben sich positiv auf Peers Autoritätsangst ausgewirkt und ihn diese für den Rest des Tages vergessen lassen. Entsprechend ruhig, ja schon fast erholsam, verlaufen am Nachmittag die Prüfungen auf der Sportanlage zwischen Zivilschutzzentrum und Fussballplatz. Der Umgangston ist respektvoll, und die Jungs müssen nach und nach ihr bis jetzt negatives Bild über die Armee revidieren.

Klettern, Weitsprung, Weitwurf und Schnelllauf sind angesagt. Dabei werden weder Zeiten noch Weiten gewertet. Es wird lediglich der Erfüllungsgrad mit eins – erfüllt – bis sechs – nicht erfüllt – benotet und im Dienstbüchlein eingetragen. Peer hat, wie die meisten andern auch, mit der Note eins abgeschlossen. Die erwarteten, minimalen Ziele können problemlos erreicht werden.

Nach Abschluss der sportlichen Tests finden sich die angehenden Rekruten wieder im Speisesaal ein. Hier können sie ihre Wünsche bezüglich Waffengattung anbringen und werden dann entsprechend eingeteilt. Den meisten Wünschen wird entsprochen. Die herausragenden Sportler hätten allerdings besser ihren Ehrgeiz gezügelt – sie haben keine grossen Auswahlmöglichkeiten und werden entweder Grenadier oder Füsilier. Peer ist glücklich, nicht zu diesen zu gehören. Er ist der Fliegerabwehr als Kanonier für Drillingskanonen vom Kaliber zwanzig Millimeter zugeteilt, wird gleichzeitig aber auch als Motorfahrer der Kategorie zwei für Jeep, Mowag, Personenwagen und ähnliche Fahrzeuge vorgemerkt, da er bereits im Besitz des zivilen Fahrausweises für leichte Motorwagen ist.

»Das wird meinem Grossvater gefallen«, freut sich Peer, »der war auch Zwanzigmillimeter-Kanonier bei der Fliegerabwehr.«

»Das mit den langen, dünnen Rohren liegt bei euch wohl in der Familie«, sinniert Alfredo zweideutig und macht dabei eine eindeutige Distanzangabe vor seinem Hosenladen.

Dann, wie zu Beginn angekündigt, kommt Hauptmann Bigler zur Schlussbesprechung.

»Sie sind nun angehende Rekruten, und sie werden nächstes Jahr zur Sommerrekrutenschule aufgeboten«, beginnt er seine Ansprache. »Falls sie bis dann ihre Maturitätsprüfung noch nicht abgeschlossen haben, können sie ein Verschiebungsgesuch einreichen. Die Chance auf Bewilligung in solchen Fällen ist gut. Wenn sie dazu noch Fragen haben, können sie nachher noch zu mir kommen.«

Der Hauptmann bedankt sich für die gute Zusammenarbeit und den Einsatz der Jungs bei der heutigen Rekrutierung und kommt dann noch auf das Dienstbüchlein zu sprechen.

»Sie erhalten jetzt gleich ihr Dienstbüchlein, und es ist meine Pflicht, sie vorgängig über die ›Weisungen an den Inhaber‹, die auf Seite zwei aufgeführt sind, zu informieren. Ich lese ihnen diese jetzt vor.«

Bigler behändigt sich des ersten Dienstbüchleins vor ihm auf dem Tisch und beginnt vorzulesen: »Erstens: Das Dienstbüchlein darf nur als militärische Ausweisschrift verwendet werden. Einzig Militärbehörden …«

Bereits nach wenigen Minuten beginnt der eine oder andere der Zuhörer sich mit vor der Brust verschränkten Armen im Stuhl zurückzulehnen. Ein untrügliches Zeichen für Desinteresse und Ablehnung.

Hauptmann Bigler liest derweil aber unbeirrt und konzentriert weiter: »Wer in einem Dienstbüchlein unberechtigterweise Eintragungen vornimmt, bestehende Eintragungen abändert oder unleserlich macht, wer ein Dienstbüchlein verheimlicht, beseitigt, versetzt oder sich an solchen Handlungen beteiligt, wer den Bestimmungen von Ziffer eins zuwiderhandelt, wird bestraft …«

Nun wird es auch Peer zu bunt. Dieses Behördendeutsch ist ja nicht auszuhalten!

»Was sind das wohl für Leute, die so einen Stuss schreiben können«, fragt er leise und beginnt ungeduldig mit seinen Fingern auf der Tischplatte zu trommeln.

Bigler schaut kurz mahnend auf und fährt dann mit seiner Vorlesung aus dem Dienstbüchlein fort: »Nach der Entlassung auftretende Gesundheitsstörungen, für welche Leistungen der Eidgenössischen Militärversicherung beansprucht werden, sind sofort durch einen diplomierten Arzt feststellen und der Eidgenössischen Militärversicherung unter Beilage des Dienstbüchleins anmelden zu lassen.«

Ein Student des Humanistischen Gymnasiums meldet sich und will wissen, ob das nun heisst, dass er sich nicht selber bei der Militärversicherung anmelden darf, falls er denn diese beanspruchen müsste.

»Hombre, was will denn dieser kleine Scheisser«, wettert Alfredo leise – die verstaubten Humanisten sind bei den Technikern eh nicht sonderlich beliebt –, »mit seiner Fragerei verzögert der doch den ganzen Humbug hier nur noch.«

»Ja, und wenn du weiter lästerst, gibt's sicher noch irgendwelche Sanktionen und wir sitzen noch länger hier«, raunt ihm Peer zu, worauf sich Alfredo schmollend in sich zurückzieht.

Peer hingegen staunt über sich selber. Dass er das Ganze plötzlich so ruhig und ohne grosse Pulsschübe hinnehmen kann, macht ihn nachdenklich, und er kommt zur Überzeugung, dass der respektvolle Umgang, den die Verantwortlichen der heutigen Aushebung vorgelebt haben, dafür ausschlaggebend ist. Ein weiteres Indiz für ihn, dass unbeherrschte und krankhaft autoritäre Menschen wie sein Vater ein Fluch für eine verantwortungsvolle und funktionierende Gesellschaft sind.

Die Frage des »verstaubten Humanisten« beantwortet der Hauptmann kurz mit: »Kommen sie doch bitte nachher rasch zu mir. Wir wollen die andern nicht unnötig lang aufhalten«, und zu den Wartenden meint er: »Wir sind gleich fertig. Nur noch diese beiden kurzen Abschnitte. Sechstens: Der Wehrmann hat sich insbesondere von den Bestimmungen betreffend das Aufgebot zu Dienstleistungen sowie zur Erfüllung der Schiess- und Inspektionspflicht Kenntnis zu verschaffen. Nichtkennen des Aufgebotes gilt nicht als Entschuldigung. Und siebtens: Meldepflichtige, die irgendeiner

Auskunft über ihre militärischen Verhältnisse oder Pflichten bedürfen, haben sich unter Vorlegung des Dienstbüchleins an den Sektionschef oder den Kreiskommandanten des Wohnortes, Auslandurlauber an die zuständige schweizerische Auslandvertretung zu wenden. So, das war's!« Hauptmann Bigler klappt, offensichtlich selber auch erleichtert, das Dienstbüchlein in seinen Händen zu und legt es zurück auf den Tisch. »Nun wünsche ich ihnen alles Gute und viel Erfolg im Studium. Vielleicht sehen wir uns im Dienst irgendwo wieder«, und nach einer kurzen Pause, fügt er an, jetzt wieder in militärischem Ton: »Sie sind entlassen!«

Das sind die Worte, welche die Jungs schon lange hören wollten. Obwohl der heutige Tag sehr angenehm war und nicht im Entferntesten dem entsprach, was im Vorfeld so erzählt wurde, sind sie doch froh, wieder »Zivilisten« zu sein. Beim Verlassen des Speisesaals nehmen sie ihr Dienstbüchlein in Empfang, und dann geht's auf ins nächste Restaurant, wo ihr erster militärischer Einsatz ausgiebig begossen wird.

27

Die zwei Monate Sommerferien waren für Peer alles andere als erholsam. Trotz seiner Angst, hat er versucht mit seinem Vater über einen Schulabbruch zu reden.

Ohne Erfolg!

Wie vorauszusehen war!

Obwohl er seinem Vater unter Schweissausbrüchen und nahe am Nervenzusammenbruch klar gesagt hat, an seinem zwanzigsten Geburtstag seine Schulzeit, Mittelschulabschluss hin oder her, definitiv zu beenden, ist Peer wieder hier im Kollegi. Mit Vernunft ist seinem egomanen Vater eben nicht beizukommen. Für diesen ist es unvorstellbar, dass sich da jemand gegen seine Entscheidungen auflehnt.

Die letzten drei Monate im Kollegium Schwyz – Peer hat sich geschworen, dass es die letzten sein werden – sind für ihn die schwersten. Mit jedem Tag, der vergeht, rückt die Stunde der Wahrheit näher. Eine Wahrheit, die bei seinem Vater wüste Reaktionen auslösen wird. Und davor fürchtet er sich. Er fürchtet sich so sehr, dass er mit dem Gedanken spielt, bereits ein paar Tage vor seinem zwanzigsten Geburtstag daheim abzuhauen. Machbar wäre das problemlos. Sein Geburtstag fällt in die Weihnachtsferien. Die Frage ist nur, wo sollte er hin.

Peer redet stundenlang mit seiner Freundin Rosalie und seinen engsten Freunden über seinen Entschluss, vorzeitig aus dem Kollegi auszutreten. Die Spannweite der Ratschläge reicht von »auf jeden Fall« bis zu »unter keinen Umständen«. Der Grundtenor ist jedoch immer: Jeder ist seines eigenen Glückes Schmied.

»Und ich werde es durchziehen«, sagt Peer trotzig, als er sich von seinen Freunden verabschiedet – sie in die Weihnachtsferien, er in ein neues Leben.

So kommt es dann an Peers zwanzigstem Geburtstag zum grossen Krach, als Peer seinen Eltern ultimativ mitteilt, nicht mehr ins Kollegium zurückzukehren. Mit blutunterlaufenen Augen und schnaubend wie ein wild gewordener Stier geht der Vater auf seinen Sohn los. Obwohl Peer das Ganze gedanklich in den letzten Tagen und Wochen unzählige Male durchgespielt hat, ist er von Vaters Gewaltsausbruch total überfordert.

»Verdammter Nichtsnutz«, sind noch die feinsten Worte, die Peer von seinem Vater an den Kopf geworfen bekommt.

Peer zittert wie ein in die Enge getriebenes Rehkitz. Er kann sich nicht wehren. Streitkultur hat er nie gelernt. Hilflos ist er der vernichtenden Schimpftirade seines Vaters ausgeliefert.

Die Mutter bricht in Tränen aus, als sie sieht, dass sich Peer in die Hosen gemacht hat. Wie gross muss wohl die Angst sein, wie gewaltig der Druck, dass ihrem Sohn mit zwanzig Jahren noch so etwas passiert! Peer schämt sich und Tränen der Hilflosigkeit rinnen über sein Gesicht. In diesem unwürdigen Moment realisiert Peers Mutter offensichtlich zum ersten Mal, was sie als Eltern ihrem Sohn unter dem Deckmantel »Liebe und Fürsorge« angetan haben.

Der Vater merkt nichts. Er tobt weiter …

Vorsichtig nimmt die Mutter Peer in den Arm und führt ihn aus dem Raum. Als sich der Vater anstellt, ihnen zu folgen, dreht sie sich um, und ihre Nasenspitze berührt beinahe seine, als sie ihn mit zusammengekniffenen Augen anfaucht: »Noch einen Schritt, und du wirst es bereuen.«

Wie vom Blitz getroffen bleibt der Vater stehen. Für einen Augenblick scheint es, als werde er sich seines tyrannischen Verhaltens bewusst. Doch der Schein trügt. Zwar wagt er nicht, der Mutter und Peer zu folgen, im Grunde genommen ist er eben ein Feigling, aber sein unbeherrschtes, für einen erwachsenen Menschen unwürdiges Benehmen ist weiterhin nicht zu überhören.

28

Peer hat sich seinem Vater widersetzt. Zum ersten Mal in seinem Leben. Aber zu welchem Preis! Nun steht er da, ohne Abschluss, ohne Berufsausbildung, ohne Wohnung, ohne Geld.

Doch das alles kümmert ihn wenig. Er sucht sich neue Freunde, Menschen, die Zeit für ihn haben, die gerne mit ihm zusammen sind, die ihn respektieren.

Und dann hat er ja auch noch Rosalie.

So startet Peer in sein neues Leben, voller Hoffnung, dass alles so eintreffen wird, wie er sich das in seinen Träumen immer wieder ausgemalt hat …

Übersetzungen

Abajo con los opresores	Nieder mit den Unterdrückern
Adelante	Vorwärts
Amigo	Freund
Body	Körper
Bodies	Körper (Mehrzahl)
Bueno	Gut
Buenos (días)	Guten Tag / Morgen
Ça suffit	Genug / Das genügt
Callate	Schweig / sei still
Caramba	Wow
Chica / Chicas	Mädchen / Mädchen (Mehrzahl)
Claro	Klar
Cojones	Eier / Hoden
De nada, cariño	Bitte, Liebster
Deux Beaujolais Village s'il vous plaît	Zwei Beaujolais Village bitte
Dolce far niente	Süsses Nichtstun
Enchanté	Erfreut / entzückt
Et comme je vois tu parle aussi français	Und wie ich sehe, sprichst du auch Französisch
Et quoi maintenant	Und was nun
Gordo	Dicker
Hijo de burro	Sohn eines Esels
Hijo de puta	Sohn einer Hure / Arschloch

Hola

Hallo

Hola guapas

Hallo Schöne

Hombre

Mann / Menschenskind

Hombres

Männer / Leute

If I only had a dollar

1. Just about a year ago, my mama and my dad had gone.
   I've been waiting for a long time, but they did not return back home.
   So I took old Dady's banjo, went singing down to New Orleans.
   Oh Lord, I'm tired of strolling round.
2. Everybody in the city, does know already all my songs.
   Not a singel one feels pity, all they say to me, is hello.

   That's the way I get some money, well, just enough to buy some bread.
   Oh Lord, I'm tired of strolling round.
3. If I only had a dollar, for every song I sing.
   Soon there would be no more troubles, the sun would shine for me again.
   I could do all what I like to, 'cos money rules the world.
   Oh Lord, these only are dreams, you know.

Hätte ich nur einen Dollar

1 Ungefähr vor einem Jahr, gingen meine Mutter und mein Vater.
Ich habe lange Zeit gewartet, aber sie sind nicht nach Hause zurückgekehrt.
So nahm ich Vaters Banjo, ging singen, nach New Orleans.
Oh Herr, ich bin müde vom Herumstreichen.

2. Jedermann in der Stadt kennt bereits alle meine Lieder.
Nicht ein Einziger hat erbarmen, alles, was sie zu mir sagen, ist hallo.
So verdiene ich etwas Geld, gerade genug, um Brot zu kaufen.

Oh Herr, ich bin müde vom Herumstreichen.

3. Hätte ich nur einen Dollar, für jedes Lied, das ich singe.
Bald wären da keine Probleme mehr, die Sonne würde für mich wieder scheinen.
Ich könnte all das tun, was ich wollte, weil Geld die Welt regiert.
Oh Herr, das sind nur Träume, du weisst.

Il fait chaud

Es ist heiss

Invocatio Dei

Anrufung Gottes

Je revient tout de suite	Ich bin gleich zurück
Je suis inspecteur Hublot	Ich bin Inspektor Hublot
L'avenir aux jeunes	Die Zukunft den Jungen
Les suisses	Die Schweizer
Lo siento	es tut mir leid / Entschuldigung
Mierda	Scheisse
Mira	Schau / sieh mal
Muchacho	Junge
Muchachos	Jungs
Muchas gracias, querida Dulcinea	Vieln Dank, liebe Dulcinea
No hay problema	Kein Problem
Nous arrivons à Valognes en trois minutes	Wir kommen in drei Minuten in Valognes an
Oui	Ja
Oye	Hör' mal
Por la libertad y la autodeterminación	Für Freiheit und Selbstbestimmung
Pourquoi	Warum
Qué chica	Was für ein Mädchen!
Qué mierda es eso	Was für eine Scheisse ist das
Qué mujeres	Was für Frauen!
Qué pasó	Was ist passiert
Qué raro	Seltsam / merkwürdig
Qué tal	Wie geht's
Qu'est-ce que nous avons fait mal	Was haben wir falsch gemacht

Quieres algo mas, querido	Möchtest du noch etwas, Liebster
Siesta	Mittagsruhe
Sortez de la voiture	Steigt aus dem Auto
Suivez-nous	Folgen Sie uns
The Greens	die Grünen
Trois	Drei
Un instant s'il vous plaît	Ein Moment bitte
Un tuyau d'eau	Ein Wasserschlauch
Una paloma blanca	Eine weisse Taube
Vamos	Gehen wir
Voilà	Hier
Well	Gut